manual de assassinato para boas garotas

manual de assassinato para boas garotas

HOLLY JACKSON

Tradução de Diego Magalhães e Karoline Melo

intrínseca

Copyright © 2019 by Holly Jackson
Imagem de capa © 2020 by Christine Blackburne
Copyright da tradução © 2022 by Editora Intrínseca Ltda.
Traduzido mediante acordo com HarperCollins Publishers Ltd.
Publicado originalmente em inglês por Farshore, um selo de
HarperCollins Publishers Ltd, The News Building, 1 London Bridge St,
Londres, SE1 9GF.
Os direitos morais da autora foram assegurados.

TÍTULO ORIGINAL
A Good Girl's Guide to Murder

PREPARAÇÃO
Angelica Andrade

REVISÃO
Daniel Augusto Sllva

DIAGRAMAÇÃO
Ilustrarte Design e Produção Editorial

DESIGN DE CAPA
Casey Moses

ADAPTAÇÃO DE CAPA
Antonio Rhoden

CIP-BRASIL. CATALOGAÇÃO NA PUBLICAÇÃO
SINDICATO NACIONAL DOS EDITORES DE LIVROS, RJ

J15m

    Jackson, Holly, 1992-
       Manual de assassinato para boas garotas / Holly Jackson ;
tradução Diego Magalhães, Karoline Melo. - 1. ed. - Rio de Janeiro :
Intrínseca, 2022.
       448 p. ; 21 cm. (Manual de assassinato para boas garotas ; 1)

       Tradução de: A good girl's guide to murder
       ISBN 978-65-5560-490-0

       1. Ficção inglesa. I. Magalhães, Diego. II. Melo, Karoline. III.
Título. IV. Série.

22-75708   CDD: 823
                               CDU: 82-3(410.1)

Camila Donis Hartmann - Bibliotecária - CRB-7/6472

[2022]
Todos os direitos desta edição reservados à
EDITORA INTRÍNSECA LTDA.
Av. das Américas, 500, bloco 12, sala 303
22640-904 – Barra da Tijuca
Rio de Janeiro – RJ
Tel./Fax: (21) 3206-7400
www.intrinseca.com.br

Para meus pais.
O primeiro é para vocês.

parte um

QAG

RECONHECENDO ESFORÇO ACADÊMICO
QUALIFICAÇÃO PARA PROJETO DE EXTENSÃO 2017/2018

Número do candidato: 4169
Nome completo: Pippa Fitz-Amobi

PARTE A: PROPOSTA DO CANDIDATO
A SER PREENCHIDA PELO CANDIDATO

Área(s) de estudo e interesse relacionada(s) ao tópico:

Inglês, jornalismo, jornalismo investigativo e direito criminal.

Título provisório do projeto de extensão:

Pesquisa sobre a investigação do desaparecimento de Andie Bell, em Little Kilton, em 2012.

Apresente o tópico a ser pesquisado em forma de declaração/ questão/hipótese.

Um relatório detalhado sobre como a mídia impressa e televisionada e as redes sociais se tornaram atores incontornáveis das investigações policiais, a partir de um estudo de caso sobre o desaparecimento de Andie Bell. E as insinuações da imprensa a respeito de Sal Singh e sua suposta culpa.

Meus recursos iniciais serão:

Entrevista com uma especialista em desaparecimentos, entrevista com um jornalista local que cobriu o caso, matérias de jornal e entrevistas com membros da comunidade, além de livros e artigos sobre procedimentos policiais, psicologia e o papel da mídia.

Comentários do(a) supervisor(a):

Pippa, como já conversamos, você escolheu um tema extremamente sensível — um crime horrível que aconteceu na nossa cidade. Sei que não vou convencer você a desistir, mas o projeto só foi aceito sob a condição de que <u>nenhum limite ético seja extrapolado</u>. Aconselho que você delimite melhor o objeto de pesquisa do seu relatório ao longo da investigação, sem se deter nos pontos mais sensíveis.

E, vou ser clara, você **ESTÁ PROIBIDA** de entrar em contato com as famílias envolvidas no caso. Consideraremos isso uma violação ética e seu projeto será imediatamente desqualificado. E não trabalhe demais. Aproveite as férias.

Declaração do candidato

Certifico que li e entendi as regras relativas a práticas abusivas estabelecidas para os candidatos.

Assinatura:

PIPPA FITZ-AMOBI

Data: 18/07/2017

um

Pip sabia onde eles moravam.

Todos em Little Kilton sabiam.

Era como se a residência fosse a casa mal-assombrada da cidade. As pessoas andavam mais rápido ao passar por ali, e suas palavras entalavam na garganta. Crianças barulhentas desafiavam umas às outras a encostar no portão na volta da escola.

Mas a casa não era assombrada por fantasmas, apenas por três pessoas tristes que tentavam levar a vida como antes. Também não era assombrada por luzes oscilantes nem por cadeiras que caíam sozinhas, mas por letras grafitadas em tinta escura, formando as palavras *Família imunda*, e por pedras que quebravam as janelas.

Pip se perguntava por que eles não se mudavam. Não que precisassem ir embora. Não tinham feito nada de errado. Mas ela não sabia como aguentavam viver daquele jeito.

Pip sabia muitas coisas. Sabia que hipopotomonstrosesquipedaliofobia era o termo técnico para o medo de palavras longas, sabia que bebês nasciam sem patela, sabia recitar de cor os melhores trechos de Platão e Catão, e sabia que existiam mais de quatro mil tipos de batata. Mas não sabia como os Singh tinham forças para continuar vivendo em Kilton, sob o peso de tantos olhos arregalados, dos comentários sussurrados no volume certo para serem ouvidos e das interações com os vizinhos nunca mais se estenderem em longas conversas.

Era uma crueldade ainda maior o fato de a casa deles ficar tão perto do Colégio Kilton, onde Andie Bell e Sal Singh haviam estudado e para onde Pip voltaria para cursar o último ano dali a algumas semanas, em setembro, quando o sol forte do verão começasse a esmorecer.

Ela parou diante da casa e encostou no portão, mais corajosa do que metade das crianças da cidade. Seu olhar percorreu o caminho até a porta da frente. Pareciam apenas alguns metros de distância, mas havia um abismo entre onde ela estava e a entrada. Talvez aquela fosse uma péssima ideia. Pip tinha considerado essa possibilidade. O sol da manhã estava quente, e já dava para sentir a parte de trás de seus joelhos grudando na calça jeans. Uma péssima ideia ou uma ideia ousada. Seja como for, os grandes nomes da história sempre preferiram a ousadia à segurança, e suas palavras serviam de estofo até para as piores ideias.

Esnobando o abismo com a sola dos sapatos, Pip caminhou até a porta e — após um segundo de pausa, só para se certificar de que sabia o que estava fazendo — bateu três vezes. Seu reflexo tenso a encarou de volta: o cabelo escuro e comprido com as pontas clareadas pelo sol, o rosto pálido, apesar de ter passado uma semana no sul da França, e os olhos verde-escuros atentos, preparados para o impacto.

Com o tinir de uma corrente sendo solta e os cliques de uma fechadura trancada com duas voltas, a porta se abriu.

— Oi? — cumprimentou ele, segurando a porta entreaberta com a mão curvada sobre a lateral da madeira.

Pip tentou piscar para não encará-lo, mas era impossível. Ele se parecia muito com Sal. Com o Sal que ela reconhecia de todas as reportagens de televisão e fotos de jornal. Com o Sal que vinha desaparecendo de sua memória de adolescente. Ravi tinha o mesmo cabelo do irmão, preto e bagunçado, as sobrancelhas grossas e arqueadas, a pele marrom.

— Oi? — repetiu ele.

— Hum... — A perspicácia de Pip, que costumava ter uma resposta pronta para tudo, falhou. Seu cérebro estava ocupado processando o fato de Ravi, ao contrário de Sal, ter uma covinha no queixo, igual à dela. E de ter crescido ainda mais desde que o vira pela última vez. — Hum, desculpe. Olá.

Ela deu um pequeno aceno envergonhado e se arrependeu de imediato.

— Olá?

— Olá, Ravi. Eu... Você não me conhece... Sou Pippa Fitz-Amobi. Eu era da turma dois anos abaixo da sua, quando você ainda estava na escola.

— Tá bem...

— Eu queria saber se poderia falar com você um segundinho. Bom, não um segundinho. Todos os segundos têm a mesma duração. Não existem *segundinhos*. Enfim... Será que você poderia me dar alguns segundos seguidos?

Ai, meu Deus, era isso que acontecia quando ela ficava nervosa e se sentia encurralada: começava a despejar fatos inúteis na forma de piadas ruins. E para piorar: a Pip nervosa se tornava quatro vezes mais esnobe e abandonava seu jeito de falar de classe média por uma imitação ruim de sotaque de mulher rica. Quando é que tinha falado "segundinho" na vida?

— O quê? — perguntou Ravi, confuso.

— Desculpe. Deixe para lá — disse Pip, se recuperando. — É que eu estou fazendo minha QPE na escola e...

— O que é uma QPE?

— Qualificação para Projeto de Extensão. É um projeto em que trabalhamos de forma independente, junto com as turmas avançadas. Podemos escolher qualquer tema.

— Ah, eu não cheguei nessa fase na escola. Saí de lá o mais rápido possível.

— É... bom, eu queria saber se você estaria disposto a responder a umas perguntas para o meu projeto.

— É sobre o quê? — indagou Ravi, franzindo as sobrancelhas escuras.

— Hum... É sobre o que aconteceu cinco anos atrás.

Ravi soltou um longo suspiro, curvando os lábios no que parecia uma expressão de raiva contida.

— Por quê? — perguntou.

— Porque eu não acho que seu irmão é o culpado. E vou tentar provar isso.

PIPPA FITZ-AMOBI
QPE 01/08/2017
DIÁRIO DE PRODUÇÃO — 1ª ENTRADA

Entrevista com Ravi Singh marcada para sexta-feira à tarde (levar perguntas prontas).

Transcrever a entrevista com Angela Johnson.

O intuito de um diário de produção é traçar quaisquer obstáculos que o pesquisador encontrar, seu progresso e os objetivos do relatório final. Meu diário de produção vai ser um pouco diferente: vou registrar toda minha pesquisa, tanto os fatos relevantes quanto os irrelevantes, porque, até o momento, não sei como será meu relatório final nem o que vai acabar sendo útil. Não sei qual é meu objetivo. Vou ter que analisar a situação ao fim da pesquisa para, só então, entender que tipo de trabalho vou conseguir entregar. [Isto está começando a parecer um diário de verdade???]

Espero que *não* seja o trabalho que propus à sra. Morgan. Espero que apresente a verdade. O que aconteceu de verdade com Andie Bell no dia 20 de abril de 2012? E — se meu pressentimento estiver certo — se Salil "Sal" Singh não for culpado, então quem a matou?

Não acho que eu vá resolver o caso e descobrir quem assassinou Andie. Não sou uma policial com acesso a um laboratório de perícia (é óbvio) nem tenho delírios de grandeza. Mas espero que minha pesquisa revele fatos e versões que ponham a culpa de Sal em dúvida e sugiram que a polícia cometeu um erro ao encerrar o caso sem uma investigação mais profunda.

Por isso, meus métodos de pesquisa serão os seguintes: entrevistas com pessoas próximas ao caso, stalkear obsessivamente as redes sociais e um nível ABSURDO de especulação.

[NUNCA DEIXAR A SRA. MORGAN LER NADA DISSO!!!]

A primeira fase do projeto consistirá em pesquisar o que aconteceu com Andrea Bell — mais conhecida como Andie — e as circunstâncias de seu desaparecimento. Essas informações vão ser retiradas de notícias de jornal e das coletivas de imprensa realizadas pela polícia na época do crime.

[Escreva as referências na hora para não ter trabalho depois!!!]

Copiado do primeiro jornal de alcance nacional a reportar o desaparecimento:

> *"Andrea Bell, de dezessete anos, foi registrada como desaparecida na cidade de Little Kilton, em Buckinghamshire, na última sexta-feira.*
>
> *Ela saiu de casa de carro — um Peugeot 206 preto — com o celular, mas sem levar nenhuma roupa extra. A polícia diz que o desaparecimento 'está completamente fora do perfil da garota'.*
>
> *No fim de semana, as autoridades vasculharam a floresta próxima à residência da família.*
>
> *Andrea, mais conhecida como Andie, é branca, tem 1,67 metro e cabelos loiros compridos. Acredita-se que estava usando calça jeans escura e um moletom azul cropped na noite em que desapareceu".*[1]

Mais tarde, depois que tudo aconteceu, os artigos incluíram outros detalhes sobre onde Andie foi vista com vida pela última vez e sobre o intervalo de tempo no qual se acredita que ela tenha sido sequestrada.

---

1 www.gbtn.co.uk/news/uk-england-bucks-54774390, 23/04/12.

Andie Bell "foi vista com vida pela última vez pela irmã mais nova, Becca, por volta das 22h30, no dia 20 de abril de 2012".[2]

A informação foi corroborada pela polícia em uma coletiva de imprensa no dia 24 de abril, uma terça-feira: "Imagens retiradas de uma câmera de segurança do Banco STN, na High Street, em Little Kilton, confirmam que o carro de Andie saiu de sua casa por volta das 22h40."[3]

De acordo com Jason e Dawn Bell, os pais de Andie, ela "ia buscá-los em um jantar à 00h45". Quando a filha não apareceu nem atendeu aos telefonemas, os dois começaram a contatar os amigos dela para verificar se alguém sabia onde Andie estava. Jason Bell "ligou para a polícia para informar o desaparecimento da filha às 03h00 de sábado".[4]

Então, seja lá o que tenha acontecido com Andie Bell naquela noite, aconteceu entre 22h40 e 00h45.

Agora parece um bom momento para incluir a transcrição da entrevista que fiz por telefone com Angela Johnson ontem à noite.

---

2 www.thebuckinghamshiremail.co.uk/news/crime-4839, 26/04/12.
3 www.gbtn.co.uk/news/uk-england-bucks-69388473, 24/04/12.
4 FORBES, Stanley, "A verdadeira história do assassino de Andie Bell", *Kilton Mail*, 1º de maio de 2012, pp. 1-4.

TRANSCRIÇÃO DA ENTREVISTA COM ANGELA JOHNSON, DA DELEGACIA DE DESAPARECIMENTOS E SEQUESTROS

ANGELA: Alô.

PIP: Oi, é a Angela Johnson?

ANGELA: A própria. Você é a Pippa?

PIP: Isso. Muito obrigada por responder ao meu e-mail.

ANGELA: Sem problemas.

PIP: Tudo bem se eu gravar esta entrevista para poder transcrever e usar no meu projeto depois?

ANGELA: É claro. Desculpe, mas só tenho dez minutos para conversar com você. O que quer saber sobre desaparecimentos?

PIP: Bom, eu queria que você me explicasse o que acontece quando uma pessoa é registrada como desaparecida. Qual é o processo e quais são os primeiros passos da polícia?

ANGELA: Bom, quando alguém liga para registrar um desaparecimento, a polícia tenta coletar o máximo de detalhes para avaliar o possível risco que o desaparecido está correndo e proceder de forma apropriada. No primeiro contato, costumam pedir informações como nome, idade, descrição física da pessoa, que roupas estava usando na última vez em que foi vista, as circunstâncias do desaparecimento, se a pessoa desaparece com frequência, detalhes de algum veículo que possa estar envolvido... Usando essas informações, a polícia determina se é um caso de alto, médio ou baixo risco.

PIP: E o que torna um caso de alto risco?

ANGELA: O caso é de alto risco quando a pessoa é vulnerável, seja por causa da idade ou de alguma deficiência. Ou se a pessoa não costuma desaparecer, porque isso pode indicar que ela está correndo perigo.

PIP: Hum, então, se fosse uma pessoa de dezessete anos que nunca tivesse desaparecido antes, o caso seria considerado de alto risco?

ANGELA: Ah, com certeza. Um menor de idade estaria envolvido.

PIP: E como a polícia responde a um caso de alto risco?

ANGELA: Bom, policiais são enviados imediatamente para o local de onde a pessoa desapareceu. Eles vão tentar obter mais detalhes sobre a pessoa desaparecida, como nomes de amigos e parceiros, problemas de saúde ou informações financeiras, para o caso de ela ser encontrada ao tentar sacar dinheiro. Os policiais também vão precisar de várias fotografias recentes da pessoa e, em um caso de alto risco, é possível que amostras de DNA sejam recolhidas, caso os peritos precisem fazer exames mais adiante. E, com a autorização dos proprietários, o local é revistado para verificar se a pessoa desaparecida está escondida ali e se há outras pistas. Esse é o procedimento padrão.

PIP: Então a polícia imediatamente começa a procurar pistas e indícios de que a pessoa desaparecida foi vítima de um crime?

ANGELA: Com certeza. Se as circunstâncias do desaparecimento são suspeitas, sempre dizem para os policiais: "Na dúvida, investigue como se fosse um assassinato." É claro que apenas uma pequena porcentagem de casos de desaparecimento se torna casos de homicídio, mas os policiais são instruídos a documentar as provas desde o início, como se estivessem investigando um homicídio.

PIP: E o que acontece se não descobrirem nada relevante durante a busca inicial na casa da pessoa?

ANGELA: Os policiais ampliam a busca para os arredores da residência. Às vezes pedem registros telefônicos. Interrogam amigos, vizinhos, qualquer pessoa que possa ter informações relevantes. Se for um jovem, um adolescente desaparecido, não supomos que os pais conheçam todos os amigos e conhecidos do filho. Os colegas são um bom ponto de partida para identificar outros contatos importantes, sabe? Algum namorado secreto, esse tipo de coisa. E costumamos estabelecer uma estratégia de imprensa, porque pedir informações na mídia pode ser muito útil nessas situações.

PIP: Então, se uma menina de dezessete anos desaparecer, a polícia vai entrar em contato com os amigos e o namorado dela logo de cara?

ANGELA: Sim, claro. Vamos pegar depoimentos porque, se a pessoa desaparecida tiver fugido de casa, provavelmente vai estar escondida com alguém próximo.

PIP: E em que momento, em um caso de desaparecimento, a polícia determina que está procurando um corpo?

ANGELA: Bom, não existe um momento específico... Ah, Pippa, eu tenho que ir. Desculpe, estou sendo chamada para minha reunião.

PIP: Ah, tudo bem. Obrigada por ter aceitado falar comigo.

ANGELA: Se tiver mais perguntas, me mande um e-mail que eu respondo assim que puder.

PIP: Pode deixar. Mais uma vez, obrigada.

ANGELA: Tchau.

Encontrei as seguintes estatísticas na internet:

80% das pessoas desaparecidas são encontradas nas primeiras vinte e quatro horas; 97% são encontradas na primeira semana; e 99% dos casos são resolvidos no primeiro ano. Resta apenas 1%.
1% das pessoas desaparecidas nunca são encontradas.
Mas há outra estatística a se considerar: apenas 0,25% de todos os casos de desaparecimento acabam em morte.[5]

Em que estatística Andie Bell se encaixa? Ela oscila sem parar entre 1% e 0,25%, aumentando e diminuindo em minúsculos incrementos decimais.

Mas, hoje em dia, a maioria das pessoas aceita que ela morreu, apesar de seu corpo nunca ter sido encontrado. Por que será?

O motivo é Sal Singh.

---

5 www.findmissingperson.co.uk/stats.

dois

As mãos de Pip se afastaram do teclado, os dedos pairando sobre o *g* e o *h* enquanto ela tentava entender o que estava acontecendo no andar de baixo. Uma pancada, passos pesados, garras derrapando e risadinhas descontroladas. No instante seguinte, tudo ficou claro.

— Joshua! Por que o cachorro está usando uma das minhas camisas? — gritou Victor, o som atravessando o carpete de Pip.

Ela riu, soltando ar pelo nariz, enquanto salvava o arquivo e fechava o notebook. O *crescendo* começava todo dia naquele horário, assim que seu pai chegava do trabalho. Ele não conseguia ser discreto: seus sussurros podiam ser ouvidos a metros de distância, sua gargalhada repentina era tão alta que costumava causar sustos e, todo ano, sem falta, Pip acordava na véspera de Natal com o som de seus passos *cuidadosos* no corredor do andar de cima enquanto ele pendurava as meias cheias de presentes.

Seu padrasto era o inimigo número um da sutileza.

Quando Pip desceu a escada, se deparou com a cena em andamento. Joshua corria de um lado para outro — da cozinha para o corredor, e do corredor para a sala —, rindo sem parar.

Barney, o golden retriever, ia atrás, usando a camisa mais espalhafatosa do pai de Pip: a verde de estampa gritante que ele havia comprado na última viagem da família para a Nigéria. O cachorro derrapava, alegre, pelo piso de madeira polida do corredor, quase assobiando de animação.

No fim da fila, com seu terno cinza Hugo Boss, Victor lançava seus quase dois metros de altura atrás do cachorro e do menino, gargalhando em uma escala ascendente desenfreada. Parecia uma encenação caseira de um episódio de *Scooby-Doo*.

— Ai, meu Deus, eu estava tentando fazer meu dever de casa — comentou Pip, sorrindo ao pular para trás para não ser derrubada pelo comboio.

Barney parou para dar uma cabeçada no tornozelo dela, depois saiu correndo para pular em Victor e Josh, que tinham desabado juntos no sofá.

— Oi, linda — cumprimentou Victor, dando tapinhas no espaço ao seu lado no sofá.

— Oi, pai. Estava tudo tão quieto que eu nem percebi que você tinha chegado em casa.

— Minha Pipinha, você é inteligente demais para reciclar piadas.

Ela se sentou ao lado de Josh e do pai. A respiração ofegante dos dois fazia as almofadas do sofá subirem e descerem contra sua panturrilha.

Josh começou a escavar a narina direita, e o pai bateu na mão do garoto.

— Como foi o dia de vocês? — perguntou, fazendo Josh dar início a uma descrição vívida das partidas de futebol que havia jogado mais cedo.

Pip deixou a mente divagar. Ela já havia ouvido aquilo tudo no carro, quando buscou Josh no clube. Não tinha conseguido prestar muita atenção na história, distraída pela forma como o treinador substituto havia encarado sua pele branca quando ela apontara para o menino de nove anos e dissera: "Sou irmã do Joshua."

Ela já devia ter se acostumado com os olhares das pessoas enquanto tentavam entender a logística de sua família, os números e as palavras rabiscados por sua árvore genealógica. O nigeriano gigante obviamente era seu padrasto, e Joshua, seu meio-irmão. Mas Pip não gostava dessas palavras, de tecnicalidades frias. Pessoas amadas não são matemática, para serem calculadas, subtraídas ou separadas por um ponto decimal. Victor e Josh não eram apenas três oitavos dela nem quarenta por cento seus parentes; eram completamente dela. Eram o pai e o irmão mais novo irritante de Pip.

Seu pai "de verdade", o homem que lhe dera o sobrenome Fitz, morrera em um acidente de carro quando Pip tinha dez meses de idade. E, apesar de às vezes ela sorrir e concordar quando a mãe perguntava se lembrava como seu pai cantarolava enquanto escovava os dentes ou como riu quando a segunda palavra de Pip foi "cocô", a garota não tinha lembrança dele. Mas lembrar nem sempre é algo que fazemos por nós mesmos; às vezes, é para fazer outra pessoa sorrir. Essas mentiras são permitidas.

— E como anda seu projeto, Pip? — perguntou Victor, se virando para ela enquanto desabotoava a camisa do cachorro.

— Vai bem. Estou reconstruindo as circunstâncias do crime. Fui falar com Ravi Singh hoje de manhã.

— Ah, e aí?

— Ele estava ocupado, mas disse que eu podia voltar na sexta.

— Eu *não* faria isso — comentou Josh, em tom de aviso.

— Porque você é um pré-adolescente preconceituoso que ainda acha que pessoas minúsculas moram dentro do sinal de pedestres. — Pip o encarou. — Os Singh não fizeram nada de errado.

O pai interveio:

— Joshua, imagine como seria se todo mundo julgasse você por uma coisa que sua irmã fez.

— A Pip só faz dever de casa.

Em resposta, Pip acertou um golpe de almofada perfeito no rosto de Joshua. Victor segurou os braços do garoto, que se debatia para retaliar, e fez cócegas em suas costelas.

— Por que a mamãe ainda não voltou para casa? — quis saber Pip, provocando o irmão imobilizado ao aproximar do rosto dele o pé coberto por uma meia fofa.

— Ela ia direto do trabalho para o Clube do Livro das Mães Embriagadas — explicou o pai.

— Então... a gente pode jantar pizza? — perguntou Pip.

De repente, o fogo amigo cessou, e ela e Josh voltaram a lutar do mesmo lado. Ele se levantou num pulo e deu o braço para a irmã, lançando um olhar de cachorro pidão para o pai.

— Claro — respondeu Victor, com um sorrisinho, dando uma série de tapinhas na própria bunda. — Senão como é que eu vou manter esse popozão?

— Pai... — grunhiu Pip, arrependida de ter ensinado a expressão para ele.

PIPPA FITZ-AMOBI
QPE 02/08/2017
DIÁRIO DE PRODUÇÃO — 2ª ENTRADA

É muito difícil entender o que aconteceu a seguir no caso de Andie Bell a partir das notícias dos jornais. Vou ter que preencher as lacunas com suposições e rumores até os eventos ficarem mais nítidos depois das próximas entrevistas. Espero que Ravi e Naomi — que era uma das melhores amigas de Sal — possam me ajudar com isso.

Com base no que Angela me explicou, a polícia deve ter coletado informações sobre os amigos de Andie logo depois de pegar os depoimentos da família Bell e vasculhar a casa deles.

Depois de stalkear posts superantigos no Facebook, descobri que as melhores amigas de Andie eram Chloe Burch e Emma Hutton. Quer dizer, tenho as seguintes provas:

 Emma Hutton, Sal Singh e outras 97 pessoas
Ver mais 6 comentários...

Emma Hutton Ai, meu Deus, Andie, você tá literalmente incrível. Muuuuuuito linda.
Curtir · Responder · 7 de abril de 2012 às 22h34

Chloe Burch Fala sério, queria não ter que aparecer em fotos com você. Me dá sua cara, por favor.
Curtir · Responder · 7 de abril de 2012 às 22h42

Andie Bell Não
Curtir · Responder · 7 de abril de 2012 às 23h22

Emma Hutton Andie, podemos tirar uma foto legal de nós três no próximo apocalipse? Preciso de uma foto de perfil nova :)
Curtir · Responder · 7 de abril de 2012 às 23h27

Escreva um comentário...

Esse post foi feito duas semanas antes do desaparecimento de Andie. Ao que tudo indica, nem Chloe nem Emma moram mais em Little Kilton. [Talvez eu possa mandar uma mensagem privada para elas e perguntar se aceitam dar entrevista por telefone?]

Durante aquele primeiro fim de semana (dias 21 e 22), Chloe e Emma se empenharam para divulgar a campanha da Polícia do Vale do Tâmisa no Twitter: #EncontremAndie. Não acho que seja exagero supor que a polícia entrou em contato com elas na noite de sexta-feira ou na manhã de sábado, mas não sei o que as duas disseram. Espero descobrir.

O que se sabe de fato é que a polícia conversou com o namorado de Andie à época. Seu nome era Sal Singh, e ele estava no último ano do Colégio Kilton, junto com Andie.

No sábado, em algum momento, a polícia entrou em contato com Sal.

"O detetive Richard Hawkins confirmou que policiais interrogaram Salil Singh no sábado, 21 de abril. Perguntaram onde havia estado na noite anterior, especialmente no intervalo de tempo em que se acredita que Andie desapareceu."[6]

Naquela noite, Sal tinha ido à casa de seu amigo Max Hastings. Ele encontrou com seus quatro melhores amigos: Naomi Ward, Jake Lawrence, Millie Simpson e Max.

Tenho que confirmar essa informação com Naomi na semana que vem, mas acho que Sal contou à polícia que saiu da casa de Max por volta da 00h15. Foi andando para casa, e seu pai, Mohan Singh, confirmou que "Sal chegou em casa por volta da 00h50".[7]

---

6 www.gbtn.co.uk/news/uk-england-bucks-78355334, 05/05/12.
7 www.gbtn.co.uk/news/uk-england-bucks-78355334, 05/05/12.

Detalhe: a distância entre a casa de Max (na rua Tudor) e a de Sal (em Grove Place) dá cerca de trinta minutos de caminhada, segundo o Google Maps.

Ao longo do fim de semana, a polícia confirmou o álibi de Sal com os quatro amigos.

Cartazes de "desaparecida" foram espalhados pela cidade. As visitas porta a porta começaram no domingo.[8]

Na segunda, cem voluntários ajudaram a polícia nas buscas pelo bosque local. Vi as reportagens na televisão: uma fila enorme de pessoas, parecendo formigas, gritando o nome dela na floresta. Mais tarde, naquele mesmo dia, a equipe de perícia foi vista entrando na casa dos Bell.[9]

Na terça-feira, tudo mudou.

Acho que é melhor analisar os acontecimentos de terça-feira e dos dias seguintes cronologicamente, apesar de a cidade ter ficado sabendo dos detalhes de forma confusa e fora de ordem.

Pela manhã, Naomi Ward, Max Hastings, Jake Lawrence e Millie Simpson entraram em contato com a polícia e confessaram ter passado informações falsas. Disseram que Sal tinha pedido para que eles mentissem e que, na verdade, na noite em que Andie desapareceu, Sal havia saído da casa de Max por volta das 22h30.

Não sei direito qual o procedimento correto, mas imagino que, naquele momento, Sal tenha se tornado o principal suspeito.

Mas a polícia não conseguiu encontrá-lo. Sal não estava na escola nem em casa. Também não atendia o celular.

Porém, mais tarde, ficamos sabendo que Sal havia mandado uma mensagem para o pai naquela manhã, apesar de estar

---

8 FORBES, Stanley. "Moradora da região continua desaparecida", *Kilton Mail*, 23 de abril de 2012, pp. 1-2.

9 www.gbtn.co.uk/news/uk-england-bucks-56479322, 23/04/12.

ignorando todas as ligações. A imprensa passaria a se referir a isso como "a mensagem de confissão".[10]

Na terça à noite, uma das equipes policiais em busca de Andie encontrou um corpo no bosque.

Era Sal.

Ele havia se suicidado.

A imprensa nunca noticiou o método que Sal usou, mas, graças ao poder dos boatos estudantis, eu fiquei sabendo — assim como todos os alunos do Colégio Kilton na época.

Sal entrou no bosque próximo de sua casa, tomou um monte de remédios para dormir, pôs um saco plástico na cabeça e o prendeu com um elástico no pescoço. Ele sufocou enquanto ainda estava inconsciente.

Na coletiva de imprensa daquela noite, não houve nenhuma menção a Sal. A polícia revelou apenas a existência de imagens de câmera de segurança que mostravam o carro de Andie saindo de casa às 22h40.[11]

Na quarta, o carro de Andie foi encontrado estacionado em uma pequena rua residencial, a Romer Close.

Foi apenas na segunda-feira que a porta-voz da polícia revelou o seguinte:

"Tenho uma atualização sobre o caso Andie Bell. Com base em novas informações e na perícia, temos bons motivos para suspeitar que um jovem chamado Salil Singh, de dezoito anos, esteja envolvido no sequestro e no assassinato de Andie. As provas teriam sido suficientes para prender o suspeito, caso ele não tivesse morrido antes de o processo começar. A polícia não está procurando novos suspeitos no

10 www.gbtn.co.uk/news/uk-england-bucks-78355334, 05/05/12.
11 www.gbtn.co.uk/news/uk-england-bucks-69388473, 24/03/12.

caso do desaparecimento de Andie, mas continuamos bus-
cando seu corpo. Nossos sentimentos à família Bell e nossos
pêsames por todo o sofrimento causado por esta notícia."

Estas eram as provas suficientes:

- Encontraram o celular de Andie junto ao corpo de Sal.
- Análises periciais revelaram vestígios do sangue de Andie sob as unhas dos dedos indicador e médio da mão direita dele.
- O sangue de Andie também foi detectado no porta-malas do carro abandonado dela. Digitais de Sal foram encontradas no painel e no volante, junto com as de Andie e do resto da família Bell.[12]

De acordo com a polícia, as provas teriam sido suficientes para processar Sal e, acreditavam, assegurar sua condenação. Mas Sal estava morto, então não haveria julgamento nem condenação. E muito menos defesa.

Nas semanas seguintes, novas buscas foram feitas em Little Kilton e nos arredores da cidade. Buscas com cães farejadores de cadáveres. Com mergulhadores no rio Kilbourne. Mas o corpo de Andie nunca foi encontrado.

O caso do desaparecimento de Andie Bell foi encerrado em meados de junho de 2012.[13] Um caso pode ser "encerrado" apenas se a "documentação contiver provas suficientes para um processo, caso o criminoso não tivesse morrido antes de a investigação ser concluída". O caso "pode ser reaberto se novas provas ou pistas surgirem".[14]

---

12 www.gbtn.co.uk/news/uk-england-bucks-78355334, 09/05/12.
13 www.gbtn.co.uk/news/uk-england-bucks-87366455, 16/06/12.
14 Padrões de Registro de Crimes Nacionais, https://www.gov.co.uk/government/uploads/system/uploads/attachment_data/file/99584773/ncrs.pdf.

Vou ao cinema daqui a quinze minutos: mais um filme de super-herói a que Josh nos convenceu a assistir com chantagem emocional. Mas falta só mais uma parte das circunstâncias do caso Andie Bell/Sal Singh, e eu entrei no ritmo.

Dezoito meses após o caso de Andie Bell ser encerrado, a polícia pediu um relatório final ao legista local. Em casos assim, o legista decide se uma investigação mais aprofundada da morte é necessária, partindo da crença de que a pessoa provavelmente está morta e de que tempo suficiente já passou.

O legista então entra em contato com a Secretaria de Justiça do Estado, de acordo com o Ato Médico Legal de 1988, seção 15, solicitando um inquérito sem corpo presente. Quando não há corpo, um pedido de inquérito se fundamenta, sobretudo, nas provas obtidas pela polícia e no fato de os principais responsáveis pela investigação acreditarem que a pessoa desaparecida morreu.

Um pedido de inquérito é uma investigação legal das causas médicas e das circunstâncias da morte. O inquérito não pode "culpar ninguém pela morte nem estabelecer responsabilidade criminal por parte de nenhum indivíduo específico".[15]

No fim do inquérito, em janeiro de 2014, o legista entregou um veredito de "homicídio" e o certificado de óbito de Andie Bell foi emitido.[16] Um veredito de homicídio literalmente significa que "a pessoa foi morta por um 'ato ilegal' cometido por alguém" ou, para ser mais específica, foi morta por "homicídio culposo ou doloso, infanticídio ou por irresponsabilidade na condução de veículos".[17]

Foi assim que o caso terminou.

Andie Bell foi legalmente declarada morta, apesar de seu corpo nunca ter sido encontrado. Dadas as circunstâncias, podemos

---

15 http://www.inquest.uk/help/handbook/7728339.

16 www.dailynewsroom.co.uk/AndieBellInquest/report57743, 12/01/14.

17 http://www.inquest.uk/help/handbook/verdicts/unlawfulkilling.

supor que o "ato ilegal" do veredito significa, na verdade, homicídio. Depois do inquérito, uma declaração da Promotoria Real disse: "O caso contra Salil Singh teria sido baseado em provas circunstanciais e periciais. Não é papel da promotoria declarar se Salil Singh matou Andie Bell ou não. Apenas um júri poderia ter decidido isso."[18]

Então, apesar de nunca ter havido um julgamento, apesar de nenhum representante do júri ter se levantado, com as mãos suadas e a adrenalina nas alturas, e declarado: "Nós, do júri, consideramos o réu culpado", e apesar de Sal nunca ter tido a chance de se defender, ele é culpado. Não no sentido legal, mas de todas as maneiras que realmente importam.

Quando alguém pergunta o que aconteceu com Andie Bell, as pessoas daqui respondem sem hesitar: "Ela foi assassinada por Salil Singh." Não dizem "talvez", nem "supostamente", nem "tudo indica que".

"Foi ele", afirmam. Sal matou Andie.

Mas eu tenho minhas dúvidas...

[Próxima entrada: talvez eu possa investigar como o caso da promotoria contra Sal teria sido montado se tivesse ido a julgamento. A partir daí, devo começar a encontrar possíveis furos.]

---

18 www.gbtn.co.uk/news/uk-england-bucks-95322345, 14/01/14.

três

Era uma emergência, dizia a mensagem. Uma emergência de verdade. Pip soube na hora que só podia significar uma coisa.

A garota pegou a chave do carro, se despediu da mãe e de Josh com um grito apressado e correu para a porta.

No caminho, passou no mercado para comprar uma barra de chocolate gigantesca para ajudar a curar o coração partido gigantesco de Lauren.

Quando Pip estacionou em frente à casa da amiga, percebeu que Cara havia tido a mesma ideia. No entanto, o kit de primeiros socorros pós-término de Cara era infinitamente mais farto do que o de Pip. Ela havia trazido uma caixa de lencinhos, torradas, pastinhas e embalagens de máscaras faciais de todas as cores do arco-íris.

— Pronta? — perguntou Pip, batendo o quadril contra o dela em um cumprimento rápido.

— Sim, preparada para a choradeira.

Ela ergueu os lencinhos, e o canto da caixa se enroscou nos seus cachos loiro-claros. Pip soltou a caixa do cabelo da amiga, depois tocou a campainha. O som ríspido e mecânico fez as duas se encolherem.

A mãe de Lauren atendeu.

— Ah, a cavalaria chegou! — disse, sorrindo. — Ela está no quarto, lá em cima.

As duas encontraram Lauren na cama, totalmente submersa sob um edredom. O único sinal dela era uma mecha ruiva escapando por baixo do cobertor. Levou um minuto inteiro de insistência e chantagem com chocolate para que ela emergisse.

— Antes de mais nada — anunciou Cara, tirando o celular das mãos de Lauren —, você está proibida de olhar para isto pelas próximas vinte e quatro horas.

— Ele terminou comigo por mensagem! — choramingou Lauren, assoando o nariz e lançando uma meleca com a força de uma bala de canhão no coitado do lencinho fino.

— Garotos são idiotas. Graças a Deus eu não tenho que lidar com isso — disse Cara, passando o braço ao redor de Lauren e apoiando o queixo fino em seu ombro. — Lalá, você consegue alguém muito melhor do que ele.

— É — emendou Pip, quebrando outro pedaço de chocolate para Lauren. — Além disso, o Tom sempre dizia "pacificamente" em vez de "especificamente".

Cara estalou a língua e apontou para Pip, concordando.

— Viu? Isso é alarmante.

— Eu *pacificamente* acho que você se livrou de um embuste — afirmou Pip.

— Eu *atlanticamente* concordo — acrescentou Cara.

Lauren soltou uma risadinha, e Cara piscou para Pip. Era uma vitória clara. Sabiam que, se trabalhassem juntas, não demoraria até conseguirem fazer Lauren rir outra vez.

— Obrigada por terem vindo — disse Lauren, chorosa. — Não sabia se vocês viriam. Acho que abandonei vocês nos últimos seis meses para ficar saindo com o Tom, e agora vou ter que ficar segurando vela para duas melhores amigas.

— Para de besteira. Nós três somos melhores amigas, né? — disse Cara.

— É — concordou Pip. — A gente e aqueles três meninos que nós permitimos que desfrutem de nossa maravilhosa companhia.

As outras riram. Os meninos — Ant, Zach e Connor — estavam viajando nas férias.

Mas, dentre todos os amigos, Pip conhecia Cara havia mais tempo e, é óbvio, as duas eram mais próximas. Era algo que não precisava ser dito. As duas eram inseparáveis desde que Cara, aos seis anos, havia dado um abraço na pequena Pip, que ainda não tinha amigos, e perguntado se também gostava de coelhinhos. As duas se apoiavam quando a vida ficava pesada demais para carregar sozinha. Pip, apesar de ter apenas dez anos na época, havia ajudado Cara quando a mãe da amiga ficou doente e morreu. E, dois anos antes, se tornara muito presente, com um sorriso sempre aberto e pronta para atender qualquer telefonema de madrugada, quando Cara saiu do armário. Cara não era apenas sua melhor amiga, era uma irmã. Era seu lar.

A família de Cara era uma segunda família para Pip. Elliot — ou sr. Ward, como ela tinha que chamá-lo na escola — era seu professor de história e uma figura paterna terciária, depois de Victor e do fantasma de seu pai. Pip passava tanto tempo na casa dos Ward que tinha uma caneca e um chinelo com seu nome estampado, iguais aos de Cara e de sua irmã mais velha, Naomi.

— Certo. — Cara pulou para pegar o controle remoto. — Prefere uma comédia romântica ou um filme em que homens são assassinados de forma violenta?

Levou um filme meloso e meio do catálogo da Netflix para Lauren atravessar a fase de negação e colocar com cuidado o dedão do pé na fase de aceitação.

— Eu devia cortar o cabelo. É isso que as pessoas costumam fazer — disse.

— Sempre falei que você ia ficar bonita de cabelo curto — concordou Cara.

— E será que eu devia pôr um piercing no nariz?

— Aaah, total! — exclamou Cara, assentindo.

— Não entendo a lógica de pôr mais um buraco no buraco do nariz — interveio Pip.

— Outra frase maravilhosa de Pip que devíamos anotar. — Cara fingiu escrever no ar. — Qual foi a que me fez gargalhar outro dia?

— A da salsicha — respondeu Pip, suspirando.

— Ah, é. — Cara riu, fazendo barulho pelo nariz. — Então, Lalá, eu perguntei que pijama ela queria usar e ela simplesmente respondeu: "Isso é salsicha para mim." E depois não entendeu o que tinha de estranho nessa resposta.

— Não é estranha — retrucou Pip. — Meus avós por parte do meu primeiro pai eram alemães. "Isso é salsicha para mim" é uma expressão alemã comum. Significa "eu não ligo".

— Ou que você tem tara por salsicha. — Lauren riu.

— Disse a filha de um ator pornô — provocou Pip.

— Ah, meu Deus, quantas vezes vou ter que repetir? Ele fez uma única sessão de fotos pelado nos anos oitenta, só isso.

— Bom, voltando aos meninos desta década — retomou Cara, cutucando o ombro de Pip. — Você já foi falar com o Ravi Singh?

— Essa foi uma mudança de assunto brusca. E, sim, falei, mas vou voltar para entrevistá-lo amanhã.

— Não acredito que você já começou sua QPE — comentou Lauren, com um mergulho dramático de costas na cama. — Eu já quero trocar meu tema. A fome é depressiva demais.

— Acho que você vai querer entrevistar a Naomi em algum momento. — Cara encarou Pip.

— Com certeza. Você pode avisar para ela que talvez eu passe lá na semana que vem com um gravador e um lápis?

— Posso — respondeu Cara, depois hesitou. — Ela vai concordar e tal, mas será que você poderia pegar leve com ela? Minha irmã ainda fica muito chateada com isso às vezes. Quer dizer, ele era um dos melhores amigos dela. Na verdade, devia ser o *melhor* amigo dela.

— Claro. — Pip sorriu. — O que você acha que eu vou fazer? Segurar sua irmã no chão e espancar a garota até ela responder?

— Essa é a sua tática para o Ravi amanhã?

— Acho que não.

Lauren voltou a se sentar, fungando tão alto que fez Cara estremecer.

— Você vai na casa dele? — perguntou.

— Vou.

— Ah, mas… O que as pessoas vão pensar quando virem você entrar na casa do Ravi Singh?

— Isso é salsicha para mim.

PIPPA FITZ-AMOBI
QPE 03/08/2017
DIÁRIO DE PRODUÇÃO — 3ª ENTRADA

Sou suspeita para falar deste assunto. É óbvio. Toda vez que releio os detalhes das últimas duas entradas, fico imaginando julgamentos dramáticos. Sou uma advogada de defesa imponente e me levanto, enfurecida, para protestar. Mexo em minhas anotações e lanço uma piscadinha para Sal quando a promotoria cai em minha armadilha. Corro e bato na mesa do juiz, gritando: "Meritíssimo, não foi ele!"

Porque, por motivos que não sei explicar direito, quero que Sal Singh seja inocente. Motivos que carrego comigo desde os doze anos, pequenas inconsistências que me incomodam há cinco anos.

Mas tenho que ficar atenta para não cair no viés de confirmação. Então achei que seria uma boa ideia entrevistar alguém que está absolutamente convencido da culpa de Sal. Stanley Forbes, um jornalista do *Kilton Mail*, acabou de responder meu e-mail dizendo que posso ligar a qualquer hora hoje. Ele cobriu grande parte do caso Andie Bell para a imprensa local e até estava presente no inquérito do legista. Para ser sincera, acho que ele é um péssimo jornalista e tenho quase certeza de que os Singh poderiam abrir um monte de processos contra ele por calúnia e difamação. Vou transcrever a entrevista a seguir.

Ai, ai, ai...

TRANSCRIÇÃO DA ENTREVISTA COM STANLEY FORBES, DO JORNAL *KILTON MAIL*

STANLEY: Sim?

PIP: Oi, Stanley, aqui é a Pippa. A gente trocou e-mails mais cedo.

STANLEY: É, eu sei. Você queria saber minha opinião sobre o caso Andie Bell/Salil Singh, né?

PIP: É, isso mesmo.

STANLEY: Bom, pode falar.

PIP: Certo, obrigada. Hum... bom, primeiro, você estava presente no dia do inquérito do legista sobre a Andie, né?

STANLEY: Pode apostar, menina.

PIP: Como a imprensa nacional só relatou o veredito e a declaração posterior da promotoria, eu queria saber que tipo de prova foi apresentada pela polícia ao legista.

STANLEY: Ah, um monte de coisas.

PIP: Sei. Pode me dizer especificamente alguns dos argumentos que eles usaram?

STANLEY: Hum... O detetive encarregado do caso da Andie descreveu as circunstâncias do desaparecimento, as horas e tal. E depois começou a falar das provas que ligavam Salil ao assassinato. Chamaram muita atenção para o sangue no porta-malas do carro dela. Disseram que sugeria que ela havia sido assassinada em algum lugar e que o corpo tinha sido posto no porta-malas para ser levado para onde quer que tenha sido largado. No encerramento, o legista disse algo do tipo "me parece óbvio que Andie foi vítima de um crime com motivações sexuais e que fizeram um esforço considerável para se livrar de seu corpo".

PIP: O detetive Richard Hawkins ou algum outro policial estabeleceu uma linha do tempo descrevendo o que acreditavam ter acontecido naquela noite e como Sal supostamente a matou?

STANLEY: É, acho que me lembro de algo assim. Andie saiu com o carro e, enquanto voltava para casa, em algum momento, Salil a interceptou. Com ele ou ela ao volante, Salil a levou para um lugar isolado e a matou. Colocou o corpo no porta-malas e depois foi até algum outro lugar esconder ou se livrar dele. Aliás, fez isso tão bem que ninguém conseguiu encontrá-la em cinco anos. Deve ter sido um buraco muito fundo. Daí largou o carro na rua em que foi encontrado, acho que a Romer Close. E voltou andando para casa.

PIP: Então, por causa do sangue no porta-malas, a polícia achava que Andie tinha sido morta em um lugar e seu corpo escondido em um local diferente?

STANLEY: É.

PIP: Está bem. Em muitos artigos sobre o caso, você se refere ao Sal como "assassino" e até como "monstro". Tem consciência de que, sem uma condenação, você deveria usar a palavra "suposto" ao relatar crimes?

STANLEY: Acho que não preciso de uma criança me ensinando a fazer meu trabalho. Seja como for, é óbvio que foi ele, e todo mundo sabe disso. Ele a matou e a culpa o levou ao suicídio.

PIP: Certo. Então por que você está convencido da culpa do Sal?

STANLEY: Por motivos demais para listar. Fora as provas, ele era o namorado, né? E é sempre o namorado ou o ex-namorado. Além disso, o Salil era indiano.

PIP: Hum... Na verdade, o Sal nasceu e cresceu na Inglaterra, apesar de ser bem notável o fato de você se referir a ele como indiano em todos os seus artigos.

STANLEY: Bom, dá no mesmo. Ele era de família indiana.

PIP: E por que isso é relevante?

STANLEY: Não sou especialista nisso nem nada, mas eles têm um estilo de vida diferente do nosso, né? Não tratam as mulheres igual à gente. Para eles, mulheres são objetos. Então eu imagino que a Andie tenha decidido que não queria mais ficar com ele ou alguma coisa assim, e Salil a tenha matado em um acesso de raiva porque, aos olhos dele, ela pertencia a ele.

PIP: Uau... Eu... Hum... Você... Sinceramente, Stanley, fico bem surpresa por você não ter sido processado por calúnia e difamação.

STANLEY: É porque todo mundo sabe que estou dizendo a verdade.

PIP: Eu discordo. Acho que é muita irresponsabilidade chamar alguém de "assassino", sem usar "suspeito" ou "suposto" quando não houve julgamento nem condenação. Ou chamar o Sal de monstro. Falando em escolha de palavras, é interessante comparar suas reportagens recentes sobre o Estrangulador de Slough. Ele matou cinco pessoas e se declarou culpado no tribunal, mas, na sua manchete, você se refere a ele como "um jovem apaixonado". É porque ele é *branco*?

STANLEY: Isso não tem nada a ver com o caso do Salil. Eu só digo a verdade. Você precisa relaxar. O garoto já morreu. E daí se as pessoas chamam o cara de assassino? Isso não vai magoá-lo.

PIP: Mas a família dele não morreu.

STANLEY: Estou começando a achar que você pensa que ele é inocente. Apesar das conclusões de vários policiais experientes.

PIP: Só acho que há lacunas e inconsistências no caso contra o Sal.

STANLEY: É, talvez se o garoto não tivesse se matado antes de ser preso, a gente teria conseguido explicar as coisas.

PIP: Nossa, você é muito insensível.

STANLEY: Bom, foi insensível da parte dele matar a namoradinha loira, depois esconder o corpo.

PIP: Supostamente!

STANLEY: Você quer mais provas de que o garoto era um assassino, sua tiete? A gente não pôde publicar, mas minha fonte na polícia disse que eles acharam um bilhete no armário da Andie na escola com uma ameaça de morte. Ele a ameaçou e depois a matou. Você ainda acha que ele pode ser inocente?

PIP: Sim! E eu acho que você é um racista, intolerante, babaca, aproveitador...

(Stanley encerra a ligação.)

Pois é... Acho que eu e o Stanley não vamos ser melhores amigos.

De qualquer forma, essa entrevista me deu duas novas informações. Primeiro, que a polícia acreditava que Andie foi morta em algum lugar, antes de ser posta no porta-malas e conduzida até um segundo local, onde seu corpo foi enterrado.

A segunda informação que o adorável Stanley me deu foi essa "ameaça de morte". Não vi isso em nenhuma matéria nem em nenhuma declaração da polícia. Deve haver algum motivo: talvez a polícia não achasse que fosse relevante. Ou talvez não pudessem provar que o bilhete estava ligado a Sal. Ou talvez o Stanley tenha inventado. Seja como for, vale a pena lembrar disso quando eu for entrevistar os amigos de Andie.

Então, agora que sei (mais ou menos) qual era a versão da polícia para os eventos daquela noite e como o caso da promotoria seria, está na hora de criar um MAPA DO ASSASSINATO.

Depois do jantar, porque minha mãe vai me chamar em três... dois... é...

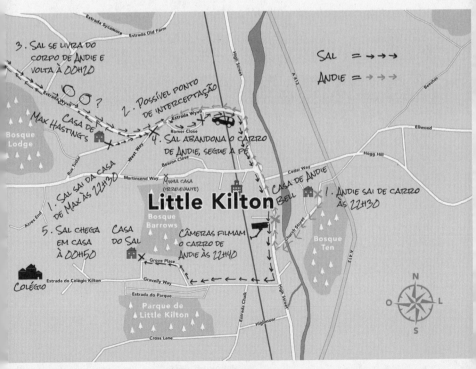

Um mapa muito profissional, eu sei. Mas ele me ajuda a visualizar a versão da polícia para os acontecimentos. Tive que fazer algumas suposições ao criá-lo. A primeira é que há vários caminhos da casa de Max para a de Sal. Escolhi o que passa pela High Street porque o Google diz que é o mais rápido e acho que a maioria das pessoas prefere andar em ruas iluminadas à noite.

Esse caminho também fornece um bom ponto de interceptação, ao longo da estrada Wyvil, onde Andie pode ter parado e deixado Sal entrar no carro. Pensando como um detetive, há algumas ruas residenciais tranquilas e uma fazenda na estrada Wyvil. Esses lugares tranquilos e isolados — circulados no mapa — podem ter sido onde o assassinato aconteceu (segundo a versão da polícia).

Não me dei ao trabalho de tentar adivinhar onde o corpo da Andie foi deixado porque, assim como todo mundo, não tenho a menor ideia de onde esteja. Mas como leva cerca de dezoito minutos para caminhar de onde o carro foi deixado, na Romer Close, até a casa de Sal, em Grove Place, devo supor que ele teria voltado para as proximidades da estrada Wyvil à 00h20. Então se a interceptação aconteceu por volta das 22h45, isso teria dado a Sal uma hora e trinta e cinco minutos para matá-la e esconder o corpo. Em termos cronológicos, me parece perfeitamente razoável. É possível. Mas já tem um monte de "porquês" e "comos" tentando abrir caminho nessa história.

Tanto Andie quanto Sal saíram de onde estavam por volta das 22h30, então devem ter planejado se encontrar, né? Acho coincidência demais que não tenham planejado isso. A questão é que a polícia nunca mencionou um telefonema nem mensagens enviadas por Andie ou Sal em que eles marcavam um encontro. E se conversaram na escola, onde não haveria registro da conversa, por que simplesmente não combinaram que Andie pegaria Sal na casa de Max? Isso está muito estranho. Estou divagando. São duas da manhã, e acabei de comer meio Toblerone. Está explicado.

quatro

Havia uma música dentro dela. Um ritmo doentio palpitando sob a pele de seus pulsos e pescoço, um acorde desafinado enquanto ela pigarreava e o tinido entrecortado de sua respiração. Então, veio a percepção terrível de que, depois de notar sua respiração, ela não conseguia deixar de notá-la, por mais que tentasse.

Pip parou diante da porta e desejou que alguém a abrisse. Cada segundo se tornava mais espesso à medida que a porta a encarava, os minutos se transformando em uma eternidade. Quanto tempo fazia desde que havia batido? Quando Pip não aguentou mais, tirou o Tupperware suado, cheio de muffins frescos, de baixo do braço e se virou para ir embora. A casa mal-assombrada estava fechada para visitas, e a decepção ardia em seu peito.

Ela havia dado alguns passos quando ouviu cliques e arranhões. Ao se virar, deu de cara com Ravi Singh à porta, com o cabelo bagunçado e a expressão confusa.

— Ah! — exclamou Pip em uma voz aguda que não era sua. — Desculpe. Achei que você tivesse me dito para voltar na sexta. Hoje é sexta.

— Hum, é, eu falei — respondeu Ravi, coçando a cabeça, com o olhar voltado para os tornozelos de Pip. — Mas... sinceramente...

achei que você estivesse brincando. Que era uma piada. Não achei que você fosse voltar.

— Bom, isso é... hum, uma pena. — Pip se esforçou para não deixar transparecer a mágoa. — Não é brincadeira, eu prometo. Estou falando sério.

— É, você parece uma pessoa séria.

A nuca dele devia estar coçando muito. Ou talvez a coceira na nuca de Ravi Singh fosse o equivalente aos fatos inúteis de Pip: uma armadura e um escudo quando o cavaleiro estava nervoso.

— Sou irracionalmente séria. — Pip sorriu, entregando o Tupperware para ele. — E fiz muffins.

— Tipo muffins de suborno?

— É, esse era o nome da receita.

A boca de Ravi se contraiu, não exatamente em um sorriso. Foi aí que Pip percebeu o quanto a vida dele devia ser difícil naquela cidade, com o fantasma do irmão refletido em seu rosto. Não era à toa que sorrir era difícil para Ravi.

— Então, posso entrar? — perguntou Pip, mordendo o lábio e arregalando os olhos na sua melhor expressão de cachorro pidão, que o pai dizia que a fazia parecer constipada.

— Pode — respondeu o garoto depois de uma pausa quase devastadora. — Mas só se parar de fazer essa cara.

Ravi deu um passo para trás para deixá-la entrar.

— Obrigada, obrigada, obrigada — disse Pip rapidamente, tropeçando no degrau de tanta empolgação.

Erguendo uma das sobrancelhas, Ravi fechou a porta e perguntou se ela queria uma xícara de chá.

— Quero, sim. — Pip ficou parada no corredor, sem jeito, tentando ocupar o mínimo possível de espaço. — Preto, por favor.

— Não confio em quem toma chá preto.

Ravi fez um gesto para que ela o seguisse até a cozinha.

O cômodo era largo e incrivelmente iluminado. A parede exterior era um painel gigante de portas de vidro de correr que se abriam para um jardim comprido, em seu auge com as flores do verão e trepadeiras típicas de contos de fada.

— Como você toma chá, então? — perguntou Pip, deixando a mochila em uma das cadeiras de jantar.

— Com leite suficiente para deixar bem branco e três colheres de açúcar — respondeu ele por sobre o ruído alto da chaleira.

— Três colheres? *Três?*

— Eu sei, eu sei. Sou uma formiguinha.

Pip observou Ravi se movimentar pela cozinha, com a chaleira no fogo criando uma desculpa para o silêncio entre os dois. Ele enfiou a mão em um pote quase vazio de saquinhos de chá, batendo os dedos na lateral enquanto servia o chá, o açúcar e o leite. A energia nervosa era contagiosa, e o coração de Pip acelerou para acompanhar o ritmo dos dedos dele.

Ravi trouxe duas canecas, segurando a de Pip pela base fervente para que ela pudesse pegá-la pela asa. A caneca era decorada com o desenho de um sorriso e a legenda: *Quando é o melhor momento para visitar o dentista? Quando você tiver siso.*

— Seus pais não estão em casa? — perguntou ela, pousando a xícara na mesa.

— Não. — Ele tomou um gole de chá, e Pip relaxou ao constatar que Ravi não era o tipo de pessoa que fazia barulho ao beber. — E, se estivessem, você não estaria. A gente tenta não falar muito sobre o Sal. Isso chateia minha mãe. Chateia todo mundo, na verdade.

— Mal posso imaginar — respondeu Pip, baixinho.

Não importava que cinco anos tivessem se passado. O assunto ainda era difícil para Ravi. Isso estava estampado em seu rosto.

— Não é só o fato de ele ter morrido. É que... Bom, a gente não pôde ficar triste pela morte dele por causa do que aconteceu. E se eu dissesse que sinto falta do meu irmão, isso me transformaria em algum tipo de monstro.

— Eu não acho.

— Eu também não, mas aposto que eu e você somos minoria.

Pip tomou um gole do chá para preencher o silêncio, mas estava quente demais e seus olhos arderam e se encheram de lágrimas. Ravi ergueu as sobrancelhas.

— Você já está chorando? A gente nem chegou na parte triste ainda.

— O chá está quente — respondeu Pip, arquejando, sentindo a língua ficar inchada e queimada.

— Deixe esfriar um *segundinho*, quer dizer, um *segundo*.

— Ei, você lembrou.

— Impossível esquecer aquela sua apresentação. Bom, que perguntas você queria fazer?

Pip olhou para o celular em seu colo.

— Primeiro, posso gravar nossa conversa para transcrever tudo direitinho depois?

— Parece que sua sexta à noite vai ser muito animada.

— Vou tomar isso como um "sim".

Pip abriu o zíper da mochila cor de cobre e tirou um maço de anotações.

— O que é isso? — indagou ele, apontando para os papéis.

— As perguntas que preparei.

Ela organizou as folhas em uma pilha.

— Nossa, você está mesmo levando isso a sério.

Ravi a encarou com uma expressão meio confusa e meio cética.

— É, estou.

— Eu deveria estar nervoso?

— Ainda não — disse Pip, lançando uma última olhada para ele antes de apertar o botão vermelho do gravador.

PIPPA FITZ-AMOBI
QPE 04/08/2017
DIÁRIO DE PRODUÇÃO — 4ª ENTRADA

TRANSCRIÇÃO DA ENTREVISTA COM RAVI SINGH

PIP: Quantos anos você tem?

RAVI: Por quê?

PIP: Só estou tentando coletar os fatos.

RAVI: Certo, sargento. Acabei de fazer vinte anos.

PIP: (Risos) [Nota: MEU DEUS DO CÉU, MINHA RISADA É HORRENDA. NUNCA MAIS VOU RIR NA VIDA!] E o Sal era três anos mais velho do que você?

RAVI: Isso.

PIP: Você se lembra de seu irmão ter agido de forma estranha na sexta-feira, dia 20 de abril de 2012?

RAVI: Uau, você é direta. Hum, não, nem um pouco. A gente jantou cedo, tipo por volta das sete da noite, antes de meu pai deixar Sal na casa do Max, e ele estava falante, como sempre. Se em segredo estava planejando um assassinato, não ficou nada óbvio para a gente. Ele estava... alegre. Eu diria que essa é uma boa descrição.

PIP: E quando ele voltou da casa do Max?

RAVI: Eu já tinha ido dormir. Mas, no dia seguinte, lembro que ele estava de ótimo humor. Sal era uma pessoa que gostava de acordar cedo. Ele acordou, fez café da manhã para todo mundo. Só depois recebeu uma ligação de uma das amigas da Andie e descobriu que ela tinha desaparecido. A partir daí, obviamente, ele não estava mais alegre. Ficou preocupado.

PIP: Então nem os pais da Andie nem a polícia ligaram para ele na sexta-feira à noite?

RAVI: Não que eu saiba. Os pais da Andie não conheciam Sal direito. Ele nunca havia sido apresentado a eles nem ido à casa deles. Andie costumava vir aqui ou os dois se viam na escola ou em festas.

PIP: Há quanto tempo eles estavam juntos?

RAVI: Desde um pouco antes do Natal do ano anterior, então fazia uns quatro meses. Sal tinha algumas ligações não atendidas de uma das melhores amigas da Andie, acho que às duas da manhã daquela noite. Mas o celular estava no silencioso, então ele não acordou.

PIP: O que mais aconteceu no sábado?

RAVI: Bom, depois de descobrir que Andie tinha sumido, Sal literalmente se sentou com o celular e ficou ligando para ela várias vezes. Só caía na caixa postal, mas ele achou que, se ela fosse atender alguém, seria ele.

PIP: Espere, então Sal ficou ligando para o celular da Andie?

RAVI: É, um milhão de vezes, no fim de semana e na segunda-feira também.

PIP: Não parece o tipo de coisa que alguém faria se soubesse que matou a pessoa e que ela nunca atenderia.

RAVI: Especialmente se ele estivesse com o celular dela escondido na roupa ou no quarto dele.

PIP: Um argumento ainda melhor. E o que mais aconteceu naquele dia?

RAVI: Meus pais disseram para ele não ir até a casa da Andie porque a polícia estaria revistando tudo. Então Sal simplesmente ficou em casa, tentando ligar para ela. Perguntei se ele sabia onde Andie poderia estar, mas meu irmão não tinha a menor ideia. Ele disse uma coisa que nunca esqueci: que nada com Andie era por acaso e que talvez ela tivesse fugido de propósito, para castigar alguém. É óbvio que, no fim da primeira semana, ele percebeu que não devia ser esse o caso.

PIP: Quem Andie ia querer castigar? Ele?

RAVI: Não sei, não perguntei. Não a conhecia muito bem. Ela só veio aqui algumas vezes. Bom, achei que o "alguém" de que Sal estava falando era o pai da Andie.

PIP: Jason Bell? Por quê?

RAVI: Eu ouvia umas coisas quando ela estava aqui. Percebi que não tinha um bom relacionamento com o pai. Não me lembro direito de nada específico.

[Ufa, ele fala "específico", não "pacífico".]

PIP: A gente precisa de coisas específicas. Quando a polícia entrou em contato com Sal?

RAVI: No sábado à tarde. Ligaram para ele e perguntaram se podiam vir aqui conversar. Chegaram por volta das três ou quatro da tarde. Eu e meus pais fomos para a cozinha para dar um pouco de espaço, então não ouvimos quase nada.

PIP: Sal contou para vocês o que eles tinham perguntado?

RAVI: Um pouco. Estava meio assustado com o fato de terem gravado o depoimento e...

PIP: A polícia gravou o depoimento? Isso é normal?

RAVI: Não sei, você que é a sargento. Disseram que era rotina e perguntaram onde e com quem ele estava naquela noite. E sobre o relacionamento dele com a Andie.

PIP: E como era o relacionamento deles?

RAVI: Sou irmão dele. Não via muita coisa. Mas, é, Sal gostava muito dela. Bom, parecia muito animado com o fato de estar com a garota mais bonita e popular da sala dele. Mas Andie sempre estava envolvida em algum drama.

PIP: Que tipo de drama?

RAVI: Não sei. Só acho que ela era do tipo de pessoa que gosta de drama.

PIP: Seus pais gostavam dela?

RAVI: Gostavam. Achavam Andie legal. Ela nunca deu motivo para que não achassem.

PIP: E o que mais aconteceu depois que a polícia pegou o depoimento do Sal?

RAVI: Hm, os amigos dele vieram aqui à noite, sabe? Para ver se ele estava bem.

PIP: E foi aí que Sal pediu aos amigos para mentir para a polícia e criar um álibi para ele?

RAVI: Acho que sim.

PIP: Por que você acha que ele fez isso?

RAVI: Bom, não sei. Acho que ele ficou abalado com o interrogatório. Talvez estivesse com medo de se tornar um suspeito e tenha tentado se proteger. Não sei.

PIP: Supondo que Sal seja inocente, você tem ideia de onde pode ter ido entre o momento em que saiu da casa do Max às 22h30 e o momento em que chegou em casa à 00h50?

RAVI: Não, porque ele também disse para a gente que saiu da casa do Max por volta da 00h15. Acho que estava sozinho em algum canto, então sabia que, se contasse a verdade, não teria álibi. Mas pega mal para ele, né?

PIP: Bom, mentir para a polícia e também pedir para os amigos mentirem pega mal para o seu irmão mesmo. Mas não é uma prova irrefutável de que ele teve alguma coisa a ver com a morte da Andie. E o que aconteceu no domingo?

RAVI: No domingo à tarde, Sal e os amigos se ofereceram para ajudar a pendurar cartazes e distribuí-los pela cidade. Na segunda, não o vi muito na escola, mas deve ter sido um dia muito difícil para ele porque todo mundo só falava do desaparecimento da Andie.

PIP: Eu me lembro.

RAVI: A polícia estava lá também. Vi os policiais vasculhando o armário da Andie. É, então, naquela noite, Sal estava meio para baixo. Quieto, mas preocupado, o que era de se esperar. A namorada tinha sumido. E no dia seguinte...

PIP: Bem... Você não precisa falar sobre o dia seguinte, se não quiser, Ravi.

RAVI: (Pausa breve.) Tudo bem. A gente foi andando junto para a escola. Eu fui para a secretaria e deixei Sal no estacionamento. Ele queria ficar lá fora um pouco. Foi a última vez que vi meu irmão. E a única coisa que falei foi "até mais tarde". Eu... Eu sabia que a polícia estava na escola. Um pessoal disse que estavam falando com os amigos do Sal. E só lá para as duas da tarde vi que minha mãe estava tentando me ligar, então fui para casa e meus pais me avisaram que a polícia precisava muito falar com Sal e perguntaram se eu o havia visto. Acho que os policiais tinham revistado o quarto dele. Tentei ligar para o meu irmão também, mas tocava, tocava e ninguém atendia. Meu pai me mostrou a mensagem que tinha recebido, o último contato de Sal.

PIP: Você se lembra da mensagem?

RAVI: Lembro. Dizia: *Fui eu. É culpa minha. Sinto muito.* E... (Pausa breve.) Mais tarde, naquela mesma noite, a polícia voltou. Meus pais foram atender a porta e eu fiquei aqui, ouvindo. Quando disseram que tinham encontrado um corpo no bosque, por um instante tive certeza de que estavam falando da Andie.

PIP: E... eu não quero ser insensível, mas os remédios para dormir...

RAVI: Eram do meu pai. Ele estava tomando fenobarbitúricos para a insônia. Depois, ele ficou se sentindo culpado. Não toma mais nada agora. Quase não dorme.

PIP: E você já havia imaginado que Sal podia ter pensamentos suicidas?

RAVI: Nunca, nem uma vez. Sal era literalmente a pessoa mais feliz que existia. Estava sempre rindo e brincando. É meio clichê, mas ele era o tipo de pessoa que iluminava um lugar quando chegava. Era o melhor em tudo que fazia. Era o filho perfeito dos meus pais, o melhor aluno. Agora eles ficaram só comigo.

PIP: E, me desculpe, mas a pergunta mais importante aqui é: você acha que Sal matou a Andie?

RAVI: Eu... Não, não acho. Não posso achar isso. Não faz sentido para mim. Sal era uma das pessoas mais legais do mundo, sabe? Nunca perdia a paciência, mesmo que eu o provocasse. Nunca foi um desses caras que entrava em brigas. Ele era o melhor irmão mais velho que alguém poderia ter e sempre me ajudava quando eu precisava. Era a melhor pessoa que eu conhecia. Então, tenho que dizer que não. Mas, por outro lado, não sei. A polícia parece ter tanta certeza, e as provas... Eu sei que pegam mal para Sal. Mas ainda não consigo acreditar que ele seria capaz de fazer algo assim.

PIP: Entendo. Acho que era só isso que eu queria saber por enquanto.

RAVI: (Recosta-se na cadeira e solta um longo suspiro.) Então, Pippa...

PIP: Pode me chamar de Pip.

RAVI: Certo, Pip. Você falou que isso é para um projeto da escola?

PIP: É, sim.

RAVI: Mas por quê? Por que você escolheu esse tema? Tudo bem, talvez você não acredite que Sal tenha matado Andie, mas por que ia querer provar? O que vai ganhar com isso? Ninguém mais nesta cidade tem dificuldade em acreditar que meu irmão era um monstro. Todo mundo já superou o que aconteceu.

PIP: Minha melhor amiga, Cara, é irmã da Naomi Ward.

RAVI: Ah, a Naomi. Ela sempre foi legal comigo. Estava sempre na nossa casa atrás do Sal, igual a um cachorrinho. Era completamente apaixonada por ele.

PIP: Sério?

RAVI: Eu sempre suspeitei. O jeito que ela ria de tudo que ele dizia, mesmo das coisas que não eram engraçadas. Mas não acho que era correspondido.

PIP: Hum.

RAVI: Então você está fazendo isso pela Naomi? Ainda não entendi.

PIP: Não, não é isso. O que eu quis dizer é que... Eu conhecia Sal.

RAVI: Sério?

PIP: É. Era comum ele estar na casa dos Ward quando eu aparecia lá. Uma vez, ele deixou a gente ver um filme para maiores de dezesseis anos, apesar da Cara e eu só termos doze. Era uma comédia e eu ainda me lembro do quanto ri. Ri até a barriga doer, mesmo sem entender tudo, porque as risadas do Sal eram contagiantes.

RAVI: Altas e agudas?

PIP: Isso! E, quando eu tinha dez anos, ele sem querer me ensinou meu primeiro palavrão. Foi *merda*, aliás. E, outra vez, ele me ensinou a virar panquecas porque eu não conseguia de jeito nenhum, mas era teimosa demais para deixar outra pessoa fazer por mim.

RAVI: Ele era um bom professor.

PIP: E, quando eu estava no primeiro ano, dois meninos estavam me provocando porque meu pai é nigeriano. O Sal viu. Ele se aproximou e falou, com muita calma: "Quando vocês dois forem expulsos por bullying, a próxima escola fica a meia hora daqui, se vocês conseguirem vaga. Começar do zero em uma escola nova... Pensem bem." Eles nunca mais mexeram comigo. E, depois, Sal se sentou do meu lado e me deu um KitKat para me animar. Desde então, eu... Bom, deixa para lá.

RAVI: Ei, por favor, me conte. Eu aceitei fazer a entrevista... Apesar dos seus muffins de suborno terem gosto de queijo.

PIP: Desde então, ele sempre foi um herói para mim. Simplesmente não consigo acreditar que foi ele.

PIPPA FITZ-AMOBI
QPE 08/08/2017
DIÁRIO DE PRODUÇÃO — 5ª ENTRADA

Acabei de passar duas horas pesquisando e acho que, com base na Lei de Liberdade de Informação (LLI), posso pedir à polícia do vale do Tâmisa uma cópia do interrogatório de Sal.

De acordo com a LLI, há algumas isenções à divulgação de informações — por exemplo, se o material pedido estiver relacionado a uma investigação em curso ou se infringir as leis de proteção de dados por divulgar informações privadas sobre pessoas vivas. Mas Sal morreu, então eles com certeza vão permitir que eu leia o que Sal disse no interrogatório, né? Talvez seja bom ver se também posso ter acesso a outros registros policiais da investigação do caso Andie Bell.

Outra coisa: não consigo tirar da cabeça as coisas que Ravi disse sobre Jason Bell. O fato de Sal ter pensado inicialmente que Andie tinha fugido para castigar alguém e que o relacionamento dela com o pai era complicado.

Jason e Dawn Bell se divorciaram pouco depois que o certificado de óbito de Andie foi emitido — essa informação é de conhecimento geral em Little Kilton, mas confirmei com uma rápida investigação no Facebook. Jason se mudou e agora vive em uma cidade a quinze minutos daqui. Pouco tempo depois do divórcio, começou a aparecer em fotos com uma loira bonita que aparenta ser um pouco jovem demais para ele. Pelo jeito, os dois se casaram.

Fiquei no YouTube assistindo por horas e horas às primeiras coletivas de imprensa assim que Andie desapareceu. Não acredito que nunca reparei nisso, mas tem alguma coisa estranha com Jason: o modo como aperta o braço da mulher com força demais quando ela começa a chorar por causa de Andie; o modo como põe o ombro na frente dela para afastá-la do microfone quando decide que Dawn já falou o suficiente; as falhas na voz que parecem forçadas quando ele diz: "Andie, a gente ama muito você" e "Por favor, volte para casa. Você não vai ficar de castigo"; e o modo como Becca, a irmã de Andie, se encolhe sob o olhar dele. Sei que não é uma postura *objetiva de detetive*, mas há algo nos olhos de Jason — uma frieza — que me preocupa.

Foi então que notei A COISA MAIS IMPORTANTE. Na coletiva da noite de segunda-feira, 23 de abril, Jason Bell disse o seguinte: "A gente só quer nossa menina de volta. Estamos completamente arrasados e não sabemos o que fazer. Se você souber onde Andie está, por favor, peça que ela ligue para casa para sabermos que está bem. Andie *era* uma presença muito importante em nossas vidas. A casa fica silenciosa demais sem ela".

Pois é. Ele disse "era". ERA. NO PASSADO. Isso foi antes de tudo acontecer com Sal. Naquele dia, todo mundo achava que Andie ainda estava viva. Mas Jason Bell disse ERA.

Será que foi um erro insignificante ou ele estava usando o passado porque já sabia que a filha tinha morrido? Será que Jason Bell se autodenunciou?

Até onde sei, Jason e Dawn estavam em um jantar na noite do desaparecimento e Andie tinha que ir buscar os dois. Será que ele saiu da festa em algum momento? E, se não, mesmo que tenha um bom álibi, ainda pode estar envolvido no desaparecimento de Andie de alguma forma.

Se vou criar uma lista de suspeitos, acho que Jason Bell tem que ser o primeiro nome.

LISTA DE SUSPEITOS
Jason Bell

cinco

Tinha algo errado, como se o ar da sala estivesse parado e se tornasse cada vez mais espesso até que Pip só conseguia respirar coágulos gelatinosos gigantes. Em todos os anos desde que conheceu Naomi, ela nunca se sentira assim.

Pip lançou um sorriso reconfortante para Naomi e fez uma brincadeira sobre a quantidade de pelos de cachorro presos em sua legging. Naomi abriu um sorrisinho, passando as mãos pelo cabelo loiro-escuro e liso.

As duas estavam sentadas no escritório de Elliot Ward, com Pip na cadeira giratória e Naomi em uma poltrona de couro vinho à sua frente. Naomi não estava olhando para Pip, e sim encarando os três quadros pendurados na parede dos fundos. Três telas gigantes da família, imortalizada para sempre em pinceladas coloridas. Seus pais caminhando no bosque durante o outono, Elliot tomando uma xícara de algo quente e Naomi e Cara pequenas, em um balanço. A mãe havia pintado os três quando estava morrendo; foi a última marca que deixara no mundo. Pip sabia o quanto esses quadros eram importantes para os Ward, como os olhavam nos momentos mais alegres e nos mais tristes. Mas se lembrava de outros dois que antes ficavam ali. Talvez Elliot tivesse colocado ambos em um depósito para dar às meninas quando crescessem e saíssem de casa.

Pip sabia que Naomi fazia terapia desde que a mãe tinha morrido, sete anos antes. E que ela havia conseguido atravessar a ansiedade, quase chegando ao seu limite, e se formara na faculdade. Mas, há alguns meses, a amiga teve um ataque de pânico no novo emprego, em Londres, e pediu demissão para voltar a morar com o pai e a irmã.

Naomi era frágil, e Pip estava se esforçando muito para não forçar a barra. Pelo canto do olho, conseguia ver o cronômetro rodar no aplicativo do gravador.

— Bom... Naomi, pode me contar com detalhes o que vocês estavam fazendo na casa do Max naquela noite? — perguntou Pip, com cuidado.

Naomi se mexeu, com os olhos baixando para circundar seus joelhos.

— Hum, a gente só estava, tipo, bebendo, conversando, jogando Xbox, nada de mais.

— E tirando fotos? Tem algumas no Facebook daquela noite.

— É, tirando fotos bobas. A gente só estava passando o tempo mesmo.

— Mas não tem nenhuma foto do Sal.

— Não, bom... Acho que ele foi embora antes de a gente começar a tirar fotos.

— E o Sal estava agindo de forma estranha antes de ir embora?

— Hum, eu... Não, acho que não.

— Ele falou sobre Andie?

— Eu, hum... É, talvez um pouco.

Naomi se mexeu na poltrona, provocando um barulho alto no couro enquanto ela se desgrudava do tecido. Algo que o irmão mais novo de Pip teria achado muito engraçado e que, em outras circunstâncias, ela também.

— O que Sal falou sobre Andie? — perguntou Pip.

— Hum. — Naomi hesitou, cutucando a cutícula do polegar. — Ele, hum... Acho que tinham brigado. Sal disse que ia ficar sem falar com ela por um tempo.

— Por quê?

— Não me lembro direito. Mas Andie era... Ela era um saco. Estava sempre tentando arrumar briga com Sal pelos motivos mais idiotas. Sal preferia dar um gelo nela do que discutir.

— Sobre o que eles brigavam?

— Coisas idiotas. Tipo o fato de ele não responder as mensagens dela rápido o bastante. Coisas assim. Eu... Eu nunca disse isso, mas sempre achei que Andie ia causar problemas para ele. Se eu tivesse dito alguma coisa, não sei, talvez tudo tivesse sido diferente.

Olhando para o rosto triste de Naomi, notando o tremor em seu lábio superior, Pip percebeu que precisava mudar a linha de raciocínio, antes de Naomi se fechar completamente.

— Em algum momento, Sal disse que iria embora mais cedo?

— Não, não disse.

— E a que horas ele saiu da casa do Max?

— A gente tem quase certeza de que foi por volta das 22h30.

— E ele falou alguma coisa antes de ir embora?

Naomi se mexeu e fechou os olhos por um instante, as pálpebras pressionadas com tanta força que Pip as viu vibrar, mesmo estando do outro lado da sala.

— Falou — respondeu Naomi. — Disse que não estava se sentindo muito animado e que ia voltar para casa andando e dormir cedo. Algo assim.

— E a que horas você saiu da casa do Max?

— Eu não saí, eu... Eu e a Millie dormimos no quarto de hóspedes. Meu pai foi me buscar de manhã.

— Que horas vocês foram dormir?

— Hum, acho que foi um pouco antes da 00h30. Não tenho certeza.

Uma tríade de batidas soou na porta do escritório, e Cara enfiou a cabeça dentro do cômodo, soltando um berro quando o coque bagunçado ficou preso no batente.

— Sai daqui, estou gravando — pediu Pip.

— Desculpe, é uma emergência. Dois segundos — explicou a cabeça voadora de Cara. — Nai, onde foram parar todos aqueles biscoitos Jammie Dodger?

— Não sei.

— Eu literalmente vi o papai abrir um pacote ontem. Onde eles foram parar?

— Não sei, pergunte para ele.

— Ele ainda não voltou.

— Cara... — insistiu Pip, erguendo as sobrancelhas.

— Tudo bem, desculpe. Estou indo — disse ela, soltando o cabelo e fechando a porta.

— Hum, está bem — falou Pip, tentando voltar à conversa. — E quando você ficou sabendo que Andie tinha sumido?

— Acho que Sal me mandou uma mensagem no sábado, talvez no fim da manhã.

— E qual foi seu primeiro pensamento sobre onde ela poderia estar?

— Não sei. — Naomi deu de ombros. Pip não lembrava de já ter visto ela dar de ombros antes. — Andie era o tipo de garota que conhece muita gente. Acho que pensei que ela estava com outros amigos que a gente não conhecia, que não queria ser encontrada.

Pip respirou fundo para se preparar e olhou suas anotações. Precisava ser delicada ao fazer a pergunta seguinte.

— Você pode me contar sobre quando Sal pediu para vocês mentirem para a polícia sobre o horário que saiu da casa do Max?

Naomi tentou falar, mas não pareceu encontrar as palavras certas. Um silêncio estranho inundou o cômodo pequeno. Os ouvidos de Pip apitaram com seu peso.

— Hum — disse Naomi, por fim, com a voz falhando um pouco.

— A gente foi na casa dele no sábado à noite para ver como Sal estava. Começamos a conversar sobre o que tinha acontecido, e Sal disse que estava nervoso porque a polícia estava fazendo perguntas a ele. E, como era o namorado, achou que seria um alvo. Então simplesmente perguntou se a gente se incomodava em dizer que ele tinha saído da casa do Max um pouco depois, tipo 00h15, para a polícia parar de investigá-lo e se concentrar de verdade em achar Andie. Não foi, hum, não me pareceu errado na hora. Só achei que ele estava tentando ser sensato e achar Andie mais rápido.

— E ele falou para vocês onde tinha estado entre 22h30 e 00h50?

— Hum. Não me lembro. Acho que não.

— Vocês não perguntaram? Não quiseram saber?

— Não me lembro mesmo, Pip. Desculpe — respondeu Naomi, fungando.

— Tudo bem. — Pip percebeu que havia se inclinado para a frente na última pergunta. Mexeu nas anotações e voltou a se recostar na cadeira. — Então a polícia ligou para vocês no domingo, certo? E vocês disseram que Sal tinha saído da casa do Max à 00h15?

— Isso.

— E por que, na terça, vocês quatro mudaram de ideia e decidiram contar à polícia sobre o álibi falso do Sal?

— Eu... Eu acho que foi porque tivemos tempo para pensar sobre o assunto e percebemos que podíamos ter problemas por causa da mentira. Nenhum de nós acreditava que Sal estava envolvido no que havia acontecido com Andie, então não achamos que seria um problema contar a verdade à polícia.

— Você conversou com os outros três sobre o que vocês iam fazer?

— É, a gente ligou um para o outro segunda-feira à noite e combinou tudo.

— Mas vocês não contaram ao Sal que iam conversar com a polícia?

— Hum — gaguejou ela, passando as mãos pelo cabelo outra vez. — Não, a gente não queria que ele ficasse chateado.

— Está bem. Última pergunta. — Pip viu o rosto de Naomi se iluminar com um alívio evidente. — Você acha que Sal matou Andie?

— Não o Sal que eu conhecia. Ele era a melhor pessoa do mundo, a mais gentil. Sempre era engraçado e fazia as pessoas rirem. E era muito legal com Andie também, apesar de ela talvez nem merecer. Então não sei o que aconteceu, nem se foi ele, mas não quero acreditar que foi.

— Pronto, acabou. — Pip sorriu, apertando o botão para parar a gravação. — Muito obrigada por fazer isso, Naomi. Sei que não é fácil.

— Tudo bem.

Ela assentiu e se levantou da poltrona, fazendo o couro chiar contra suas pernas.

— Espere, só mais uma coisa — pediu Pip. — Max, Jake e Millie estão por aqui para eu poder entrevistá-los?

— Ah, Millie está viajando pela Austrália, e Jake mora com a namorada em Devon. Acabaram de ter um filho. Mas Max está em Kilton. Acabou de terminar o mestrado e voltou para tentar encontrar um emprego aqui, que nem eu.

— Você acha que ele toparia fazer uma entrevista curta? — perguntou Pip.

— Vou dar o telefone dele para você. Pode perguntar.

Naomi segurou a porta do escritório para Pip passar.

Na cozinha, encontraram Cara tentando enfiar dois pedaços de torrada na boca ao mesmo tempo e um Elliot recém-chegado, com uma camisa amarela pastel horrível, limpando as bancadas da cozinha. Ele se virou quando as ouviu entrar. As luzes do teto iluminaram os pequenos fios grisalhos de seu cabelo castanho e refletiram nas lentes de seus óculos de aro grosso.

—Vocês já terminaram, meninas? — Ele abriu um sorriso gentil. — Bem na hora. Acabei de pôr a chaleira no fogo.

PIPPA FITZ-AMOBI
QPE 12/08/2017
DIÁRIO DE PRODUÇÃO — 7ª ENTRADA

Acabei de voltar da casa de Max Hastings. Achei estranho estar lá, como se andasse por um tipo de reconstrução de cena de crime. Tudo estava igual às fotos do Facebook que Naomi e companhia tiraram naquela fatídica noite, cinco anos atrás. A noite que mudou esta cidade para sempre. Max também continuava igual: alto, cabelo loiro e liso, boca um pouco grande demais para o rosto angular e um pouco pretensioso. Mas disse que se lembrava de mim, o que foi legal.

Depois de falar com ele... Não sei, não consigo parar de pensar que tem alguma coisa estranha. Ou um dos amigos de Sal não se lembra direito daquela noite, ou um deles está mentindo. Mas por quê?

TRANSCRIÇÃO DA ENTREVISTA COM MAX HASTINGS

PIP: Tudo certo, está gravando. Bom, Max, você tem vinte e três anos, né?

MAX: Na verdade, não. Vou fazer vinte e cinco daqui a um mês.

PIP: Ah.

MAX: É, quando eu tinha sete anos, tive leucemia e perdi muitas aulas, então tive que repetir de ano. Eu sei, sou um milagre.

PIP: Eu não fazia ideia.

MAX: Posso dar um autógrafo para você depois.

PIP: Está bem, então vamos começar logo. Você pode descrever como era a relação do Sal e da Andie?

MAX: Era normal. Não era, tipo, o romance do século nem nada. Mas os dois se achavam atraentes, então acho que funcionava.

PIP: Não era muito profunda?

MAX: Não sei, nunca prestei muita atenção nos romances de ensino médio.

PIP: E como o relacionamento deles começou?

MAX: Eles beberam demais e acabaram transando em uma festa no Natal. Aí a coisa continuou.

PIP: Foi uma... Como é o nome? Ah, festa do apocalipse?

MAX: Caraca, eu tinha esquecido que a gente chamava aquelas festas de "apocalipse". Você sabe o que rolava?

PIP: Sei. O pessoal da escola ainda dá festas assim, pela tradição. Diz a lenda que foi você que inventou o nome.

MAX: O quê? Adolescentes continuam dando festas caóticas e chamando de "apocalipse"? Maneiro! Estou me sentindo um deus. Ainda fazem o triátlon para decidir o próximo anfitrião?

PIP: Nunca fui a nenhuma. Bom, você conhecia Andie antes de ela começar a namorar o Sal?

MAX: Conhecia um pouco da escola e das festas. Às vezes a gente conversava. Mas nunca fomos, tipo, amigos de verdade. Eu não conhecia ela direito. Era mais uma colega.

PIP: Então, na sexta, 20 de abril, quando todo mundo estava na sua casa, você lembra se Sal estava agindo de forma estranha?

MAX: Na verdade, não. Acho que só estava um pouco quieto, mas nada de mais.

PIP: Na época, você se perguntou o porquê?

MAX: Não, eu estava muito bêbado.

PIP: E, naquela noite, Sal falou sobre Andie?

MAX: Não, ele não falou nada sobre ela.

PIP: Ele não falou que eles estavam brigados na época ou...

MAX: Não, ele não mencionou Andie.

PIP: O quanto você se lembra daquela noite?

MAX: Eu me lembro de tudo. Passei a maior parte da noite jogando *Call of Duty* com Jake e Millie. Lembro disso porque Millie não parava de falar sobre igualdade e tal, mas não ganhou nenhuma partida.

PIP: Isso foi depois que Sal foi embora?

MAX: Sim, ele foi embora muito cedo.

PIP: Onde Naomi estava enquanto vocês jogavam videogame?

MAX: Tinha sumido.

PIP: Ela tinha sumido? Não estava com vocês?

MAX: Hum, não... Acho que... Ela foi para o andar de cima por um tempo.

PIP: Sozinha? Para fazer o quê?

MAX: Sei lá. Tirar um cochilo. Cagar. Vai saber.

PIP: Por quanto tempo?

MAX: Não me lembro.

PIP: Está bem. E, quando Sal foi embora, o que ele disse?

MAX: Não falou nada, na verdade. Só foi embora sem avisar. Nem o vi saindo.

PIP: Daí, no dia seguinte, depois que ficaram sabendo que Andie tinha sumido, vocês foram procurar Sal?

MAX: É, porque a gente imaginou que ele estivesse desesperado.

PIP: E como Sal pediu para vocês mentirem e criarem um álibi para ele?

MAX: Ele simplesmente pediu. Disse que ia pegar mal para ele e perguntou se a gente podia ajudar e mudar um pouco o horário. Não pareceu grande coisa. Ele não disse: "Me arranjem um álibi." Não foi assim. Era só um favor para um amigo.

PIP: Você acha que foi Sal quem matou Andie?

MAX: Tem que ter sido ele, né? Quer dizer, se você está perguntando se eu achava que meu amigo era capaz de matar alguém, a resposta seria "de jeito nenhum". Ele parecia uma daquelas vovozinhas conselheiras fofas. Mas foi ele por causa do... Você sabe, né? O sangue e tal. E o único motivo que Sal poderia ter para se matar, acho, seria ter feito alguma coisa muito ruim. Então, infelizmente, tudo se encaixa.

PIP: Está bem, obrigada. Eram só essas perguntas.

Há algumas inconsistências nas duas versões dos acontecimentos. Naomi disse que Sal falou sobre Andie e contou para todo mundo que os dois tinham brigado. Max falou que o amigo não a mencionou. Naomi disse que Sal avisou que estava indo para casa mais cedo porque não estava "muito animado". Max disse que ele saiu sem avisar.

É óbvio que estou pedindo a eles para se lembrarem de uma noite que aconteceu há cinco anos. É normal haver lapsos de memória.

Mas tem a parte da história que Max contou em que Naomi tinha sumido. Apesar de ele ter dito que não se lembrava do intervalo de tempo, Naomi havia desaparecido, e ele tinha acabado de sugerir que havia passado "a maior" parte da noite com Millie e Jake, sem Naomi por perto. Vamos supor que eu possa inferir que ela "subiu" por pelo menos uma hora. Mas por quê? Por que ficaria sozinha no andar de cima da casa de Max, e não junto com os amigos? A não ser que Max tenha me dito acidentalmente que Naomi saiu da casa por certo tempo naquela noite, e que ele esteja tentando acobertá-la.

Não acredito que vou digitar estas palavras, mas estou começando a desconfiar de que Naomi pode ter alguma coisa a ver com o caso de Andie. Eu a conheço há onze anos. Passei a vida toda a admirando como a uma irmã mais velha e aprendendo com ela a ser uma também. Naomi é gentil, o tipo de pessoa que lança um sorriso de incentivo para a gente quando estamos contando uma história e todo mundo já parou de ouvir. É tranquila, delicada e calma. Mas será que também pode ser instável? Violenta?

Não sei, acho que estou me precipitando. Mas também tem uma coisa que Ravi disse, que achava que Naomi era apaixonada pelo irmão dele. Ficou bastante óbvio na entrevista que ela não gostava muito de Andie. E a conversa toda foi tão estranha, tão tensa... Sei que estava pedindo que ela revivesse lembranças ruins, mas fiz a mesma coisa com Max e foi tranquilo. Por outro lado... será que a entrevista de Max foi fácil demais? Será que ele foi muito indiferente?

Não sei o que pensar, mas minha mente está rodopiando: minha imaginação saiu dos trilhos e me mostrou o dedo do meio. Agora estou imaginando o episódio: Naomi mata Andie em uma crise de ciúme. Sal se depara com a cena, confuso e abalado. Sua melhor amiga matou sua namorada.

Mas Sal ainda se importa com Naomi, então a ajuda a se livrar do corpo de Andie e os dois concordam em nunca mais falar sobre o assunto. Mas ele não consegue se livrar da culpa insuportável pelo que fez. A única saída que enxerga é a morte.

Ou talvez eu esteja exagerando?

É o mais provável. Seja como for, ela tem que entrar na lista.

Preciso parar um pouco.

LISTA DE SUSPEITOS

Jason Bell

Naomi Ward

seis

— Certo, agora a gente só precisa de ervilha congelada, tomate e refrigerante — disse a mãe de Pip, segurando a lista de compras com o braço estendido para poder decifrar os rabiscos de Victor.

— Está escrito "desinfetante" — corrigiu Pip.

— Ah, é, você tem razão. — Leanne deu uma risadinha. — Ia ser bem interessante fazer faxina essa semana.

— Quer seus óculos?

Pip pegou um desinfetante da prateleira e jogou na cesta.

— Não, ainda não vou admitir a derrota. Óculos me fazem parecer velha — respondeu Leanne, abrindo o freezer.

— Mas você é velha — afirmou Pip.

Em resposta, recebeu uma pancada fria no braço com o pacote de ervilhas congeladas. Enquanto tentava encenar sua morte dramática devido à ferida fatal provocada pelas ervilhas, ela o viu observá-la. Com uma camiseta branca e calça jeans. Rindo baixinho e tapando a boca.

— Ravi — cumprimentou, atravessando o corredor em sua direção. — Oi.

— Oi — respondeu ele, sorrindo e coçando a nuca, como ela imaginou que faria.

— Nunca vi você por aqui antes.

Aqui era o único supermercado de Little Kilton, minúsculo e escondido ao lado da estação de trem.

— É, a gente costuma fazer compras fora da cidade — explicou. — Mas tivemos uma emergência leiteira.

Ele mostrou uma garrafa grande de semidesnatado.

— Bom, se pelo menos você tomasse chá preto.

— Nunca vou passar para o lado escuro da força — retrucou ele, observando a mãe de Pip se aproximar com a cesta cheia.

Ele sorriu.

— Ah, mãe, este é o Ravi — apresentou Pip. — Ravi, esta é minha mãe, Leanne.

— Prazer — cumprimentou Ravi, abraçando o leite contra o peito e estendendo a mão direita.

— O prazer é meu — respondeu Leanne, apertando a mão dele. — Na verdade, a gente já se conhece. Fui a corretora que vendeu a casa para os seus pais. Meu Deus, deve ter sido há uns quinze anos. Lembro que você só tinha uns cinco anos na época e sempre usava um macacão do Pikachu com um tutu de balé.

As bochechas de Ravi ficaram vermelhas, e Pip segurou a gargalhada até ver que ele estava sorrindo.

— Dá para acreditar que essa moda nunca pegou? — disse ele, dando uma risadinha.

— É, bom, as pinturas do Van Gogh também não foram apreciadas enquanto ele estava vivo — afirmou Pip, enquanto caminhavam juntos até o caixa.

— Pode ir na frente — ofereceu Leanne, apontando para Ravi. — A gente vai demorar muito mais.

— Tem certeza? Obrigado.

Ravi andou até o caixa e lançou um de seus sorrisos perfeitos para a atendente, depois colocou o leite na esteira e disse:

— É só isso.

Pip observou a mulher e viu as rugas se encravarem por sua pele à medida que seu rosto se fechava em uma expressão de nojo. Ela escaneou o leite, encarando Ravi com olhos frios e nocivos. Ainda bem que olhares não podiam matar. Ravi encarava os pés como se não estivesse notando, mas Pip sabia que ele havia percebido.

Algo quente e primitivo se atiçou dentro de Pip. Algo que, em um estágio inicial, parecia náusea, mas continuou crescendo e fervendo até chegar a suas orelhas.

— Uma libra e quarenta e oito — cuspiu a mulher.

Ravi pegou uma nota de cinco libras, mas, quando tentou entregar o dinheiro, a atendente estremeceu e afastou a mão com pressa. A nota caiu como uma folha outonal no chão, e Pip explodiu.

— Ei! — exclamou, marchando para o lado de Ravi. — Qual é o seu problema?

— Pip, não — pediu Ravi, baixinho.

— Com licença, Leslie — falou Pip, lendo o crachá da atendente com um tom irônico. — Eu perguntei qual é o seu problema.

— Não quero que esse cara me toque — respondeu a mulher.

— Acho que ele também não quer que você toque nele, Leslie. A burrice pode ser contagiosa.

— Vou chamar o gerente.

— Faça isso. Vou dar a ele uma prévia dos e-mails de reclamação que vou mandar aos montes para a sede do mercado.

Ravi pôs a nota de cinco libras no balcão, pegou o leite e seguiu em silêncio em direção à saída.

— Ravi? — chamou Pip, mas ele a ignorou.

A mãe de Pip deu um passo à frente, com as mãos erguidas, e parou entre Pip e uma Leslie cada vez mais vermelha.

— Calma.

Pip deu meia-volta, os tênis berrando contra o chão polido. Pouco antes de chegar à porta, gritou:

— Ah, e Leslie, você devia procurar um médico para tratar essa sua cara de bunda.

Do lado de fora, ela viu Ravi a uns dez metros de distância, descendo rápido a ladeira. Pip, que não corria por nada, correu para alcançá-lo.

— Você está bem? — perguntou, se colocando na frente dele.

— Não.

Ele a contornou, com a garrafa de leite gigantesca balançando ao lado.

— Eu fiz alguma coisa errada?

Ravi se virou, com os olhos escuros brilhando.

— Olha, eu não preciso que uma menina que eu mal conheço brigue por mim. Não sou problema seu, Pippa. Não faça de mim seu problema. Você só vai piorar as coisas.

Ele continuou andando, e Pip o observou até a sombra do toldo de um café obscurecê-lo e fazê-lo desaparecer. Parada, ofegante, ela sentiu a raiva recuar em seu interior e se apagar aos poucos. Sentiu-se oca quando a perdeu.

PIPPA FITZ-AMOBI
QPE 18/08/2017
DIÁRIO DE PRODUÇÃO — 8ª ENTRADA

Que nunca digam que Pippa Fitz-Amobi é uma entrevistadora que não aproveita oportunidades. Hoje, fui à casa de Cara de novo, com Lauren. Mais tarde, os meninos foram para lá também, apesar de terem insistido que a partida de futebol ficasse ligada ao fundo. O pai da Cara, Elliot, estava falando sobre alguma coisa quando me ocorreu que ele conhecia Sal muito bem, não só como amigo da filha, mas como aluno. Eu já tinha obtido relatos de caráter dos amigos e do irmão de Sal — seus pares, por assim dizer —, mas achei que o pai de Cara poderia ter percepções mais adultas. Elliot concordou em ser entrevistado. Não dei muita escolha a ele.

TRANSCRIÇÃO DA ENTREVISTA COM ELLIOT WARD

PIP: Por quantos anos você deu aulas para Sal?

ELLIOT: Bom, vamos ver. Comecei a dar aulas no Colégio Kilton em 2009. Salil estava em uma das minhas primeiras turmas avançadas, então... Quase três anos, acho. É.

PIP: Então Sal ia fazer história como específica no vestibular?

ELLIOT: Não só isso. Sal queria estudar história em Oxford. Não sei se você se lembra, Pip, mas, antes de começar a dar aulas na escola, eu era professor assistente em Oxford. Dava aulas de história. Troquei de emprego para poder cuidar da Isobel quando ela ficou doente.

PIP: Ah, é.

ELLIOT: Então, na verdade, no terceiro período daquele ano, antes de tudo acontecer, passei muito tempo com Sal. Eu o ajudei com a carta de apresentação antes de ele tentar uma vaga na universidade. Quando ele conseguiu a entrevista em Oxford, eu o ajudei a se preparar, tanto na escola quanto fora dela. Ele era um menino tão inteligente... Brilhante. E foi aceito no curso. Quando Naomi me contou, comprei um cartão e um chocolate para ele.

PIP: Então Sal era muito inteligente?

ELLIOT: Era, com certeza. Um garoto muito, muito inteligente. O que aconteceu no final foi uma tragédia enorme. Que desperdício de duas vidas tão jovens... Sal teria tido uma carreira maravilhosa, com certeza.

PIP: Você deu aula para Sal na segunda-feira depois do desaparecimento da Andie?

ELLIOT: Hum, meu Deus... Acho que sim. É, porque me lembro de conversar com ele e perguntar se estava bem com tudo aquilo acontecendo. Então, é, devo ter dado.

PIP: E você notou algum comportamento estranho?

ELLIOT: Bom, depende da sua definição de estranho. Na verdade, a escola toda estava agindo de um jeito estranho naquele dia. Uma das alunas tinha desaparecido e isso estava em todos os jornais. Acho que me lembro de ele estar quieto, talvez até um pouco triste com a situação. Mas com certeza parecia bem preocupado.

PIP: Preocupado com Andie?

ELLIOT: É, talvez.

PIP: E na terça, o dia em que ele se matou? Você se lembra de vê-lo na escola de manhã?

ELLIOT: Eu... Não, não o vi naquele dia porque eu estava doente. Peguei uma gripe, então deixei as meninas na escola de manhã e passei o dia em casa. Só fiquei sabendo quando a escola me ligou à tarde para falar sobre a história do álibi do Sal e da Naomi e que a polícia tinha entrevistado ela na escola. Então, a última vez que vi Sal foi na segunda-feira, durante a aula.

PIP: E você acha que Sal matou Andie?

ELLIOT: (Suspiro.) Bom, é fácil se convencer de que ele não matou. Era um garoto tão legal... Mas, considerando as provas, não sei como ele pode não ter matado. Então, por mais errado que isso pareça, acho que deve ter sido ele. Não há outra explicação.

PIP: E Andie Bell? Você também dava aula para ela?

ELLIOT: Não, bom, é, ela estava na mesma turma de história do Sal, então foi minha aluna naquele ano. Mas não quis continuar estudando, então eu não a conhecia muito bem.

PIP: Tudo bem, obrigada. Pode voltar a descascar batatas agora.

ELLIOT: Obrigado por ter me dado a sua permissão.

Ravi não mencionou que Sal tinha sido aceito em Oxford. Pode haver mais coisas que não me contou sobre o irmão, mas não sei se vai voltar a falar comigo. Não depois do que aconteceu uns dias atrás. Não quis magoá-lo. Estava tentando ajudar. Talvez devesse passar lá e pedir desculpas? Ele provavelmente vai bater a porta na minha cara. [Mas, seja como for, não posso deixar isso me distrair de novo.]

Se Sal era tão inteligente assim e ia estudar em Oxford, então por que as provas que o ligam ao assassinato de Andie são tão óbvias? E daí que ele não tinha um álibi para o momento do desaparecimento dela? Era inteligente o bastante para ter se safado, é óbvio.

P.S.: A gente estava jogando Banco Imobiliário com Naomi e... talvez eu tenha exagerado antes. Ela ainda está na lista de suspeitos, mas uma assassina? Não é possível. Ela se recusa a pôr casas no tabuleiro, mesmo quando consegue duas cartas azuis, porque acha que é maldade demais. Já eu construo hotéis na primeira oportunidade e rio quando os outros caem na minha armadilha. Tenho um instinto assassino mais apurado do que o de Naomi.

sete

No dia seguinte, Pip estava dando uma última lida no pedido de informações que faria à Polícia do Vale do Tâmisa. Seu quarto estava abafado e parado, e o sol parecia preso e irritado ali dentro, apesar de Pip ter aberto a janela para deixá-lo sair.

De longe, ela ouviu uma batida na porta enquanto aprovava verbalmente o próprio e-mail:

— Está ótimo — disse, clicando no botão para enviar.

Aquele clique daria início aos vinte dias úteis de espera. Pip odiava esperar. Era sábado, então teria que esperar a espera começar.

— Pipinha! — O grito de Victor soou no andar de baixo. — Tem visita para você.

A cada degrau que descia, o ar se tornava um pouco mais fresco: do calor do primeiro círculo do Inferno em seu quarto a uma temperatura morna bastante suportável. Pip virou no corredor depois da escada, com as meias deslizando no piso de carvalho, mas congelou ao ver Ravi Singh na porta. Ele estava ouvindo o monólogo entusiasmado de seu pai. Todo o calor voltou ao rosto de Pip.

— Hum, oi — cumprimentou ela, se aproximando.

Mas o som de patas correndo pela madeira foi ganhando volume enquanto Barney a ultrapassava e alcançava a porta primeiro para enfiar o focinho na virilha de Ravi.

— Não, Barney, desce — gritou Pip, correndo atrás. — Desculpe, ele é um pouco simpático demais.

— Isso não é jeito de falar com seu pai — respondeu Victor.

Pip ergueu as sobrancelhas para ele.

— Já entendi, já entendi — disse o pai, indo para a cozinha.

Ravi se abaixou para fazer carinho em Barney e os tornozelos de Pip foram varridos pela brisa gerada pelo rabo do cachorro.

— Como você sabe onde eu moro? — quis saber Pip.

— Perguntei na corretora em que sua mãe trabalha. — Ele se levantou. — É sério, sua casa parece um palácio.

— Bom, o homem estranho que abriu a porta para você é um advogado corporativo de sucesso.

— Não é um rei?

— Só em alguns dias.

Pip percebeu que Ravi olhou para baixo e, apesar de seus lábios terem tentado se conter, ele acabou abrindo um grande sorriso. Foi quando ela se lembrou do que estava usando: um macacão jeans largo por cima de uma camiseta branca com as palavras *FALE SOBRE NERDICES COMIGO* estampadas no peito.

— Bom, hum, por que veio aqui? — perguntou Pip.

Seu estômago se revirou, e ela percebeu que estava nervosa.

— Eu... vim... porque... queria pedir desculpas. — Ele a olhou com seus grandes olhos tristes e as sobrancelhas franzidas. — Fiquei irritado e falei coisas que não devia. Não acho que você é só uma menina que mal conheço. Desculpe.

— Tudo bem. Também sinto muito. Não quis me meter e brigar por você. Só quis ajudar, só quis que ela soubesse que o que fez não foi certo. Mas às vezes minha boca começa a falar sem pedir permissão para o meu cérebro antes.

— Ah, sei, não. Aquele comentário sobre a cara de bunda foi muito inspirado.

— Você ouviu isso?

— A Pip brava fala muito alto.

— Já ouvi dizer que outras Pips também falam alto, inclusive a que responde testes orais na escola e a que corrige a gramática dos outros. Então... fizemos as pazes?

— Sim. — Ele sorriu e voltou a olhar para o cachorro. — Eu e sua humana estamos bem.

— Na verdade, eu ia sair para passear com ele. Quer vir junto?

— Quero — respondeu Ravi, fazendo carinho na cabeça de Barney. — Como é que vou negar essa cara linda?

Pip quase retrucou "Ah, por favor, assim você vai me deixar vermelha", mas se conteve.

— Vou só pegar meus sapatos. Barney, fica.

Pip correu até a cozinha. A porta dos fundos estava aberta, e ela viu os pais cuidando das flores e Josh, claro, jogando futebol.

— Vou passear com o Barney. Até daqui a pouco! — gritou para eles.

A mãe acenou com a mão coberta pela luva de jardinagem para indicar que havia ouvido.

Pip calçou seus tênis-que-não-podiam-ser-deixados-na-cozinha e que tinham sido deixados na cozinha, depois pegou a guia enquanto voltava para a porta.

— Pronto, vamos lá — disse, prendendo a guia na coleira de Barney e fechando a porta da frente.

Os dois atravessaram a rua e entraram no bosque. As sombras pontilhadas eram agradáveis no rosto quente de Pip. Ela soltou a guia de Barney, e ele saiu correndo em um flash dourado.

— Sempre quis ter um cachorro. — Ravi sorriu quando Barney deu a volta para apressar os dois. Ele fez uma pausa, movendo a mandíbula como se mastigasse alguma lembrança silenciosa. — Mas Sal era alérgico, por isso que a gente nunca...

— Ah.

Pip não sabia direito o que dizer.

— Tem um cachorro no bar em que eu trabalho, é do proprietário. É uma dogue alemã babona chamada Amendoim. Às vezes deixo migalhas caírem no chão *por acidente* para ela. Não conta para ninguém.

— Eu incentivo as migalhas *acidentais*. Em que bar você trabalha?

— No George and Dragon, em Amersham. Não é o que eu quero fazer para o resto da vida. Só estou juntando dinheiro para me mudar para o mais longe possível de Little Kilton.

Pip sentiu uma tristeza indescritível se erguer em sua garganta apertada.

— O que você quer fazer para o resto da vida?

Ele deu de ombros.

— Antes eu queria ser advogado.

— Queria? — Ela o cutucou. — Acho que você seria um ótimo advogado.

— Hum, as minhas notas discordam.

Ele falou brincando, mas Pip sabia que era verdade. Ambos estavam cientes do quanto a escola havia sido terrível para Ravi depois das mortes de Andie e Sal. Pip tinha até testemunhado alguns dos piores casos de bullying. O armário de Ravi tinha sido pintado com letras vermelhas, *Tal irmão, tal irmão*, e houve aquela manhã de neve em que oito meninos mais velhos o haviam segurado no chão e virado quatro latas de lixo em sua cabeça. Ela nunca esqueceria a expressão de Ravi, aos dezesseis anos. Nunca.

Foi então que, com um frio gélido no estômago, Pip percebeu onde estavam.

— Ai, meu Deus — arfou, com um susto, cobrindo o rosto com as mãos. — Desculpe, eu nem parei para pensar. Esqueci completamente que este é o bosque onde encontraram Sal e…

— Não tem problema — interrompeu Ravi. — É sério. Não é culpa sua se este é o bosque mais próximo da sua casa. Além disso, Kilton inteira me lembra ele.

Por um tempo, Pip observou Barney pousar um galho aos pés de Ravi, e o garoto erguer o braço, fingindo jogá-lo e fazendo o cachorro ir para a frente e para trás, até finalmente desistir.

Ficaram em silêncio por um tempo. Mas não era incômodo. Estava carregado com os retalhos de ideias que ambos remoíam sozinhos. No fim, a cabeça dos dois tinha seguido para o mesmo lugar.

— Fiquei desconfiado quando você apareceu lá em casa — explicou Ravi. — Mas você acha mesmo que não foi o Sal, né?

— Eu não consigo acreditar — respondeu ela, pulando uma antiga árvore caída. — Meu cérebro não conseguiu deixar esse assunto para lá. Aí, quando essa história do projeto começou na escola, usei como desculpa para reexaminar o caso.

— É a desculpa perfeita — concordou ele, assentindo. — Eu não tive uma oportunidade dessas.

— Como assim?

Pip se virou para ele, brincando com a guia ao redor do pescoço.

— Há três anos, tentei fazer o que você está fazendo. Meus pais me disseram para deixar isso para lá, que eu só ia piorar as coisas, mas eu não conseguia aceitar.

— Você tentou investigar?

Ele fez uma saudação irônica, gritando:

— Sim, sargento.

Era como se ele não conseguisse demonstrar vulnerabilidade nem ser sério por tempo o suficiente para expor uma brecha em sua armadura.

— Mas não cheguei a lugar algum — continuou. — Não consegui. Liguei para Naomi Ward quando ela estava na faculdade, mas ela só chorou e disse que não conseguia falar comigo. Max Hastings e Jake Lawrence nunca responderam minhas mensagens. Tentei entrar em contato com as melhores amigas da Andie, mas elas desligaram assim que eu disse quem era. Irmão do assassino não é a melhor apresentação. E é óbvio que a família da Andie estava fora de cogitação. Eu era próximo demais do caso, sabia disso. Me parecia demais com meu irmão, com o "assassino". E não tinha a desculpa do projeto escolar.

— Sinto muito — soltou Pip, sem saber o que dizer e envergonhada com a injustiça da situação.

— Não sinta. — Ravi a cutucou. — É bom não ser o único a pensar assim, finalmente. Vai, conta. Quero ouvir suas teorias.

Ele pegou o graveto de Barney, já molhado de baba, e o jogou entre as árvores.

Pip hesitou.

— Pode falar.

Ravi sorriu com os olhos e ergueu uma das sobrancelhas. Será que a estava testando?

— Tudo bem. Eu tenho quatro teorias — começou Pip, dando voz a elas pela primeira vez. — É óbvio que o caminho mais fácil é acreditar no que todo mundo diz que aconteceu: Sal matou Andie e a culpa ou o medo o fizeram tirar a própria vida. A polícia diria que só existem lacunas no caso porque o corpo de Andie não foi recuperado e Sal não está vivo para contar o que aconteceu. Mas minha primeira teoria — disse ela, erguendo um dos dedos com cuidado para que não fosse o do palavrão — é que outra pessoa matou Andie Bell, mas Sal estava envolvido ou implicado de alguma forma, como cúmplice. Mais uma vez, a culpa o leva ao suicídio e as provas encontradas com ele indicam que Sal é o autor do crime, apesar de não ter sido ele quem a matou. O assassino de verdade ainda está solto.

— É, eu pensei nisso também. Mas não gosto muito dessa teoria. E a próxima?

— Teoria número dois: outra pessoa matou Andie, e Sal não estava envolvido nem sabia de nada. O suicídio, dias depois, não foi motivado pela culpa, mas por uma série de fatores, inclusive o estresse do desaparecimento da namorada. As provas encontradas com ele, o sangue e o celular, têm uma explicação completamente inocente e não têm nada a ver com o assassinato.

Ravi assentiu, pensativo.

— Ainda não acho que Sal faria isso, mas tudo bem. E a terceira teoria?

— A terceira teoria... — Pip engoliu em seco. Sua garganta estava grudenta. — Andie foi morta por outra pessoa na sexta-feira. O assassino sabe que Sal, por ser namorado da Andie, seria o suspeito perfeito. Especialmente porque Sal não parece ter álibi por mais de duas horas naquela noite. O assassino mata Sal e faz parecer que foi suicídio. Plantam o sangue e o celular no corpo dele para fazê-lo parecer culpado. Tudo funciona como planejado.

Ravi parou de andar por um instante.

— Você acha que é possível que Sal tenha sido assassinado?

Pip percebeu, ao olhar para os olhos atentos de Ravi, que essa era a resposta que ele estava esperando.

— Acho que, em teoria, é uma possibilidade. — Pip assentiu. — A quarta teoria é a menos provável. — Ela respirou fundo e falou de uma só vez. — Ninguém matou Andie Bell porque ela não está morta. Andie fingiu que desapareceu, depois atraiu Sal para o bosque, o matou e fingiu ser suicídio. Plantou o próprio celular e o sangue nele para que todos acreditassem que ela morreu. Por que faria isso? Talvez precisasse desaparecer por algum motivo. Talvez temesse pela própria vida e precisasse fingir que já estava morta. Talvez tivesse um cúmplice.

Os dois voltaram a ficar em silêncio. Enquanto Pip recuperava o fôlego, Ravi analisava as teorias, com o lábio superior estufado pela concentração.

Eles chegaram ao fim da trilha pelo bosque. Dava para ver a estrada iluminada pelo sol entre as árvores adiante. Pip chamou Barney e o prendeu na guia. Os três atravessaram a rua até a porta de sua casa.

Um silêncio estranho pairou entre eles, e Pip ficou em dúvida se devia convidá-lo para entrar ou não. Ravi parecia estar esperando alguma coisa.

— Bom — começou ele, coçando a cabeça com uma das mãos e fazendo carinho no cachorro com a outra. — Vim até aqui porque... quero fazer um acordo com você.

— Um acordo?

— É, eu quero participar da investigação — afirmou, com a voz um pouco trêmula. — A minha não foi para a frente, mas a sua talvez vá. Você não está ligada ao caso e pode usar essa desculpa do projeto para conseguir acesso a mais coisas. Talvez as pessoas concordem em falar com você. Essa pode ser a minha chance de descobrir o que aconteceu de verdade. Esperei muito por uma chance.

Pip sentiu o rosto ficar inchado e quente de novo. O tom trêmulo da voz dele lhe causava um arrepio. Ravi acreditava mesmo que ela podia ajudar. Pip nunca havia imaginado que isso fosse acontecer no início do projeto. Uma parceria com Ravi Singh.

— Eu topo — disse ela, sorrindo e estendendo a mão.

— Fechado — respondeu ele, segurando a mão estendida com outra quente e suada, mas esquecendo de apertá-la. — Certo, trouxe uma coisa para você.

Ele pôs a mão no bolso e tirou um iPhone velho.

— Hum, eu já tenho um, obrigada — afirmou Pip.

— É o celular do Sal.

oito

— Como assim? — Pip o encarou, boquiaberta.

Ravi respondeu erguendo o celular e o sacudindo de leve.

— Isso é do Sal? Por que está com você?

— A polícia liberou para a gente alguns meses depois de terem encerrado a investigação.

Uma eletricidade contida percorreu a nuca de Pip.

— Eu posso... Posso dar uma olhada?

— Óbvio! — Ravi riu. — Foi por isso que eu trouxe, bobona.

Incontida, a eletricidade a percorreu, veloz e embriagante.

— Jesus Cristinho! — exclamou, animada, correndo para destrancar a porta. — Vamos analisar isso no meu escritório.

Ela e Barney entraram correndo, mas um terceiro conjunto de pés não os seguiu. Pip se virou.

— Qual é a graça? Vamos logo.

— Desculpe, você é muito engraçada quando está ainda mais séria do que o normal.

— Anda logo — insistiu ela, indicando o caminho pelo corredor até as escadas. — Não deixe o celular cair.

— De jeito nenhum.

Pip subiu as escadas correndo, e Ravi a seguiu muito devagar. Antes de o garoto chegar, ela conferiu rapidamente seu quarto, em busca de possíveis situações vergonhosas. Mergulhou para pegar uma pilha de sutiãs recém-lavados ao lado da cadeira e os enfiou em uma gaveta, fechando-a com força assim que Ravi entrou. Indicou a cadeira para ele, nervosa demais para se sentar.

— É seu escritório? — perguntou ele.

— É. Enquanto algumas pessoas trabalham nos seus quartos, eu durmo no meu escritório. É completamente diferente.

— Pegue. Eu carreguei ontem à noite.

Ravi entregou o celular, e Pip o segurou com a mesma destreza e cuidado que usava todos os anos, quando desembrulhava as bolinhas de Natal compradas em uma feira alemã por seu primeiro pai.

— Você já o analisou? — indagou ela, passando o dedo na tela para desbloquear o aparelho, com mais cuidado do que já havia dedicado a qualquer celular, até os seus quando eram novos.

— Já, óbvio. Obsessivamente. Mas vá em frente, sargento. Onde *você* procuraria primeiro?

— No registro de ligações — respondeu Pip, clicando no ícone verde.

Primeiro, analisou as ligações não atendidas. Havia dezenas delas em 24 de abril, a terça-feira em que Sal morrera. Ligações de *Pai*, *Mãe*, *Ravi*, *Naomi*, *Jake* e números desconhecidos que deviam ser da polícia ao tentar localizá-lo.

Pip rolou mais a tela, até a data do desaparecimento de Andie. Nesse dia, havia duas ligações não atendidas. Uma era do Max(imo), às 19h19. Provavelmente uma ligação perguntando a que horas ele chegaria. E a outra ligação não atendida, leu ela com o coração disparado, era de *Andie <3*, às 20h54.

— Andie ligou para ele naquela noite — disse Pip para si mesma e para Ravi. — Pouco antes das nove.

Ravi assentiu.

— Mas Sal não atendeu.

— Pippa! — A voz brincalhona mas séria de Victor subiu pelas escadas. — Nada de meninos no seu quarto.

Pip sentiu o rosto ser tomado pelo calor. Ela se virou para Ravi não perceber e gritou de volta:

— A gente está trabalhando na QPE! Minha porta está aberta.

— Entendi, então está tudo bem!

Ela olhou de volta para Ravi e viu que ele estava rindo dela outra vez.

— Pare de achar graça da minha vida — ordenou, voltando a atenção para o celular.

Em seguida, analisou as ligações que Sal havia feito. O nome de Andie se repetia sem parar, em longas filas. As chamadas eram interrompidas às vezes por ligações para *Casa* ou para *Pai*, e uma para *Naomi*, no sábado. Pip parou para contar todos os *Andie <3*: das 10h30 de sábado até as 7h20 de terça, Sal havia ligado 112 vezes para ela. Todas as ligações haviam durado dois ou três segundos e ido direto para a caixa postal.

— Ele ligou para ela mais de cem vezes — afirmou Ravi, lendo a expressão de Pip.

— Por que ligaria tantas vezes se supostamente a havia matado e escondido o celular em algum lugar?

— Anos atrás, entrei em contato com a polícia e fiz a mesma pergunta — respondeu Ravi. — O policial me disse que era óbvio que Sal estava se esforçando para parecer inocente ligando para o celular da vítima tantas vezes.

— Mas — retrucou Pip —, se achavam que ele estava se esforçando para parecer inocente e não ser pego, por que não se livrou do celular da Andie? Poderia ter deixado junto com o corpo e isso nunca o teria ligado à morte dela. Se Sal estava tentando não ser pego, por que guardaria uma das maiores provas com ele? E por que se sentiria desesperado o bastante para acabar com a própria vida depois de tudo, com essa prova vital guardada na roupa?

Ravi "atirou" com os dois indicadores nela.

— O policial também não soube responder isso.

— Você leu as últimas mensagens trocadas entre Andie e Sal?

— Li. Dê uma olhada. Não se preocupe, não são sensuais nem nada assim.

Pip saiu da tela principal e abriu o aplicativo de mensagens. Clicou na conversa com Andie, sentindo-se uma viajante do tempo intrusa.

Depois do desaparecimento de Andie, Sal havia mandado duas mensagens para ela. A primeira, na manhã de domingo: *andie so volta logo pra casa ta td mundo preocupado*. E, na tarde de segunda: *por favor liga pra alguem pra gente saber que vc ta bem*.

A mensagem anterior a essas duas havia sido enviada na sexta em que Andie tinha desaparecido. Às 21h01, Sal escrevera: *nao vou falar com vc ate vc parar*.

Pip mostrou para Ravi a mensagem que tinha acabado de ler.

— Ele mandou isso logo depois de ignorar a ligação dela naquela noite. Você sabe por que estavam brigando? O que Sal queria que Andie parasse de fazer?

— Não faço ideia.

— Posso incluir isso na minha pesquisa? — perguntou.

Pip passou o braço por cima dele para pegar o notebook, depois se acomodou na cama e transcreveu a mensagem, com os erros de gramática e tudo.

— Agora você tem que ver a última mensagem que ele mandou para o meu pai — disse Ravi. — A que foi considerada uma confissão.

Pip navegou até a mensagem. Às 10h17, em sua última manhã de terça-feira, Sal escreveu ao pai: *fui eu. é culpa minha. sinto muito*. Os olhos de Pip passaram pela mensagem várias vezes, acelerando a cada passada. Os pixels que formavam cada letra eram um mistério, do tipo que só é possível resolver quando paramos de olhar e começamos a ver.

— Você também percebeu, né?

Ravi a observava.

— O jeito de escrever? — perguntou Pip, procurando uma confirmação nos olhos dele.

— Sal era a pessoa mais inteligente que eu conhecia, mas o cara mandava mensagem como se fosse analfabeto. Sempre com pressa, sem pontuação nem letras maiúsculas.

— Ele devia ter desligado o corretor — comentou Pip. — E, mesmo assim, na última mensagem, há três pontos e um acento. Apesar de tudo estar em minúscula.

— E o que isso faz você pensar?

— Minha cabeça não dá pequenos saltos, Ravi. Ela dá uns pulos do tamanho do Everest. Isso me fez pensar que outra pessoa escreveu a mensagem. Alguém que acrescentou pontos porque é assim que está acostumado a escrever. Talvez tenha conferido rápido e pensado que parecia o suficiente com o estilo do Sal porque estava tudo em minúscula.

— Pensei a mesma coisa quando recebemos o celular de volta. A polícia simplesmente me mandou embora. Meus pais também não quiseram saber. — Ravi suspirou. — Acho que eles morrem de medo de ter esperanças. Eu também, para ser sincero.

Pip analisou o restante do celular. Na noite do desaparecimento de Andie e nas seguintes, Sal não havia tirado fotos. Ela conferiu a lixeira para confirmar. A agenda só tinha lembretes de trabalhos da escola que ele tinha que entregar e um para comprar o presente de aniversário da mãe.

— Tem uma coisa interessante no bloco de notas — disse Ravi, rolando a cadeira para perto e abrindo o aplicativo para Pip.

As anotações eram todas muito antigas: a senha do Wi-Fi da casa de Sal, uma lista de exercícios abdominais e uma página de vagas de estágio a que ele podia se candidatar. Mas havia uma nota mais recente, de quarta-feira, 18 de abril de 2012. Pip a abriu. A única coisa escrita ali era: *R009 KKJ*.

— É a placa de um carro, né? — perguntou Ravi.

— É o que parece. Ele anotou isso dois dias antes de Andie sumir. Você reconhece?

Ravi balançou a cabeça.

— Tentei pôr no Google para ver se achava o proprietário, mas não consegui nada.

Pip a digitou em seu diário de produção mesmo assim, junto com a hora exata em que a nota tinha sido editada pela última vez.

— Isso é tudo — explicou Ravi. — Foram as únicas coisas que consegui descobrir.

Pip lançou um último olhar ávido para o celular, antes de devolvê-lo.

— Você parece decepcionada.

— Esperava que houvesse uma pista mais concreta para a gente. Gramática inconsistente e muitas ligações para a Andie com certeza o fazem parecer inocente, mas não abrem nenhum caminho de investigação.

— Ainda não, mas você precisava ver isso. Tem alguma coisa para me mostrar?

Pip hesitou. Tinha, mas uma dessas coisas era o possível envolvimento de Naomi. Seus instintos protetores se manifestaram, segurando sua língua. Mas, se os dois seriam parceiros, precisavam saber de tudo. Ela tinha consciência disso. Então, abriu o diário de produção, rolou a barra até o topo do documento e entregou o notebook a Ravi.

— Isso é tudo que tenho até agora.

Ele leu em silêncio, depois devolveu o computador, com uma expressão pensativa.

— Tudo bem, então a história do álibi do Sal é um beco sem saída. Depois que saiu da casa do Max às 22h30, acho que ficou sozinho. Isso explica por que entrou em pânico e pediu aos amigos que mentissem. Pode ter simplesmente se sentado em um banco no caminho para casa e jogado *Angry Birds* ou alguma coisa assim.

— Concordo — respondeu Pip. — Provavelmente estava sozinho e, por isso, não tinha um álibi. É a única opção que faz sentido. Então essa linha de investigação pode ser deixada de lado. Acho que o próximo passo seria descobrir o máximo que a gente puder sobre a vida da Andie e, nesse meio-tempo, identificar qualquer pessoa que pudesse ter motivos para matá-la.

— Você leu minha mente, sargento. Talvez você possa começar com as melhores amigas da Andie, Emma Hutton e Chloe Burch. Com você, talvez elas falem.

— Já mandei mensagens para as duas. Mas não me responderam ainda.

— Tudo bem — disse Ravi, assentindo para si mesmo e depois para o notebook. — Na entrevista com o jornalista, você mencionou as inconsistências do caso. Que outras você percebeu?

— Bom, após matar uma pessoa, o assassino se lavaria muitas vezes, inclusive as unhas. Especialmente se estiver mentindo sobre álibis e fazendo ligações falsas para parecer inocente, será que a pessoa não pensaria, ah, sei lá, em lavar a droga do sangue das mãos para não ser pego?

— É, Sal com certeza não era burro a esse ponto. Mas e as digitais dele no carro dela?

— É óbvio que as digitais dele seriam encontradas no carro. Era o namorado dela, né? Digitais não podem ser datadas de maneira precisa.

— E o esconderijo do corpo? — Ravi se inclinou para a frente.

— Acho que podemos imaginar, por morar onde moramos, que ela está enterrada em algum dos bosques ou nos arredores da cidade.

— Exatamente. — Pip assentiu. — Em um buraco fundo o suficiente para nunca ser encontrada. Como Sal teve tempo suficiente para cavar um buraco com as próprias mãos? Teria que ter usado uma pá.

— A não ser que ela não tenha sido enterrada.

— É, bom, acho que leva um pouco mais de tempo e muito mais equipamentos para se livrar de um corpo de outras maneiras — lembrou Pip.

— E esse é o caminho mais provável, na sua opinião.

— É, supostamente — respondeu ela. — Até a gente começar a perguntar *onde*, *o que* e *como*.

nove

Provavelmente achavam que ela não conseguia ouvi-los. Seus pais, brigando na sala de estar. A garota havia aprendido fazia muito tempo que a palavra "Pip" era transmitida excepcionalmente bem através das paredes e das escadas.

Ouvindo pelo vão da porta do quarto, não era difícil entender algumas partes e fazer o assunto da conversa ganhar forma. A mãe não estava feliz com o fato de Pip estar passando tanto tempo das férias com o dever de casa. O pai não estava feliz porque a mãe havia dito aquilo. Depois a mãe não estava feliz porque o pai não havia entendido o que ela queria dizer. Achava que ficar obcecada com a história de Andie Bell não era saudável. O pai não ficou feliz pela mãe não dar a Pip espaço para cometer os próprios erros, se é que eram erros.

Pip acabou se cansando da briga e fechando a porta. Sabia que aquela discussão em círculos acabaria em breve, sem precisar de intervenção neutra. E ela tinha uma ligação importante a fazer.

Na semana anterior, havia mandado mensagens privadas para as melhores amigas de Andie. Emma Hutton havia respondido horas antes com um número de celular, dizendo que não se importaria em responder "algumas poucas" perguntas às oito da noite. Quando Pip contou a Ravi, ele respondera com um milhão de emojis chocados e de soquinhos.

Ela olhou para o relógio na tela do computador e encarou os números. O relógio havia ficado teimosamente preso às 19h58.

— Ah, faça-me o favor! — reclamou quando, mesmo depois de longos momentos, o oito dos minutos ainda não havia virado um nove.

Quando isso aconteceu, um milênio depois, Pip disse:

— Já são praticamente oito horas.

Então apertou o botão de gravar do aplicativo. Quando discou o número de Emma, sua pele se arrepiou por causa do nervosismo. A garota atendeu no terceiro toque.

— Alô? — disse uma voz aguda e doce.

— Oi, Emma, aqui é a Pippa.

— Ah, é, oi. Só um minuto, me deixe ir para o quarto.

Impaciente, Pip ouviu os passos de Emma saltitarem por um lance de escadas.

— Pronto. Então, você disse que está fazendo um projeto sobre Andie?

— É, mais ou menos. Sobre a investigação do desaparecimento dela e o papel da mídia. É tipo um estudo de caso.

— Entendi — respondeu Emma, parecendo desconfiada. — Não sei o quanto posso ajudar.

— Não se preocupe. Só tenho algumas perguntas básicas sobre o que você se lembra da investigação. Primeiro, quando você descobriu que ela havia sumido?

— Hum… Foi por volta da uma da manhã. Os pais dela ligaram para mim e para Chloe Burch. Nós éramos as melhores amigas da Andie. Falei que não tinha visto nem ficado sabendo dela e disse que ligaria para algumas pessoas. Tentei falar com Sal Singh naquela noite, mas ele só atendeu na manhã seguinte.

— A polícia entrou em contato com você? — perguntou Pip.

— Sim, na manhã de sábado. Vieram me fazer algumas perguntas.

— E o que você contou?

— A mesma coisa que falei para os pais da Andie. Que não tinha ideia de onde ela estava. Ela não tinha me dito que ia a lugar algum. E eles perguntaram sobre o namorado da Andie, então contei sobre Sal, que eu tinha acabado de ligar para ele e contado que ela havia desaparecido.

— O que você contou a eles sobre Sal?

— Bom, só que eles tinham brigado na escola naquela semana. Com certeza vi os dois discutindo na quinta e na sexta, o que não era comum. Normalmente, Andie brigava com ele, e ele ignorava. Mas, daquela vez, estava muito irritado.

— Com o quê? — perguntou Pip e, de repente, entendeu melhor por que a polícia achou que era prudente interrogar Sal naquela tarde.

— Sinceramente, não sei. Quando perguntei à Andie, ela só disse que Sal estava sendo "um babaca" em relação a alguma coisa.

Pip ficou surpresa.

— Entendi. Então a Andie não tinha planejado encontrar Sal na sexta?

— Não, ela não tinha nenhum plano, na verdade. Tinha que ficar em casa à noite.

— Ah, por quê?

Pip se sentou com as costas mais retas.

— Bom, não sei se deveria contar.

— Não se preocupe... — Pip tentou esconder o desespero em sua voz. — Se não for relevante, não vai entrar no projeto. Mas talvez possa me ajudar a entender melhor as circunstâncias do desaparecimento.

— Tudo bem. Bom, a irmã mais nova da Andie, Becca, tinha sido hospitalizada por mutilação algumas semanas antes. Os pais precisavam sair, então disseram para Andie ficar em casa e cuidar da Becca.

— Ah.

Foi tudo que Pip conseguiu dizer.

— Pois é, coitada. E mesmo assim, Andie largou a garota lá. Só agora, quando penso sobre o assunto, entendo como devia ser difícil ter a Andie como irmã mais velha.

— Como assim?

— Hum, é que, não quero falar mal dos mortos, sabe, mas... Tive cinco anos para amadurecer e refletir e, quando me lembro daquela época, não gosto nem um pouco da pessoa que eu era. Da pessoa que eu era com Andie.

— Ela não era uma boa amiga?

Pip não queria passar dos limites. Precisava que Emma continuasse falando.

— Sim e não. É difícil de explicar. — Emma suspirou. — A amizade com Andie era muito destrutiva, mas, na época, eu era viciada nela. Queria ser igual a ela. Não vai escrever nada disso, vai?

— Não, claro que não.

Uma mentirinha.

— Está bem. Então, Andie era bonita, popular e divertida. Ser amiga dela, ser alguém com quem ela gostava de estar, fazia a gente se sentir especial. Querida. E aí ela surtava e usava as coisas que mais nos incomodavam para magoar e humilhar a gente. E, mesmo assim, nós duas continuávamos do lado dela, esperando pela próxima vez que ia nos animar e fazer com que a gente se sentisse bem outra vez. Andie sabia ser incrível e horrível, e a gente não fazia ideia de que lado da Andie ia dar as caras. Fico surpresa de a minha autoestima ter sobrevivido.

— Andie era assim com todo mundo?

— Bom, era, pelo menos comigo e com a Chloe. Não deixava a gente ir muito à casa dela, mas eu via a maneira como tratava Becca também. Às vezes ela era muito cruel. — Emma fez uma pausa. — Não estou dizendo essas coisas porque acho que Andie teve o que mereceu. Não, não, não é o que quero dizer. Na verdade, ninguém merece ser morto e posto em um buraco. Só quero dizer que, por saber o tipo de pessoa que Andie era, entendo por que Sal surtou e a matou. Ela sabia fazer alguém se sentir incrível e depois realmente péssimo. Acho que, no fim das contas, uma tragédia era inevitável.

A voz de Emma falhou e se tornou uma fungada úmida, então Pip percebeu que a entrevista havia acabado. Emma não conseguia esconder que estava chorando, e nem tentou.

— Está bem, eram só essas as perguntas que eu queria fazer. Muito obrigada pela ajuda.

— Tudo bem. Desculpe, achei que tinha superado isso tudo. Mas acho que não.

— Não, eu que sinto muito por fazer você se lembrar disso. Hum, na verdade, eu também mandei uma mensagem para Chloe Burch pedindo uma entrevista, mas ela não me respondeu ainda. Vocês duas mantêm contato?

— Não, na verdade, não. Tipo, eu mando mensagens no aniversário dela, mas… a gente se afastou depois do que aconteceu com Andie e de se formar. Acho que nós duas quisemos nos afastar totalmente das pessoas que éramos na época.

Pip agradeceu outra vez e desligou. Suspirou e ficou encarando o celular por um minuto. Sabia que Andie havia sido bonita e popular. Suas redes sociais deixavam isso muito claro. E, assim como todo mundo que já esteve no ensino médio, sabia que os populares às vezes eram maldosos. Mas não esperava aquilo. O fato de

Emma ainda ter raiva de si mesma, depois de tanto tempo, por ter amado a pessoa que mais a atormentava.

Será que aquela era a verdadeira Andie Bell, a que se escondia atrás do sorriso perfeito e dos olhos azuis brilhantes? Todos em sua órbita ficavam tão encantados que não notavam a maldade à espreita. Não até que fosse tarde demais.

PIPPA FITZ-AMOBI
QPE 25/08/2017
DIÁRIO DE PRODUÇÃO — 11ª ENTRADA

ATUALIZAÇÃO: Fiz uma pesquisa para ver se conseguia achar o proprietário do carro com a placa que Sal havia anotado: *R009 KKJ*. Ravi tem razão. Precisaríamos saber a marca e o modelo do carro para mandar um pedido oficial. Acho que essa pista não vai levar a nada.

Certo, vamos voltar à tarefa de hoje. Acabei de falar com Chloe. Tentei uma tática diferente dessa vez: não queria falar sobre as mesmas coisas que conversei com Emma e não queria atrapalhar a entrevista trazendo à tona questões emocionais ligadas à Andie.

Mas, mesmo assim, esbarrei em algumas...

TRANSCRIÇÃO DA ENTREVISTA COM CHLOE BURCH
[Estou cansada de digitar a introdução das entrevistas. São sempre iguais, e eu sempre fico sem jeito. A partir de agora, vou pular direto para as partes interessantes.]

PIP: Então, minha primeira pergunta é: como você descreveria o relacionamento da Andie e do Sal?

CHLOE: Era bom. Ele tratava ela bem, e ela o achava gostoso. Sal sempre parecia muito calmo e tranquilo. Achei que ele fosse acalmar a Andie um pouco.

PIP: Por que Andie precisaria se acalmar?

CHLOE: Ah, ela estava sempre envolvida em algum drama.

PIP: E Sal a acalmou?

CHLOE: (Risos.) Não.

PIP: Mas eles tinham um relacionamento sério?

CHLOE: Não sei, acho que sim. Qual é a sua definição de "sério"?

PIP: Bom, me desculpe a pergunta, mas eles transavam? [Sim, eu sinto vergonha ao ouvir isso gravado. Mas preciso saber de tudo.]

CHLOE: Nossa, os projetos escolares mudaram muito desde que me formei. Por que cargas d'água você precisa saber isso?

PIP: Ela não contou para você?

CHLOE: Claro que contou. E, não, não transavam, na verdade.

PIP: Ah. Andie era virgem?

CHLOE: Não, não era.

PIP: Então com quem ela estava transando?

CHLOE: (Pausa breve.) Não sei.

PIP: Você não sabia?

CHLOE: Andie gostava de segredos, está bem? Davam a ela uma sensação de poder. Ela ficava feliz com o fato de eu e Emma não sabermos certas coisas. Mas depois ficava provocando porque gostava quando a gente perguntava. Tipo onde ela tinha conseguido tanto dinheiro. Andie simplesmente ria e dava uma piscadinha como resposta.

PIP: Dinheiro?

CHLOE: É. Aquela garota estava sempre fazendo compras, cheia da grana. E, no último ano da escola, disse que estava economizando para fazer preenchimento nos lábios e plástica no nariz. Nunca contou isso à Emma, só para mim. Mas ela também era generosa. Comprava maquiagem e outras coisas para a gente e sempre deixava a gente pegar as roupas dela emprestadas. Mas, depois, escolhia o momento certo da festa para dizer alguma coisa do tipo: "Ai, Chlo, parece que você alargou isso aí. Vou ter que dar para a Becca agora." Era um doce de pessoa.

PIP: De onde o dinheiro vinha? Ela tinha um emprego de meio expediente?

CHLOE: Não. Já falei que não sei. Imaginei que o pai dava para ela.

PIP: Tipo uma mesada?

CHLOE: É, talvez.

PIP: Então, quando a Andie sumiu, você acreditou, em parte, que ela tinha fugido para castigar alguém? Talvez o pai?

CHLOE: A vida da Andie era boa demais para ela querer fugir.

PIP: Mas a relação de Andie com o pai era problemática?

[Assim que digo a palavra "pai", o tom de Chloe muda.]

CHLOE: Não vejo como isso seria relevante para o seu projeto. Olhe, sei que falei um pouco demais sobre ela e, sim, Andie tinha defeitos, mas ainda era minha melhor amiga e foi assassinada. Não acho que seja certo ficar falando dos relacionamentos pessoais dela e da família, mesmo que tenha se passado tanto tempo.

PIP: Claro, você tem razão. Sinto muito. Só achei que, se soubesse como Andie era e o que estava acontecendo na vida dela, podia entender melhor o caso.

CHLOE: É, tudo bem, mas nada disso é relevante. Sal Singh matou Andie. E você não vai entender quem ela era a partir de algumas entrevistas. Era impossível conhecer aquela garota, mesmo sendo melhor amiga dela.

[Faço uma tentativa deselegante de pedir desculpas e nos trazer de volta para a conversa, mas fica óbvio que Chloe não quer mais falar comigo. Agradeço pela ajuda antes de ela desligar.]

Argh, é muito frustrante. Achei que estava chegando a algum lugar, mas não, só cutuquei as feridas gigantescas das duas amigas da Andie e estraguei tudo. Acho que, apesar de acharem que superaram, ainda não conseguiram se livrar das garras de Andie. Talvez ainda estejam até guardando alguns segredos dela. Com certeza pisei em algum calo quando mencionei o pai de Andie. Será que tem alguma história aí?

Acabei de ler a transcrição algumas vezes e... talvez tenha outra coisa escondida. Quando perguntei à Chloe com quem Andie estava transando, queria saber com quem Andie havia transado *antes* do Sal, sobre algum relacionamento anterior. Mas acidentalmente formulei a frase no gerúndio: "Então com quem ela estava transando?" Ou seja, naquele contexto, sem querer, eu perguntei: "Com quem Andie estava transando *enquanto* mantinha um relacionamento com Sal?" E Chloe não me corrigiu. Só falou que não sabia.

Estou forçando a barra, eu sei. É óbvio que Chloe pode ter respondido a pergunta se referindo a um relacionamento anterior. Isso pode não significar nada. Sei que não vou resolver o caso só prestando muita atenção na gramática. Infelizmente, não é assim que o mundo real funciona.

Mas, agora que encontrei um rastro, não consigo largar. Será que Andie estava se encontrando secretamente com outra pessoa?

Sal descobriu e foi por esse motivo que eles discutiram? Será que isso explica a última mensagem de Sal para Andie, antes de ela desaparecer: *nao vou falar com vc ate vc parar*?

Não sou policial, e só estou fazendo um projeto para a escola, então não posso obrigar as duas a me contarem nada. Além disso, é o tipo de segredo que só contamos para nossas melhores amigas, não para uma menina qualquer que está fazendo a QPE dela.

Ai, meu Deus. Acabei de ter uma ideia horrível, mas brilhante. Horrível, com certeza imoral e provavelmente estúpida. E, com certeza, com certeza, seria errado. Mesmo assim, acho que devia fazer isso. Se quiser mesmo descobrir o que aconteceu com Andie e Sal, vou precisar fazer alguma bobagem em algum momento.

Vou fingir ser Chloe para enganar Emma.

Tenho um chip pré-pago que usei nas férias do ano passado. Se puser no meu celular, posso mandar uma mensagem para Emma fingindo que sou a Chloe e que troquei de número. Talvez funcione. Emma disse que ambas perderam contato, então pode ser que não perceba. Talvez não funcione. Não tenho nada a perder, mas posso descobrir um segredo e encontrar um assassino.

> Oi, Em, é a Chloe. Troquei de número esses tempos. Uma garota da Kilton acabou de me ligar pra fazer perguntas sobre Andie pra um projeto. Ela também ligou pra você? Bjs

Ai, meu Deus, oi.

É, ela ligou uns dias atrás. Pra ser sincera, isso me deixou meio abalada de novo por causa de tudo. Bjs

> É, bom, Andie tinha esse efeito na gente. Você não falou nada sobre a vida amorosa da Andie pra ela, falou? Bjs

Você tá falando do cara mais velho secreto, não do Sal, né?

Isso

Não, não contei nada

É, nem eu. Mas sempre quis saber se Andie tinha contado pra você quem ele era.

Não, você sabe que ela não contou. A única coisa que ela disse foi que podia acabar com a vida dele, se quisesse, né?

É, ela gostava de guardar segredos.

Não sei nem se ele existia, pra ser sincera. Talvez ela tenha inventado pra parecer mais misteriosa.

É, talvez.
Aquela garota perguntou do pai da Andie também.
Você acha que ela sabe?

Talvez. Não é difícil descobrir agora. Ele se casou com a vadia pouco depois de se divorciar.

É, mas ela sabe que Andie sabia na época?

Acho que não. Só a gente sabia. E o pai da Andie também, óbvio. Bom, e daí se ela souber?

É, você tá certa. Acho que ainda sinto que tenho que proteger os segredos da Andie, sabe?

Acho que seria bom pra você tentar esquecer isso. Eu me sinto mto melhor por ter me afastado de tudo que tinha a ver com Andie.

> É, vou tentar. Ei, preciso ir. Tenho que trabalhar cedo amanhã. Mas a gente devia se encontrar pra bater um papo algum dia.

> É, eu adoraria! Me avisa quando você estiver livre e em Londres. 👍

> Pode deixar. Tchau. Bjs

Jesus Cristinho.

Nunca suei tanto na vida. Estou em choque por ter conseguido fazer isso. Quase surtei algumas vezes, mas... consegui mesmo.

Só que estou me sentindo péssima. Emma é tão legal e sincera. Mas o fato de me sentir culpada é bom: significa que ainda tenho alguma noção de certo e errado. Talvez eu ainda seja uma boa garota...

E, com isso, temos mais duas pistas.

Jason Bell já era um dos suspeitos, mas agora entra em **negrito**, como principal suspeito. Estava tendo um caso, e Andie sabia. Mais do que isso, Jason sabia que Andie sabia. Ela deve ter confrontado o pai sobre o assunto ou talvez tenha sido ela quem o pegou no flagra. Isso com certeza preenche algumas lacunas e explica por que o relacionamento deles era complicado.

E agora que parei para pensar, será que todo o dinheiro que Andie recebia do pai era PORQUE ela sabia? Será que ela estava chantageando o pai? Não, é só uma suposição. Preciso considerar o dinheiro uma questão separada até confirmar de onde ele veio.

Então vamos à segunda pista e grande revelação da noite: Andie estava saindo escondido com um cara mais velho enquanto mantinha um relacionamento com Sal. Era um segredo tão importante que ela nunca contou quem o homem era, só que podia acabar com a vida dele. De imediato, penso o óbvio: ele era casado. Será que *ele* era a fonte do dinheiro? Tenho um novo suspeito. Um que com certeza tinha motivos para silenciar Andie de vez.

Essa não era a Andie que eu esperava encontrar durante a investigação, tão distante da imagem pública de vítima linda e loira. Uma vítima amada pela família, adorada pelos amigos, que partiu cedo demais por causa do namorado "*cruel e assassino*". Talvez essa Andie sempre tenha sido uma personagem fictícia, projetada para angariar a pena das pessoas e fazer com que trocassem seu dinheiro por jornais. E, conforme investigo, essa imagem está começando a ruir.

Tenho que ligar para o Ravi.

LISTA DE SUSPEITOS
Jason Bell
Naomi Ward
Cara Mais Velho Secreto (era muito mais velho?)

dez

— Eu odeio acampar — grunhiu Lauren, tropeçando na lona emaranhada.

— Bom, é meu aniversário, e eu gosto — respondeu Cara, lendo as instruções com a língua presa entre os dentes.

Era a última sexta-feira das férias, e as três estavam em uma pequena clareira da floresta de faias nos arredores de Kilton. Para comemorar antecipadamente seu aniversário de dezoito anos, Cara tinha decidido que iria dormir ao ar livre e fazer xixi de cócoras atrás de uma árvore a noite toda. Esse também não teria sido o plano de Pip, que não via nenhuma lógica no retrocesso em relação aos banheiros e aos locais de descanso. Mas ela conseguia fingir.

— Tecnicamente, é ilegal acampar fora de um acampamento registrado — disse Lauren, chutando a lona em retaliação.

— Bom, vamos torcer para a polícia florestal não conferir o Instagram porque acabei de anunciar isso ao mundo. Agora fique quieta — pediu Cara. — Estou tentando ler.

— Hum, Cara — chamou Pip, com cuidado. — Você sabe que não trouxe uma barraca, não sabe? Isso é um gazebo.

— Dá no mesmo. E a gente tem que caber junto com os três garotos.

— Mas não tem chão.

Pip apontou o dedo para o diagrama nas instruções.

— *Você* que não tem. — Cara a empurrou com a bunda. — E meu pai separou um lençol para colocarmos no chão.

— Quando os meninos vão chegar? — perguntou Lauren.

— Mandaram mensagem dizendo que iam sair dois minutos atrás. E não — irritou-se Cara —, a gente não vai esperar que eles cheguem e montem isso para a gente, Lauren.

— Eu não sugeri isso.

Cara estalou os dedos.

— Vamos derrubar o patriarcado, uma tenda por vez.

— Gazebo — corrigiu Pip.

— Você quer apanhar?

— Não, obrigada.

Dez minutos depois, um gazebo branco de três metros de largura por três metros de cumprimento estava montado no meio da floresta, destoando dos arredores. Tinha sido fácil, depois que elas haviam entendido como abrir a armação. Pip conferiu o celular. Já eram 19h30, e o app de previsão de tempo dizia que o pôr do sol seria dali a quinze minutos, apesar de ainda terem algumas horas de crepúsculo antes de a escuridão chegar.

— Vai ser tão divertido! — Cara se levantou para admirar seu trabalho. — Adoro acampar. Vou tomar gim e comer esticadinho de morango até vomitar. Não quero me lembrar de nada amanhã.

— É um objetivo admirável — disse Pip. — Vocês duas querem ir buscar o resto da comida no carro? Posso abrir os sacos de dormir e puxar as laterais.

O carro de Cara estava no pequeno estacionamento de concreto a quase duzentos metros do local que elas haviam escolhido. Lauren e Cara avançaram pelas árvores, o bosque iluminado pelo brilho alaranjado do fim do dia, antes de o céu escurecer.

— Não esqueçam as lanternas! — gritou Pip, assim que as duas desapareceram.

Ela prendeu as laterais de lona no gazebo, xingando o velcro que cedeu e a obrigou a refazer um dos lados. Lutou com o lençol, e ficou feliz ao ouvir os passos de Cara e Lauren voltando, pisando nos gravetos. Mas, quando olhou ao redor, não havia ninguém. Era só uma pega, o pássaro a enganando do alto das árvores escurecidas, soltando sua risada áspera e ossuda. Irritada, Pip saudou o animal e começou a estender os três sacos de dormir um ao lado do outro, tentando não pensar que Andie Bell podia muito bem estar enterrada em algum lugar daquela floresta, bem no fundo da terra.

Quando estendeu o último saco de dormir, o som de galhos se quebrando ficou mais alto e foi acompanhado de uma onda de risadas e gritos que só podia indicar que os meninos haviam chegado. Pip acenou para eles e para as meninas de braços carregados. Ant, que não havia crescido muito desde os doze anos, quando todos haviam se tornado amigos, Zach Chen, que morava a quatro casas dos Amobi, e Connor, que Pip e Cara haviam conhecido no ensino fundamental. Ele vinha prestando atenção demais em Pip nos últimos tempos. Ela torcia para que aquilo passasse rápido, como da vez que ele havia se convencido de que a profissão de terapeuta felino tinha futuro.

— Oi — disse Connor, carregando um isopor com Zach. — Ah, droga, as meninas pegaram os melhores lugares para dormir. A gente foi *pipetado* para fora da barraca.

Para a surpresa de ninguém, não era a primeira vez que Pip ouvia aquela piada.

— Você é hilário — respondeu, seca, tirando o cabelo dos olhos.

— Aaaah — interrompeu Ant. — Não se sinta mal, Connor. Talvez, se você fosse um dever de casa, ela se interessasse por você.

— Ou se ele fosse Ravi Singh — sussurrou Cara só para ela, lançando uma piscadinha.

— Dever de casa é muito melhor do que garotos — disse Pip, dando uma cotovelada forte nas costelas de Cara. — E quem é você para falar alguma coisa, Ant? Você tem a vida sexual de um molusco argonauta.

— O que quer dizer... — Ant fez círculos com a mão pedindo que ela continuasse.

— Bom — explicou Pip —, é que o pênis de um argonauta se quebra durante a relação sexual, então ele só pode transar uma vez na vida.

— Eu posso confirmar isso — disse Lauren, que havia tido um caso fracassado com Ant no ano anterior.

O grupo começou a rir, e Zach deu um tapinha conciliatório nas costas de Ant.

—Você é má — afirmou Connor, rindo.

Uma escuridão com leves toques prateados havia dominado o bosque, cercando todos os lados do pequeno gazebo iluminado, que brilhava como uma lanterna entre as árvores adormecidas. O grupo tinha duas lâmpadas a pilha e três lanternas.

Ainda bem que tinham ido se sentar dentro do gazebo, pensou Pip, já que havia começado a chover muito forte, apesar de a copa das árvores estar protegendo a área. Os seis estavam sentados ao redor da comida e da bebida, com duas laterais do gazebo abertas para aliviar o cheiro dos garotos.

Pip tinha até se permitido acabar com uma latinha de cerveja, sentada com o saco de dormir azul-marinho estrelado enrolado na cintura. Apesar de estar muito mais interessada nos salgadinhos e no molho sour cream. Ela não gostava muito de beber, não gostava da sensação de perder o controle.

Ant estava no meio de uma história assustadora, com a lanterna embaixo do queixo tornando seu rosto distorcido e grotesco. Por acaso, era a história de seis amigos, três meninos e três meninas, que estavam acampando em um gazebo na floresta.

— E a aniversariante — disse ele, de forma teatral — estava acabando com um pacote inteiro de esticadinho de morango, com os doces vermelhos caindo pelo queixo como rastros de sangue.

— Cale a boca — respondeu Cara, de boca cheia.

— Ela manda o cara bonito segurando a lanterna calar a boca. E é aí que eles escutam: algo arranhando a lateral do gazebo. Tem alguém ou alguma coisa do lado de fora. Aos poucos, unhas começam a se arrastar pela lona, abrindo um buraco. "Vocês estão dando uma festa?", pergunta uma voz feminina. E então as garras rasgam toda a lona e, com um gesto rápido, cortam a garganta do cara de camisa quadriculada. "Sentiram minha falta?", grita ela. Os sobreviventes finalmente enxergam quem é: o corpo apodrecido do zumbi de Andie Bell, em busca de vingança...

— Cale a boca, Ant. — Pip o empurrou. — Isso não tem graça.

— Então por que todo mundo está rindo?

— Porque vocês são todos doentes. Uma menina assassinada não pode ser usada nas suas piadas ruins.

— Mas ela pode ser usada em um projeto da escola? — retrucou Zach.

— É totalmente diferente.

— Eu já ia chegar na parte do amante secreto/assassino da Andie — disse Ant.

Pip se encolheu e lançou um olhar de ódio para o garoto.

— Lauren me contou — dedurou ele, baixinho.

— Cara me contou — explicou Lauren, as palavras saindo arrastadas.

— Cara? — chamou Pip, virando-se para a amiga.

— Desculpe — disse ela, gaguejando porque já tinha chegado ao fim da garrafa de gim. — Não sabia que era segredo. Contei para Naomi e para Lauren. E pedi para elas não contarem para ninguém.

Cara cambaleou, apontando um dedo acusatório para Lauren.

Era verdade. Pip não havia pedido a ela para guardar segredo. Tinha pensado que não precisava pedir. Não cometeria o mesmo erro duas vezes.

— O objetivo do projeto não é criar boatos para vocês espalharem.

Ela tentou deixar a voz neutra, apesar de estar salpicada de irritação, olhando de Cara para Lauren e depois para Ant.

— E daí? — respondeu Ant. — Tipo, metade da turma sabe que você está fazendo um projeto sobre Andie Bell. E por que a gente está falando de dever de casa na nossa última sexta-feira livre? Zach, pegue o tabuleiro.

— Que tabuleiro? — perguntou Cara.

— Eu trouxe um tabuleiro de Ouija. Legal, né? — perguntou Zach, arrastando a mochila para mais perto.

Ele pegou um tabuleiro brega de plástico, decorado com o alfabeto, e uma prancheta com uma pequena janela de plástico que permitia ver as letras. Pôs tudo no meio do círculo.

— Não — disse Lauren, cruzando os braços. — De jeito nenhum. Aí é demais. Histórias de terror tudo bem, mas um tabuleiro Ouija, não.

Pip perdeu o interesse quando os meninos começaram a tentar convencer Lauren a participar de uma brincadeira qualquer que haviam planejado. Provavelmente tinha a ver com Andie Bell. Pip estendeu a mão sobre o tabuleiro para pegar outro pacote de salgadinhos quando viu.

Uma luz branca em meio às árvores.

Ela se sentou nos calcanhares e semicerrou os olhos. A luz surgiu outra vez. Na escuridão distante, um pequeno ponto iluminado retangular aparecia e desaparecia. Como o brilho de uma tela de telefone.

Pip esperou, mas a luz tinha sumido. Só havia escuridão. O barulho da chuva no ar. As silhuetas das árvores adormecidas sob o luar.

Até uma das árvores ganhar duas pernas.

— Gente — disse ela, baixinho. Um pequeno chute no tornozelo de Ant o calou. — Não olhem agora, mas acho que tem alguém nas árvores. Observando a gente.

onze

— Onde? — perguntou Connor, movendo os lábios em silêncio, com os olhos se estreitando, voltados para os de Pip.

— À minha esquerda — sussurrou ela.

O medo lhe dava calafrios como uma tempestade de neve. Olhos arregalados se espalharam pelo círculo de amigos.

Então, com um som explosivo, Connor pegou uma das lanternas e se levantou com um pulo.

— Ei, pervertido! — gritou, com uma coragem inesperada, e saiu correndo do gazebo em direção à escuridão, com a faixa de luz balançando sem parar enquanto o garoto corria.

— Connor! — chamou Pip, livrando-se do saco de dormir. Pegou a lanterna das mãos de Ant, que estava incrédulo, e saiu correndo em meio às árvores. — Connor, espere!

Cercada por todos os lados por sombras escuras, imagens de árvores iluminadas saltavam sobre Pip enquanto a lanterna tremia em suas mãos, seus pés pisoteando a lama. Gotas de chuva atravessavam a faixa de luz.

— Connor! — gritou, seguindo o único vestígio dele à sua frente, um risco de luz da lanterna em meio à escuridão sufocante.

Às suas costas, Pip ouviu mais passos avançando pela floresta e alguém gritando seu nome. Era uma das meninas.

Enquanto corria, uma dor forte começava a atingir a lateral de seu corpo, a adrenalina engolindo os últimos resquícios de cerveja que a haviam deixado com sono. Ela estava alerta e pronta.

— Pip! — gritou alguém em seu ouvido.

Ant a havia alcançado, com a lanterna do celular guiando seus pés através das árvores.

— Cadê o Con? — perguntou ele, arquejando.

Pip estava sem ar. Apontou para a luz que piscava à frente, e Ant a ultrapassou.

Mas ainda havia mais passos se aproximando. Pip tentou olhar em volta, mas só conseguiu ver uma luz branca cada vez mais ampla.

Ela se voltou para a frente, e o brilho de sua lanterna lançou duas figuras curvadas sobre ela. Pip desviou e caiu de joelhos para não bater nelas.

— Pip, você está bem? — perguntou Ant, sem fôlego, oferecendo a mão.

— Estou. — Ela inspirou o ar úmido, com uma câimbra retorcendo seu peito e seu estômago. — Connor, que merda foi essa?

— Ele me despistou — respondeu o garoto, arquejando, com a cabeça na altura dos joelhos. — Acho que o perdi há algum tempo.

— Era um homem? Você o viu? — perguntou Pip.

Connor balançou a cabeça.

— Não, não vi se era um homem, mas devia ser, né? Só vi que estava usando um capuz escuro. Fosse quem fosse, desviou quando minha lanterna estava abaixada e eu, burro, continuei seguindo o mesmo caminho.

— Foi burrice correr atrás do cara, para começo de conversa — respondeu Pip, irritada. — Sozinho.

— Óbvio! — exclamou Connor. — Tem um pervertido na floresta à meia-noite, observando a gente e provavelmente se masturbando. Eu queria dar uma porrada nele.

— Foi um risco desnecessário. O que você queria provar?

Um brilho branco surgiu ao lado de Pip, e Zach apareceu, parando pouco antes de bater nela e em Ant.

— Mas que merda foi essa?!

Então eles ouviram o grito.

— Merda! — exclamou Zach, dando meia-volta e correndo na direção de onde tinha vindo.

— Cara! Lauren! — gritou Pip, segurando a lanterna e seguindo Zach, com os outros dois logo atrás.

Mais uma vez, atravessaram as árvores escuras, com seus dedos assustadores se enroscando no cabelo de Pip. A cada passo, a dor na lateral de seu corpo aumentava.

Meio minuto depois, encontraram Zach usando o celular para iluminar o local em que as duas meninas estavam, de braços dados. Lauren chorava.

— O que houve? — perguntou Pip, abraçando as duas, que tremiam apesar de a noite estar quente. — Por que gritaram?

— Porque a gente se perdeu, a lanterna quebrou e a gente está bêbada — respondeu Cara.

— Por que não ficaram no gazebo? — quis saber Connor.

— Porque vocês todos deixaram a gente para trás! — gritou Lauren.

— Está bem, está bem — disse Pip. — Todo mundo exagerou um pouco. Está tudo bem, a gente só tem que voltar para o gazebo. A pessoa fugiu, fosse quem fosse, e nós somos seis, certo? Está todo mundo seguro.

Ela enxugou as lágrimas do queixo de Lauren.

Mesmo com a ajuda das lanternas, levaram quase quinze minutos para achar o caminho de volta ao gazebo. A floresta parecia um outro universo à noite. O grupo teve que usar o aplicativo de mapa no celular de Zach para ver a que distância estavam da estrada. Seus passos aceleraram quando viram pedaços distantes de lona branca entre os troncos e o brilho amarelado das lanternas a pilha.

Ninguém falou muito enquanto colocavam rapidamente as latas vazias e os pacotes de comida em um saco de lixo, abrindo espaço para os sacos de dormir. Baixaram todas as laterais do gazebo, formando um espaço seguro entre as quatro paredes de lona, a imagem das árvores distorcida pelas falsas janelas de plástico.

Os meninos já estavam começando a brincar sobre a corrida noturna entre as árvores, mas Lauren ainda não estava pronta para piadas sobre o assunto.

Quando não aguentou mais ver a amiga embriagada lutar contra o zíper, Pip pôs o saco de dormir de Lauren entre o dela e o de Cara e a ajudou a entrar.

— Então não vamos usar o tabuleiro de Ouija? — perguntou Ant.

— Acho que a gente já levou sustos suficientes — disse Pip.

Ela se sentou ao lado de Cara por um tempo, forçando a amiga a beber água enquanto a distraía, falando sobre a queda de Roma. Lauren e Zach já haviam adormecido.

Quando as piscadas de Cara começaram a ficar cada vez mais longas, Pip voltou para o próprio saco de dormir. Percebeu que Ant e Connor ainda estavam acordados, sussurrando, mas queria muito dormir ou, pelo menos, se deitar e torcer para dormir. Quando pôs as pernas dentro do saco de dormir, algo fez barulho contra seu pé direito. Ela puxou os joelhos em direção ao peito e pôs a mão dentro do saco, os dedos pinçando um pedaço de papel.

Devia ser um pacote de comida que havia caído ali dentro. Ela o tirou. Não era. Era um pedaço de papel branco dobrado ao meio.

Pip desdobrou o papel, passando os olhos por ele.

Em uma fonte impressa, grande e formal, estava escrito: *Pare de investigar, Pippa.*

Ela largou o papel, seguindo-o com os olhos enquanto ele caía, aberto. Sua respiração voltou para o momento em que ela corria no escuro, com vislumbres de árvores sob a luz intermitente da lanterna. A incredulidade se transformou em medo. Cinco segundos depois, a sensação a incendiou, transformando-se em raiva.

— Mas que porcaria é essa?! — reclamou, pegando o bilhete e se virando, furiosa, para os garotos.

— Shhh — disse um deles. — As meninas estão dormindo.

— Vocês acham isso engraçado? — perguntou Pip, olhando para eles enquanto brandia o bilhete dobrado. — Vocês são inacreditáveis.

— Do que você está falando? — perguntou Ant, com os olhos semicerrados.

— O bilhete que vocês deixaram no meu saco de dormir.

— Eu não deixei bilhete nenhum — afirmou ele, tentando pegar o papel.

Pip o afastou.

—Vocês acham mesmo que eu vou acreditar nisso? O estranho na floresta também foi armação? Só uma brincadeira? Quem era? George, o amigo de vocês?

— Não, Pip — respondeu Ant, encarando-a. — Eu não sei mesmo do que você está falando. O que está escrito no bilhete?

— Pare de bancar o inocente. Connor, gostaria de confessar alguma coisa?

— Pip, você acha que eu teria corrido atrás do pervertido daquele jeito se fosse uma brincadeira? A gente não planejou nada, juro.

— Estão dizendo que nenhum de vocês deixou este bilhete para mim?

Os dois assentiram.

— Vocês são dois mentirosos — disse ela, virando para o lado feminino do gazebo.

— É sério, não foi a gente — insistiu Connor.

Pip o ignorou, entrando rápido no saco de dormir e fazendo mais barulho do que o necessário.

Ela se deitou, usando o casaco enrolado como travesseiro, e deixou o bilhete aberto no lençol, ao seu lado. Então virou-se para observá-lo, ignorando outros quatro "Pip" sussurrados por Ant e Connor.

Ela foi a última a pegar no sono. Dava para perceber pelo ritmo da respiração dos outros. Estava sozinha em sua insônia.

Das cinzas de sua raiva, uma nova criatura se ergueu. Uma sensação que se encaixava entre o medo e o ceticismo, entre o caos e a lógica.

Pip repetiu as palavras em sua cabeça tantas vezes que se tornaram forçadas e estranhas.

Pare de investigar, Pippa.

Não era possível. Era só uma brincadeira maldosa. Tinha que ser.

Não conseguia desviar a atenção do bilhete, os olhos passando, insones, pelas curvas das letras pretas impressas.

Na madrugada, a floresta ganhava vida. Galhos se partiam, asas batiam em meio às árvores e guinchos soavam. Se eram raposas ou cervos, Pip não sabia dizer, mas criaturas berravam e choravam e parecia que era e não era Andie Bell, gritando pelo túnel do tempo.

Pare de investigar, Pippa.

parte dois

doze

Sob a mesa, Pip se mexia, nervosa, torcendo para Cara estar ocupada demais tagarelando para notar. Era a primeira vez que tinha que esconder algo da amiga, e seu nervosismo deixava suas mãos agitadas e embrulhava seu estômago.

Pip tinha ido para a casa dela depois do terceiro dia de aula, que era quando os professores paravam de falar sobre o que ensinariam ao longo do período e realmente começavam a ensinar. Ficaram sentadas na cozinha dos Ward, fingindo fazer o dever de casa, mas, na verdade, Cara estava no meio de uma crise existencial.

— E aí eu falei que ainda não sei o que quero estudar na universidade e muito menos onde quero estudar. E ele só disse que "o tempo está passando, Cara", e isso está me estressando. Você já conversou com seus pais?

— Já, alguns dias atrás — respondeu Pip. — Decidi tentar o King's College, em Cambridge.

— Letras?

Pip assentiu.

— Você é a pior pessoa para eu desabafar sobre meus planos de vida. — Cara riu, soltando ar pelo nariz. — Aposto que já sabe o que quer ser quando crescer.

— Óbvio — respondeu Pip. — Quero ser uma mistura de Louis Theroux, Heather Brooke e Michelle Obama.

— A sua eficiência me ofende.

Um apito de trem barulhento soou do celular de Pip.

— Quem é? — perguntou Cara.

— Só o Ravi Singh — disse Pip, lendo a mensagem rapidamente —, querendo saber se eu descobri mais alguma coisa.

— Ah, então agora vocês estão trocando mensagens, é? — provocou Cara. — Devo reservar algum dia da semana que vem para o casamento?

Pip jogou uma caneta na amiga. Cara desviou com perfeição.

— E aí, temos alguma novidade sobre Andie Bell?

— Não. Absolutamente nada de novo.

A mentira fez o nó em seu estômago apertar mais ainda.

Na escola, quando Pip voltara a perguntar sobre a autoria do bilhete deixado em seu saco de dormir, Ant e Connor negaram outra vez. Tinham sugerido que podia ter sido Zach ou uma das garotas. Óbvio que o fato de estarem negando não era uma prova concreta de que não tinham sido os dois. Mas Pip precisava considerar a outra possibilidade: *e se?* E se tivesse sido alguém envolvido no caso Andie Bell, tentando assustá-la para desistir do projeto? Alguém que tivesse muito a perder caso ela continuasse investigando.

Não contou a ninguém sobre o bilhete: nem às meninas, nem aos meninos que queriam saber o que estava escrito, nem a seus pais, nem mesmo a Ravi. A preocupação deles podia acabar com o projeto. E ela tinha que controlar qualquer vazamento de informação. Pip tinha segredos a guardar e aprenderia com a mestre, a srta. Andrea Bell.

— Cadê seu pai? — perguntou Pip.

— Dã, ele passou aqui faz uns quinze minutos avisando que ia sair para dar aula particular.

— Ah, é — respondeu Pip.

Mentiras e segredos a atrapalhavam. Elliot dava aulas particulares três vezes por semana. Era parte da rotina dos Ward, e Pip sabia disso. O nervosismo a deixava descuidada. Cara logo notaria, porque a conhecia muito bem. Pip precisava se acalmar; tinha uma missão a cumprir. E agir de forma estranha só pioraria as coisas.

Pip conseguia ouvir o zumbido da televisão vindo da sala. Naomi estava assistindo a algum drama estadunidense com muitos *pá-pá* de armas com silenciadores e gritos de "merda!".

Era o momento perfeito para Pip agir.

— Ei, posso usar seu notebook por dois segundos? — perguntou à Cara, mantendo uma expressão casual para não se entregar. — Só quero pesquisar um livro da aula de literatura.

— Claro — respondeu a amiga, passando o computador para o outro lado da mesa. — Não feche nenhuma aba.

— Pode deixar — concordou Pip, virando o notebook para esconder a tela.

Seu coração disparou. Sentia tanto sangue circulando em seu rosto que tinha certeza de que estava ficando toda vermelha. Inclinando-se para se esconder atrás da tela, clicou no painel de controle.

Na noite anterior, havia ficado acordada até as três da manhã, com o *e se?* a assombrando, afastando o sono. Então, tinha vasculhado a internet, lendo perguntas malfeitas em fóruns e manuais de impressoras sem fio.

Qualquer pessoa podia tê-la seguido até o bosque. Isso era um fato. Qualquer pessoa podia ter observado Pip e atraído o grupo de amigos para fora do gazebo para deixar o bilhete. Fato. Mas havia uma pessoa na sua lista de suspeitos que sabia exatamente onde Pip e Cara acampariam. Naomi. Pip havia sido burra ao desconsiderá-la por causa da garota que julgava conhecer. Podia muito bem haver outra Naomi. Uma que talvez estivesse mentindo sobre ter saído da casa de Max por um tempo na noite em que Andie tinha morrido. Uma que talvez fosse apaixonada por Sal. Uma que talvez odiasse Andie o suficiente para matá-la.

Depois de horas de pesquisa insistente, Pip havia aprendido que não era possível ver os documentos que uma impressora sem fio havia impresso. E ninguém em sã consciência salvaria um bilhete como aquele no computador, então tentar vasculhar o de Naomi seria inútil. Mas havia uma coisa que ela podia fazer.

Pip clicou em *Impressoras e scanners* e passou o mouse sobre o nome da impressora da família Ward, que alguém tinha apelidado de Freddie Prints Jr. Clicou com o botão direito em *Propriedades da impressora* e, depois, na aba *Avançado*.

Pip havia decorado o passo a passo de um site repleto de desenhos engraçadinhos. Marcou a caixa ao lado de *Manter documentos impressos*, clicou em aplicar e pronto. Então fechou o painel e voltou para o dever de Cara.

— Obrigada — disse, devolvendo o notebook, certa de que seu coração batia alto o suficiente para a amiga ouvir, um alto-falante em seu peito.

— Tranquilo.

O notebook de Cara passaria a registrar tudo que saísse da impressora dos Ward. Se Pip recebesse outro bilhete, poderia saber com certeza se tinha sido Naomi ou não.

A porta da cozinha se abriu com o som de uma explosão na Casa Branca e agentes federais gritando "Saiam daqui!" e "Salvem--se!". Naomi apareceu no batente.

— Pelo amor de Deus, Nai! — exclamou Cara. — A gente está estudando, baixe o volume.

— Desculpe — sussurrou ela, como se quisesse compensar o volume alto da televisão. — Só vim pegar alguma coisa para beber. Você está bem, Pip?

Naomi lhe lançou uma expressão confusa e só então Pip percebeu que a encarava.

— Hum... Estou. É que você me assustou — explicou, com o sorriso um pouco largo demais, escavando as bochechas de maneira incômoda.

PIPPA FITZ-AMOBI
QPE 08/09/2017
DIÁRIO DE PRODUÇÃO — 13ª ENTRADA

TRANSCRIÇÃO DA SEGUNDA ENTREVISTA COM EMMA HUTTON

PIP: Obrigada por concordar em conversar comigo outra vez. Vai ser uma entrevista curta, prometo.

EMMA: Ah, tudo bem.

PIP: Obrigada. Está bem. Primeiro, fui atrás de informações sobre Andie e ouvi uns boatos que queria confirmar com você. Que Andie estava saindo com outro cara, além do Sal. Um cara mais velho, talvez? Você ouviu falar sobre isso?

EMMA: Quem disse isso?

PIP: Desculpe, a pessoa me pediu para manter o anonimato.

EMMA: Foi a Chloe Burch?

PIP: Mais uma vez, desculpe, mas me pediram para não contar.

EMMA: Só pode ter sido ela. Nós duas éramos as únicas que sabíamos.

PIP: Então é verdade? Andie estava saindo com um cara mais velho enquanto namorava o Sal?

EMMA: Bom, é, foi o que ela disse. Mas nunca contou o nome do cara nem nada.

PIP: Você tem alguma ideia de há quanto tempo isso estava rolando?

EMMA: Tipo, foi por pouco tempo antes de ela sumir. Acho que Andie começou a falar disso em março. Mas é só um chute.

PIP: E você não sabia nada sobre esse cara?

EMMA: Não, ela gostava de provocar a gente, porque a gente não sabia.

PIP: E você não achou que isso fosse relevante o suficiente para contar à polícia?

EMMA: Não, porque, sinceramente, esses foram os únicos detalhes de que a gente ficou sabendo. E meio que achei que Andie tinha inventado o cara para causar confusão.

PIP: E depois que toda a história com Sal aconteceu, você nunca pensou em contar à polícia que isso podia ser a motivação do crime?

EMMA: Não, porque, mais uma vez, não tinha certeza de que o cara existia mesmo. E Andie não era burra. Não teria contado ao Sal.

PIP: Mas e se Sal descobriu de outro jeito?

EMMA: Hum, duvido. Andie sabia guardar segredos muito bem.

PIP: Certo. Passando para minha última pergunta, queria saber se Andie já brigou com Naomi Ward. Ou se tinham uma relação difícil.

EMMA: Naomi Ward, a amiga do Sal?

PIP: É.

EMMA: Não, não que eu saiba.

PIP: Andie nunca mencionou nenhum problema com Naomi nem falou mal dela?

EMMA: Não. Na verdade, agora que você mencionou isso, ela definitivamente odiava um dos Ward, mas não era Naomi.

PIP: Como assim?

EMMA: Sabe o sr. Ward, o professor de história? Não sei se ele ainda dá aulas no Colégio Kilton. Mas Andie não gostava nada dele. Lembro de ouvi-la chamando o cara de babaca, entre outras coisas.

PIP: Por quê? Quando foi isso?

EMMA: Hum, não sei dizer especificamente, mas acho que foi perto da Páscoa. Então perto da época que tudo aconteceu.

PIP: Mas Andie fazia aula de história?

EMMA: Não, talvez ele tenha dito que a saia dela era curta demais para a escola ou algo assim. Ela odiava esse tipo de coisa.

PIP: Está bem, era só isso que eu queria perguntar. Muito obrigada mais uma vez por toda a ajuda, Emma.

EMMA: Sem problema. Tchau.

NÃO. Sem chance.

Primeiro Naomi, na cara de quem nem consigo mais olhar. E agora Elliot? Por que as perguntas sobre Andie Bell estão me trazendo respostas que envolvem pessoas próximas a mim?

Está bem, o fato de Andie ter xingado um professor para as amigas pouco antes de morrer parece só uma coincidência. É. Pode ser uma coisa absolutamente inocente.

Mas — e este é um "mas" muito importante — Elliot me disse que mal conhecia Andie e quase não tinha tido contato com ela nos últimos dois anos da vida da garota. Então por que ela o chamou de babaca? Será que Elliot mentiu? E, se mentiu, por quê?

Seria muito hipócrita da minha parte não especular loucamente, como fiz com os outros suspeitos, só porque sou próxima a Elliot. Então, apesar de isso me causar dor física, será que essa pista inócua, na verdade, indica que Elliot Ward era o cara mais velho secreto? Quer dizer, de início, achei que o "cara mais velho secreto" fosse alguém com uns vinte e poucos ou vinte e tantos anos. Mas talvez meu chute estivesse errado. Talvez fosse alguém muito mais velho. Fiz um bolo para o último aniversário de Elliot, então sei que ele tem quarenta e sete anos, o que significa que tinha quarenta e dois no ano do desaparecimento de Andie.

Andie disse às amigas que podia "acabar com a vida" do cara. Assumi que o homem — seja lá quem fosse — estivesse casado. Elliot não era. Sua mulher tinha morrido alguns anos antes. Mas ele era professor da escola em que Andie estudava, em uma posição de confiança. Se houvesse algum relacionamento inapropriado entre os dois, Elliot poderia ir para a cadeia. Isso com certeza "acabaria com a vida de alguém".

Ele é o tipo de pessoa que faria algo assim? Não, não é. É o tipo de cara que chamaria a atenção de uma aluna loira e bonita de dezessete anos? Acho que não. Quer dizer, ele não é horroroso e tem um visual de acadêmico grisalho, mas... não. Não consigo aceitar.

Nem acredito que estou me permitindo considerar isso. Quem vai ser a próxima pessoa a entrar na minha lista de suspeitos? Cara? Ravi? Meu pai? Eu?

Acho que devia simplesmente criar coragem e esclarecer alguns fatos com Elliot. Senão, vou acabar desconfiando de todo mundo que conheço e que pode ter conversado com Andie em algum momento da vida. E paranoia não combina comigo.

Mas como perguntar a um adulto que você conhece desde os seis anos por que ele mentiu sobre uma menina que foi assassinada?

LISTA DE SUSPEITOS
Jason Bell
Naomi Ward
Cara Mais Velho Secreto
Elliot Ward

treze

A mão de Pip devia ter vontade própria, um circuito independente de seu cérebro.

O sr. Ward estava falando:

— Mas Lenin não gostou da política de Stalin na Geórgia depois da invasão do Exército Vermelho, em 1921...

E os dedos de Pip se moviam em sincronia, anotando tudo e até sublinhando as datas. Mas ela não estava prestando atenção.

Havia uma guerra sendo travada em seu interior, os dois lados de seu cérebro brigavam e se provocavam. Será que ela deveria perguntar a Elliot sobre os comentários de Andie ou isso colocaria a investigação em risco? Será que era grosseria fazer perguntas invasivas sobre alunas assassinadas ou era só mais um pippismo perdoável?

O sinal do almoço tocou, e, por sobre o barulho de cadeiras sendo arrastadas e mochilas sendo fechadas, Elliot disse:

— Leiam o capítulo três para a próxima aula. E, se estiverem muito empolgados, podem "trotskar" para o capítulo quatro também.

Depois riu da própria piada.

— Você vem, Pip? — perguntou Connor, levantando-se e pondo a mochila nas costas.

— Hum, encontro vocês já, já. Tenho que perguntar uma coisa ao sr. Ward antes.

— Você tem que perguntar uma coisa ao sr. Ward, é? — Elliot havia me ouvido. — Isso me parece um mau sinal. Espero que você ainda não tenha começado a pensar nas avaliações.

— Não, quer dizer, sim, já comecei — disse Pip —, mas não era sobre isso que eu queria falar.

Ela esperou até os dois ficarem sozinhos.

— O que foi? — Elliot consultou o relógio de pulso. — Você tem dez minutos antes de eu começar a entrar em pânico por causa do tamanho da fila do sanduíche.

— É, desculpe — respondeu Pip, tentando reunir sua coragem, mas ela havia escorrido para longe. — Hum…

— Está tudo bem? — perguntou Elliot, sentando-se à mesa de novo, com os braços e as pernas cruzados. — Você está preocupada com as inscrições para a universidade? A gente pode sentar para analisar sua carta de apresentação, se você…

— Não, não é isso. — Pip respirou fundo e soprou o lábio superior. — Eu… Quando entrevistei você, você disse que não tinha falado muito com Andie nos últimos dois anos dela na escola.

— É verdade. — Ele fez uma pausa. — Ela não fazia aula de história.

— Tudo bem, mas… — A coragem de Pip reapareceu toda de uma vez, e as palavras saíram em disparada: — Uma das amigas da Andie disse, e me desculpe o vocabulário, que Andie se referiu a você como um "babaca" e outras palavras pouco educadas nas semanas anteriores ao desaparecimento dela.

O "por quê?" estava subentendido. Pip não precisava dizer em voz alta.

— Ah — começou Elliot, tirando o cabelo escuro do rosto. Em seguida, olhou para ela e suspirou. — Bom, eu estava torcendo para isso não vir à tona. Não sei qual seria o benefício de discutir o assunto agora. Mas vejo que você está sendo muito minuciosa com seu projeto.

Pip assentiu, mantendo seu longo silêncio à espera de uma resposta.

Elliot se mexeu na cadeira.

— Não me sinto muito à vontade falando coisas desagradáveis sobre uma aluna que perdeu a vida. — Ele viu a porta aberta e se levantou para fechá-la. — Hum, não tive muito contato com Andie na escola, mas eu a conhecia, é claro, por ser pai da Naomi. E... foi assim, através da Naomi, que fiquei sabendo algumas coisas sobre Andie Bell.

— Ah, é?

— Não tem um jeito agradável de dizer isso, mas... ela praticava bullying. Estava provocando uma menina da turma dela. Não me lembro direito do nome, mas parecia ser de origem portuguesa. Alguma coisa séria aconteceu, Andie postou um vídeo.

Pip ficou surpresa, mas ao mesmo tempo já esperava por algo do tipo. Era mais um caminho que se abria no labirinto da vida de Andie Bell. Palimpsestos sobre palimpsestos, a versão original de Andie agora mal era visível sob todos os rabiscos sobrepostos.

— Eu sabia que Andie teria problemas tanto com a escola quanto com a polícia pelo que havia feito — continuou Elliot. — E eu... achei que era uma pena porque era a semana após a Páscoa e as provas finais estavam chegando. Provas que determinariam todo o futuro dela. — Ele suspirou. — O que eu devia ter feito, quando descobri, era contar o que tinha acontecido ao diretor. Mas a escola tem uma política de tolerância zero contra bullying e cyberbullying, e eu sabia que Andie seria expulsa. Não faria as provas, não entraria na universidade e, bom, eu não fui capaz de denunciá-la. Apesar do que ela tinha feito, eu não conseguiria viver em paz comigo mesmo se soubesse que tinha destruído o futuro de uma aluna.

— E o que você fez? — perguntou Pip.

— Procurei o contato do pai dela e liguei para ele no primeiro dia de aula depois do feriado.

— Ou seja, na segunda-feira da semana em que a Andie desapareceu?

Elliot assentiu.

— É, acho que sim. Liguei para Jason Bell e contei tudo de que tinha ficado sabendo. Falei que ele precisava ter uma conversa muito séria com a filha sobre bullying e as consequências disso. E sugeri restringir o acesso da Andie à internet. Falei que confiava que ele resolveria a situação, senão eu seria obrigado a informar a escola e pedir a expulsão da Andie.

— E o que ele disse?

— Bom, ele agradeceu pela segunda chance que eu estava dando à filha, apesar de ela não merecer. E prometeu que resolveria tudo e conversaria com ela. Pelo que você disse, imagino que, ao falar com Andie, o sr. Bell tenha mencionado que eu era a fonte da informação. Então, se fui alvo de palavras mal-educadas da Andie naquela semana, não fico de todo surpreso. Só decepcionado.

Pip respirou fundo, tomada por um alívio indisfarçável.

— Por que isso?

— Só estou aliviada por você não ter mentido por um motivo pior.

— Acho que você anda lendo livros de mistério demais, Pip. Por que não pega umas biografias?

Ele abriu um sorriso gentil.

— Às vezes as histórias reais são tão perturbadoras quanto a ficção — argumentou Pip, então fez uma pausa. —Você não contou isso a mais ninguém, certo? Sobre o bullying da Andie?

— Claro que não. Achei que seria irrelevante depois de tudo que aconteceu. E insensível também. — Elliot coçou o queixo. — Tento não pensar muito nisso para não me perder nas teorias de efeito borboleta. E se eu tivesse contado à diretoria da escola e Andie tivesse sido expulsa naquela semana? Será que isso teria mudado o que aconteceu? Será que as condições que levaram Sal a matá-la não existiriam? Será que os dois ainda estariam vivos?

— É um caminho sem volta, que você não devia pegar — disse Pip. — E você não lembra mesmo quem era a menina que sofreu bullying?

— Não, desculpe. Naomi vai se lembrar. Você pode perguntar a ela. Mas não sei o que isso tem a ver com o papel da mídia nas investigações criminais.

Ele a encarou com uma cara meio feia.

— Bom, eu ainda tenho que decidir o recorte final — afirmou Pip, sorrindo.

— Está bem. Bom, só não pegue um caminho sem volta também. — Ele balançou o indicador. — E agora vou fugir de você porque estou desesperado por um sanduíche de atum.

Ele sorriu e saiu apressado para o corredor.

Pip se sentiu mais leve ao perceber que a maioria de suas dúvidas tinha desaparecido, assim como Elliot ao passar pela porta. E, em vez de se deixar guiar por especulações, ela tinha uma nova pista real para seguir. E um nome a menos na lista de suspeitos. Era uma boa troca.

Mas a pista a levava de volta a Naomi. E Pip teria que olhar em seus olhos como se não achasse que havia algo sinistro escondido dentro deles.

PIPPA FITZ-AMOBI
QPE 13/09/2017
DIÁRIO DE PRODUÇÃO — 15ª ENTRADA

TRANSCRIÇÃO DA SEGUNDA ENTREVISTA COM NAOMI WARD

PIP: Certo, gravando. Bom, seu pai me disse que ele descobriu que Andie estava fazendo bullying com uma menina da sua turma. Cyberbullying. Ele deu a entender que existia um vídeo on-line. Você sabe alguma coisa sobre o assunto?

NAOMI: É, como falei antes, eu achava que a Andie causava problemas.

PIP: Você pode me contar um pouco mais sobre isso?

NAOMI: Tinha uma menina da nossa turma, o nome dela era Natalie da Silva, que também era bonita e loira. Na verdade, as duas eram muito parecidas. E acho que Andie se sentia ameaçada porque, durante o nosso último ano, começou a espalhar boatos sobre a garota e sempre dava um jeito de humilhá-la.

PIP: Se Sal e Andie só começaram a namorar em dezembro, como você sabia de tudo isso?

NAOMI: Eu era amiga da Nat. A gente fazia aula de biologia juntas.

PIP: Ah. E que tipo de boatos Andie andava espalhando?

NAOMI: O tipo de coisa nojenta que só uma adolescente consegue inventar. Que a família dela era incestuosa, que Nat se masturbava olhando as pessoas tirarem a roupa no vestiário. Esse tipo de coisa.

PIP: E você acha que Andie fazia isso porque se sentia ameaçada pela beleza da Nat?

NAOMI: Acho que era isso. Andie queria ser a única garota da turma que os meninos desejavam. Nat era uma concorrente, então Andie tinha que acabar com ela.

PIP: E você soube do vídeo na época?

NAOMI: Soube, foi compartilhado em todas as redes sociais. Acho que só tiraram do ar alguns dias depois, quando alguém denunciou como conteúdo inapropriado.

PIP: Quando tudo isso aconteceu?

NAOMI: No feriado da Páscoa. Graças a Deus não foi enquanto a gente estava tendo aula. Teria sido ainda pior para a Nat.

PIP: Está bem, e como era o vídeo?

NAOMI: Pelo que eu sei, Andie estava com alguns amigos da escola, inclusive com as duas puxa-sacos dela.

PIP: Chloe Burch e Emma Hutton?

NAOMI: É, e mais algumas pessoas. Não com Sal nem com nosso grupo. E tinha um cara, Chris Parks, de quem Nat gostava e todo mundo sabia. Não sei os detalhes, se Andie usou o celular dele ou o mandou fazer isso, mas ficaram mandando mensagens sensuais para Nat, e ela respondeu porque gostava do Chris e achou que fosse ele. Então Andie ou Chris, não sei, pediu para Nat mandar um vídeo dela sem sutiã, com o rosto aparecendo para ele saber que era mesmo ela.

PIP: E ela mandou?

NAOMI: É. Foi meio inocente, mas ela achou que estava falando só com Chris. Aí, de repente, o vídeo tinha ido parar na internet, e Andie e várias outras pessoas estavam compartilhando. Os comentários foram horríveis. E quase todo mundo da turma viu antes de ser tirado do ar. Nat ficou muito mal. Até faltou nos dois primeiros dias de aula depois da Páscoa porque se sentia muito humilhada.

PIP: Sal soube que Andie tinha feito isso?

NAOMI: Bom, eu comentei com ele. Sal não gostou, é claro, mas só falou: "É problema da Andie. Não quero me meter." Ele era tranquilo demais com certas coisas.

PIP: Aconteceu mais alguma coisa entre Nat e Andie?

NAOMI: Na verdade, sim. Outra coisa que acho tão ruim quanto a primeira, mas que quase ninguém ficou sabendo. Talvez eu tenha sido a única pessoa para quem Nat contou, porque ela estava chorando na aula de biologia, logo depois do que aconteceu.

PIP: O que houve?

NAOMI: No terceiro período daquele ano, a escola ia montar uma peça com os alunos do sexto ano. Acho que era *As bruxas de Salém*. Depois dos testes, Nat ficou com o papel principal.

PIP: Abigail?

NAOMI: Acho que sim, não sei. E, pelo jeito, Andie queria o mesmo papel e ficou muito irritada. Então, depois do anúncio, Andie encurralou Nat e disse...

PIP: O quê?

NAOMI: Desculpe, eu esqueci de comentar o contexto. O irmão da Nat, Daniel, que era uns cinco anos mais velho, tinha arranjado um trabalho de meio período na escola como zelador na época que a gente tinha quinze ou dezesseis anos. Só por um ano, enquanto procurava outro emprego.

PIP: Sei.

NAOMI: Então Andie encurralou Nat e disse que, quando o irmão dela ainda trabalhava na escola, ele transou com Andie, apesar de ela só ter quinze anos. E Andie mandou Nat largar a peça, senão ela iria para a polícia e diria que tinha sido estuprada. Nat obedeceu porque ficou com medo do que Andie seria capaz.

PIP: E era verdade? Andie teve um relacionamento com o irmão da Nat?

NAOMI: Não sei. Nat também não tinha certeza, por isso largou a peça. Mas não acho que tenha perguntado para ele.

PIP: Você sabe onde Nat está agora? Acha que eu conseguiria falar com ela?

NAOMI: Não mantive muito contato, mas sei que ela voltou a morar com os pais. E também ouvi umas coisas sobre ela.

PIP: Que coisas?

NAOMI: Hum, acho que ela se envolveu em alguma briga na universidade. Foi presa e condenada por agressão e passou um tempo na cadeia.

PIP: Ai, meu Deus!

NAOMI: Pois é.

PIP: Você pode me passar o telefone dela?

catorze

—Você se arrumou toda para me ver, sargento? — perguntou Ravi, apoiado no batente da porta, com uma camisa de flanela verde xadrez e calça jeans.

— Não, vim direto da escola — respondeu Pip. — E preciso da sua ajuda. Calce um sapato. — Ela bateu palmas. — Você vai vir comigo.

— É uma missão? — perguntou ele, tropeçando para calçar os tênis velhos que estavam jogados no corredor. — Eu preciso levar meus óculos de visão noturna e meu cinto de utilidades?

— Desta vez, não — disse ela, sorrindo e descendo pela trilha do jardim, enquanto Ravi fechava a porta.

—Aonde a gente vai?

— Até a casa em que dois suspeitos do assassinato da Andie cresceram — explicou Pip. — Um deles acabou de sair da prisão por cometer "agressão e lesão corporal". — Ela usou os dedos para marcar as aspas no ar. — Então você vai ser meu reforço, já que a gente vai conversar com um suspeito potencialmente perigoso.

— Reforço? — perguntou Ravi, ao alcançar Pip e começar a andar ao seu lado.

—É, você sabe. Alguém para me acudir caso eu peça socorro.

— Espere aí, Pip. — Ravi segurou o braço dela e fez os dois pararem. — Não quero que você faça coisas realmente perigosas. Sal também não ia querer.

— Ah, fala sério. — Ela se soltou. — Nada vai me impedir de fazer meu dever de casa, nem mesmo um pouco de perigo. E eu vou só perguntar algumas coisas para ela, com muita calma.

— Ah, é uma mulher? Tudo bem, então.

Pip acertou o braço dele com a mochila.

— Não pense que eu não reparei. As mulheres podem ser tão perigosas quanto os homens.

— Ai, deu para perceber — reclamou Ravi, esfregando o braço. — O que você está carregando aí dentro? Tijolos?

Quando Ravi finalmente parou de rir do carro feio de Pip e pôs o cinto de segurança, ela digitou o endereço no celular. Pip deu a partida e contou tudo que havia descoberto desde que tinham se falado pela última vez. Tudo, a não ser o vulto na floresta e o bilhete no saco de dormir. A investigação era extremamente importante para ele, mas Pip sabia que Ravi pediria para ela parar, caso achasse que estava se colocando em risco. Não podia fazer isso com Ravi.

— Andie parece ter sido uma pessoa muito problemática — disse ele quando Pip terminou. — E mesmo assim foi tão fácil para todo mundo assumir que Sal era o monstro. Nossa, que profundo... — Ravi se virou para ela. — Você pode me citar no projeto se quiser.

— Com certeza. Com nota de rodapé e tudo.

— SINGH, Ravi — disse ele, escrevendo as palavras com os dedos. — Ideias profundas, lata-velha de Pip, 2017.

— Hoje a gente teve uma aula de uma hora sobre como fazer notas de rodapé para o projeto — comentou Pip, voltando os olhos para a rua. — Como se eu precisasse disso. Saí do útero sabendo fazer referências bibliográficas.

— É um superpoder muito interessante. Você devia ligar para a Marvel.

A voz robótica e esnobe do celular de Pip os interrompeu, avisando que o destino estava a quinhentos metros.

— Deve ser aqui. Naomi me disse que era a da porta azul — falou Pip, dando seta e estacionando na calçada. — Liguei duas vezes para Natalie ontem. Na primeira, ela desligou assim que ouviu as palavras "projeto escolar". Na segunda, nem atendeu. Vamos torcer para ela abrir a porta. Você vem?

— Não sei — respondeu Ravi, apontando para o próprio rosto. — Tem toda a história de eu ser *irmão do assassino*. Talvez você consiga mais informações se eu não for junto.

— Ah.

— Que tal eu ficar ali? — Ele apontou para as placas de concreto que dividiam o jardim, no ponto em que viravam para a esquerda e levavam até a porta. — Ela não vai me ver, mas estarei aqui, pronto para entrar em ação.

Os dois saíram do carro, e Ravi entregou a mochila a Pip, soltando um grunhido exagerado enquanto a erguia.

Pip assentiu quando ele assumiu seu posto, depois foi até a porta. Apertou a campainha em dois toques curtos e mexeu na gola do blazer, nervosa, enquanto uma silhueta escura se aproximava atrás do vidro jateado.

A porta se entreabriu devagar, e um rosto apareceu no vão. Era uma jovem de cabelos loiros muito claros, cortados bem rentes à cabeça, e delineador forte nos olhos. As feições por baixo da maquiagem se pareciam demais com as de Andie: grandes olhos azuis e lábios pálidos carnudos.

— Oi — cumprimentou Pip. — Você é Nat da Silva?

— É... sou — respondeu a garota, hesitante.

— Meu nome é Pip. — Ela engoliu em seco. — Fui eu que liguei para você ontem. Sou amiga da Naomi Ward. Você a conheceu na escola, certo?

— É, Naomi era minha amiga. Por quê? Ela está bem? — perguntou Nat, parecendo preocupada.

— Ah, ela está ótima. — Pip sorriu. — Voltou a morar com os pais por enquanto.

— Não sabia. — Nat abriu um pouco mais a porta. — É, eu devia procurar Naomi qualquer dia. Então...

— Desculpe — disse Pip.

Ela encarou Natalie de cima a baixo, notando a tornozeleira eletrônica. Ela rapidamente voltou o olhar para seu rosto.

— Bom, como falei ao telefone, estou fazendo um projeto escolar e queria saber se você poderia responder algumas perguntas.

— Sobre o quê?

Nat escondeu o pé com a tornozeleira atrás da porta.

— Hum, é sobre Andie Bell.

— Não, obrigada.

Nat deu um passo para trás e tentou fechar a porta, mas Pip avançou para barrá-la com o pé.

— Por favor. Sei das coisas horríveis que ela fez com você. Entendo por que não quer falar sobre isso, mas...

— Aquela vadia acabou com a minha vida — disparou Nat, ríspida. — Não vou gastar mais saliva com ela. Saia!

Foi quando ambas ouviram o ruído de uma sola de borracha deslizando em concreto e um sussurro:

— Ai, droga.

Nat viu o garoto e arregalou os olhos.

— Você — disse, baixinho. — Você é o irmão do Sal.

Não era uma pergunta.

Pip se virou para Ravi, que estava envergonhado ao lado da placa de concreto desnivelada, onde devia ter tropeçado.

— Oi — cumprimentou ele, baixando a cabeça e erguendo uma das mãos. — Sou o Ravi.

Ele se aproximou e parou ao lado de Pip. Na mesma hora, Nat afrouxou a mão na porta, deixando-a abrir de novo.

— Sal sempre foi legal comigo — disse Nat —, mesmo quando não precisava ser. Da última vez que a gente conversou, ele se ofereceu para me ajudar a estudar política durante os horários de almoço, porque eu estava com dificuldade nessa matéria. Sinto muito por você ter perdido seu irmão.

— Obrigado — respondeu Ravi.

— Também deve ser difícil para você ver como esta cidade idolatra Andie Bell — continuou Nat, com os olhos perdidos em outro mundo. — A santa queridinha de Kilton. E aquela dedicatória no banco que ela ganhou: *Levada cedo demais*. Eu diria que já foi tarde.

— Ela não tinha nada de santa — concordou Pip, baixinho, tentando incentivar Nat a sair de trás da porta.

Mas Nat não olhava para ela, só para Ravi.

Ele deu um passo à frente.

— Ela fez bullying com você?

— E como fez! — Nat soltou uma risada amarga. — E ela continua arruinando minha vida, mesmo do túmulo. Você já viu minha tornozeleira. — Ela apontou para o aparelho. — Ganhei isto porque soquei uma das minhas colegas de casa na faculdade. A gente estava decidindo quem ficaria com cada quarto e a menina começou a dar um escândalo, exatamente como Andie faria, e eu surtei.

— A gente sabe sobre o vídeo que Andie compartilhou — revelou Pip. — Ela devia ter sido processada por isso. Você era menor de idade.

Nat deu de ombros.

— Pelo menos ela foi punida de alguma maneira naquela semana. Isso, sim, é justiça divina. Graças ao Sal.

— Desejou que ela morresse depois do que fez com você? — perguntou Ravi.

— Claro — respondeu Nat, sombria. — Claro que desejei que ela sumisse. Faltei dois dias de aula porque estava muito mal. E, quando voltei, na quarta-feira, todo mundo ficou me encarando, rindo de mim. Quando eu estava chorando no corredor, Andie passou e me chamou de vagabunda. Fiquei com tanta raiva que deixei um bilhetinho simpático no armário dela. Eu tinha medo de falar na cara.

Pip deu uma espiada em Ravi, que estava com a mandíbula cerrada e as sobrancelhas franzidas, e percebeu que ele também havia ligado os pontos.

— Um bilhete? — perguntou o garoto. — Era... uma ameaça?

— Óbvio. — Nat riu. — *Sua vagabunda estúpida, vou matar você*, ou qualquer coisa assim. Mas Sal foi mais rápido.

— Talvez não tenha sido — respondeu Pip.

Nat se virou para encará-la, então caiu em uma gargalhada forçada, lançando gotículas de baba nas bochechas de Pip.

— Ah, isso é hilário — cantarolou. — Você está insinuando que *eu* matei Andie Bell? Eu tinha uma motivação, né? É isso? Você quer saber qual era a porra do meu álibi?

Nat soltou uma risada cruel.

Pip permaneceu em silêncio. Sua boca se encheu de saliva, produzindo uma sensação desconfortável, mas ela não engoliu. Não queria mover um músculo sequer. Sentiu Ravi esbarrar em seu ombro e a mão dele passar muito perto da sua, perturbando o ar ao redor.

Nat se inclinou na direção deles.

— Eu não tinha mais amigos por causa de Andie Bell. Não tinha planos naquela sexta à noite. Estava jogando Scrabble com meus pais e minha cunhada, fui dormir às onze. Desculpe decepcionar vocês.

Pip não teve nem tempo de engolir.

— E onde seu irmão estava, se a esposa dele ficou em casa com você?

— Meu irmão também é suspeito, é? — A voz de Nat se tornou um rugido. — Naomi deve ter aberto a boca. Ele estava no bar naquela noite, bebendo com os amigos policiais.

— Ele é da polícia? — perguntou Ravi.

— Tinha acabado de terminar o treinamento. Então, não tem nenhum assassino nesta casa, infelizmente. Agora vão se foder e mandem Naomi se foder também.

Nat fechou a porta na cara deles com um chute.

Pip ficou observando a porta vibrar no batente, com os olhos tão fixos que, por um instante, pareceu que até as partículas do ar estavam estremecendo. Ela balançou a cabeça e se virou para Ravi.

— Vamos embora — disse ele, baixinho.

Dentro do carro, Pip se permitiu apenas respirar por alguns segundos, enquanto organizava a névoa de seus pensamentos em palavras.

Ravi conseguiu primeiro:

— Você está irritada comigo por, bom, literalmente tropeçar no meio do seu interrogatório? Ouvi uns gritos e…

— Não. — Pip olhou para ele e não pôde deixar de sorrir. — Ainda bem que você fez isso. Ela só falou porque você estava lá.

Ravi deixou as costas um pouco mais retas, o cabelo esmagado pelo teto do carro.

— Então o bilhete com a ameaça de morte que o jornalista mencionou… — começou ele.

— Era da Nat — terminou Pip, virando a chave na ignição.

Ela saiu com o carro e dirigiu por alguns metros, afastando-se da casa dos Da Silva, antes de estacionar outra vez e pegar o celular.

— O que você está fazendo?

— Nat disse que o irmão é policial. — Ela entrou no navegador e começou a digitar na barra de busca. — Vamos ver.

Foi o primeiro resultado que apareceu ao pesquisar: *Polícia do Vale do Tâmisa Daniel da Silva*. O site da polícia nacional informava que o oficial Daniel da Silva era membro da polícia local que cuidava de Little Kilton. Uma conferida rápida no seu perfil do LinkedIn revelou que ele ocupava o cargo desde o fim de 2011.

— Ei, eu conheço esse cara — disse Ravi, inclinando-se por sobre o ombro dela e apontando para a foto de Daniel.

— Sério?

— Conheço, sim. Quando comecei a fazer perguntas sobre Sal, ele foi o policial que me mandou desistir, disse que meu irmão era culpado. Ele não gosta *nem um pouco* de mim. — Ravi levou a mão à nuca, afundando os dedos no cabelo escuro. — No fim do ano passado, eu estava sentado em uma das mesas do lado de fora da cafeteria. — Ele apontou para a foto de Daniel. — Esse cara me fez sair dali, disse que eu estava de "vadiagem". O curioso é que ele não achou que todas as outras pessoas sentadas ali fora estavam de vadiagem, só o garoto com pele marrom e um irmão assassino.

— Que babaca desprezível... E ele ignorou todos os seus outros questionamentos sobre Sal?

Ravi assentiu.

— Ele é da polícia de Kilton desde antes de Andie desaparecer. — Pip encarou a foto permanentemente sorridente de Daniel na tela do celular. — Ravi, se alguém incriminou *mesmo* Sal e fez a morte dele parecer suicídio, não seria mais fácil para alguém que conhecesse os procedimentos da polícia?

— Seria mesmo, sargento — concordou Ravi. — E existe aquele boato de que Andie transou com ele quando tinha quinze anos e usou isso para chantagear Nat e obrigá-la a largar a peça.

— É, e se eles tiverem voltado a se relacionar depois que Daniel já era casado e Andie estava no último ano? Ele pode ser o Cara Mais Velho Secreto.

— Mas e Nat? — perguntou Ravi. — Eu quero acreditar no que ela disse sobre estar em casa com os pais naquela noite porque tinha perdido todos os amigos. Mas... ela já provou ser violenta. — Ele movimentou as mãos como uma balança conceitual. — E tinha motivos de sobra para isso. Talvez tenha sido uma equipe de irmãos assassinos?

— Ou talvez uma equipe de Nat e Naomi assassinas — grunhiu Pip.

— Ela pareceu mesmo muito irritada com o fato de Naomi ter conversado com você. Qual é o limite de palavras para o seu projeto, Pip?

— Nunca o suficiente, Ravi. Nem perto.

— A gente devia ir tomar um sorvete para descansar a mente — sugeriu, virando para ela com aquele sorriso.

— É, devia mesmo.

— Contanto que você goste de sorvete de cookie. Fonte: SINGH, Ravi — disse ele, de forma dramática, para um microfone invisível. — Tese sobre o melhor sabor de sorvete, carro da Pip, setemb...

— Cale a boca.

— Pode deixar.

PIPPA FITZ-AMOBI
QPE 16/09/2017
DIÁRIO DE PRODUÇÃO — 17ª ENTRADA

Não consigo achar nada sobre Daniel da Silva. Nada que me forneça uma nova pista. O perfil dele no Facebook não tem quase nenhuma informação além do fato de ele ter se casado em setembro de 2011.

Mas, se ele era o Cara Mais Velho Secreto, Andie podia *acabar com a vida dele* de duas maneiras: contando à nova esposa que Daniel a traía e destruindo o casamento dele OU fazendo uma denúncia sobre o estupro de vulnerável que havia acontecido dois anos antes. As duas circunstâncias são apenas boatos por enquanto, mas, se forem verdade, com certeza dariam a Daniel um motivo para querer Andie morta. Andie pode tê-lo chantageado. Não seria a primeira vez que ela teria chantageado um Da Silva.

Também não há nada sobre a carreira dele na internet, fora um artigo escrito por Stanley Forbes três anos atrás sobre um acidente de carro em Hogg Hill, em que Daniel foi o primeiro a chegar.

Mas, *se* Daniel é mesmo o assassino, acho que ele deve ter interferido na investigação de alguma maneira, se aproveitando de seu cargo. Um infiltrado. Talvez, ao revistar a casa dos Bell, possa ter roubado ou alterado alguma prova que levaria até ele. Ou até a irmã dele, talvez?

Também vale lembrar o modo como ele reagiu ao fato de Ravi ter feito questionamentos sobre Sal. Será que mandou Ravi ficar quieto para se proteger?

Analisei todas as reportagens de jornal sobre o desaparecimento de Andie outra vez. Observei com atenção as fotos das buscas policiais até sentir que meus olhos estavam desenvolvendo perninhas para tentar sair da minha cabeça e se jogar contra a tela do notebook, como mariposas grotescas. Não reconheci Da Silva entre os policiais que investigaram o caso.

Mas há uma foto em que fiquei em dúvida. Foi tirada no domingo de manhã. Há alguns policiais de roupa fosforescente em frente à casa de Andie. Um está entrando pela porta, de costas para a câmera. A cor e o comprimento do cabelo batem com o das fotos de Da Silva nas redes sociais da mesma época.

Pode ser ele.

É possível.

E a lista continua crescendo.

PIPPA FITZ-AMOBI

QPE 18/09/2017

DIÁRIO DE PRODUÇÃO — 18ª ENTRADA

Chegou!

Mal consigo acreditar que chegou mesmo.

A Polícia do Vale do Tâmisa respondeu ao meu pedido feito com base na Lei de Liberdade de Informação. O e-mail foi o seguinte:

Cara srta. Fitz-Amobi,

PEDIDO DE INFORMAÇÃO COM BASE NA LEI DE LIBERDADE DE INFORMAÇÃO — REFERÊNCIA Nº 3142/17

Escrevo com base no seu pedido, feito em 19/08/2017, recebido pela Polícia do Vale do Tâmisa com a seguinte informação:

Estou fazendo um projeto escolar sobre o caso Andrea Bell e gostaria de pedir o seguinte:

1. *Uma transcrição do interrogatório feito com Salil Singh, em 21/04/2012;*

2. *Uma transcrição de todos os interrogatórios feitos com Jason Bell;*

3. *Os registros do que foi descoberto nas revistas feitas na casa dos Bell em 21/04/2012 e 22/04/2012.*

Ficaria muito grata caso pudessem me ajudar com alguma dessas requisições.

Resultado:

Os pedidos 2 e 3 foram recusados devido a isenções da Seção 30 (1) (a) (Investigações) e da Seção 40 (2) (Informações Pessoais) da LLI. Este e-mail serve como aviso de recusa parcial sob a Seção 17 da Lei de Liberdade de Informação (2000).

O pedido 1 foi aceito, mas o documento contém trechos sigilosos, conforme a Seção 30 (1) (a) (b) e a Seção 40 (2). A transcrição está anexada abaixo.

Motivos para a decisão:

A Seção 40 (2) permite a isenção de informação que corresponde à liberação de dados pessoais de um indivíduo, a não ser que ele mesmo seja o requerente, pois desrespeitaria todos os princípios da Lei de Proteção de Dados de 1988 (LPD).

A Seção 30 (1) permite a isenção do dever de divulgar informações que uma autoridade tenha mantido em segredo a qualquer momento para determinadas investigações e procedimentos.

Caso não fique satisfeita com a resposta, a senhorita tem o direito de fazer uma reclamação para o Comissário de Informações. Chamo sua atenção para o documento em anexo, que detalha seu direito à reclamação.

Atenciosamente,

Gregory Pannett

Consegui o interrogatório de Sal! O restante foi recusado. Mas, ao recusar o pedido, eles confirmaram que Jason Bell foi, ao menos, interrogado durante a investigação. Talvez a polícia também suspeitasse dele?

A transcrição anexada:

SALIL SINGH — INTERROGATÓRIO GRAVADO

Data: 21/04/2012

Duração: 11 minutos

Local: Residência do interrogado

Conduzida por oficiais da Polícia do Vale do Tâmisa

POLICIAL: Esta entrevista está sendo gravada. Hoje é dia 21 de abril de 2012 e são 15h55. Meu nome é **proibido Seção 40 (2)** e trabalho em **proibido Seção 40 (2)** com a Polícia do Vale do Tâmisa. Também está presente minha colega **proibido Seção 40 (2)**. Você pode dizer seu nome completo?

SS: Ah, claro. Salil Singh.

POLICIAL: E pode confirmar sua data de nascimento?

SS: 14 de fevereiro de 1994.

POLICIAL: Você nasceu no Dia dos Namorados?

SS: Foi.

POLICIAL: Bom, Salil, vamos explicar tudo logo. Só para você entender, isto é um depoimento voluntário e você pode interrompê-lo ou pedir que a gente vá embora a qualquer momento. Estamos interrogando você porque você é uma testemunha importante na investigação do caso de desaparecimento de Andrea Bell.

SS: Mas, desculpe interromper, já falei que não a vi depois da escola, então não testemunhei nada.

POLICIAL: Sim, desculpe. A terminologia é meio confusa. Uma testemunha importante também pode ser alguém que tenha uma relação com a vítima ou, neste caso, a possível vítima. Pelo que sabemos, você é o namorado da Andrea, correto?

SS: Sou. Ninguém a chama de Andrea. Só de Andie.

POLICIAL: Está bem, desculpe. E há quanto tempo você e Andie estão juntos?

SS: Desde o Natal. Faz uns quatro meses. Desculpe, você disse que Andie é uma possível vítima? Não entendi.

POLICIAL: É apenas o procedimento padrão. Ela é uma pessoa desaparecida, mas por ser menor de idade e não ter um histórico de desaparecimentos, não podemos descartar totalmente a possibilidade de que Andie tenha sido vítima de um crime. Torcemos para que este não seja o caso. Você está bem?

SS: Hum, sim. Só estou preocupado.

POLICIAL: É compreensível, Salil. Então, a primeira pergunta que gostaria de fazer é: quando foi a última vez que você viu Andie?

SS: Na escola, como eu disse. A gente conversou no estacionamento no fim do dia, depois eu voltei para minha casa a pé e ela foi andando para a dela.

POLICIAL: E em algum momento até aquela tarde de sexta-feira, Andie indicou que queria fugir de casa?

SS: Não, nunca.

POLICIAL: Ela já tinha comentado sobre algum problema que estava tendo em casa, com a família?

SS: Quer dizer, é, a gente conversa sobre essas coisas, mas ela nunca mencionou nada muito sério, só coisas normais de adolescente. Sempre pensei que Andie e ███ proibido ███ ███ Seção 40 (2) ███. Mas não aconteceu nada recentemente que a fizesse querer fugir, se é isso que quer saber. Não.

POLICIAL: Você consegue pensar em alguma razão pela qual Andie iria querer sair de casa e não ser encontrada?

SS: Hum. Não tenho certeza, acho que não.

POLICIAL: Como você descreveria seu relacionamento com Andie?

SS: Como assim?

POLICIAL: É uma relação sexual?

SS: É, mais ou menos.

POLICIAL: Mais ou menos?

SS: Eu, na verdade, hum... ainda não fomos até o fim.

POLICIAL: Você e Andie nunca transaram?

SS: Não.

POLICIAL: E você considera seu relacionamento com ela saudável?

SS: Não sei. O que isso quer dizer?

POLICIAL: Vocês discutem com frequência?

SS: Não, não discutimos. Não gosto de brigas, e é por isso que a gente se dá bem.

POLICIAL: E vocês tiveram alguma briga nos dias antes do desaparecimento de Andie?

SS: Hum, não. Nenhuma.

POLICIAL: Então, nas declarações por escrito de proibido Seção 40 (2), obtidas hoje de manhã, os dois alegaram que viram você e Andie discutindo na escola esta semana. Na quinta e na sexta. proibido Seção 40 (2) disse que foi a pior briga que ela já viu desde o início do seu relacionamento. O que você nos diz sobre isso, Salil? É verdade?

SS: Hum, talvez um pouco. Andie tem o pavio curto, às vezes é difícil não responder.

POLICIAL: E você pode me dizer sobre o que estavam discutindo naquele dia?

SS: Hum, eu não... eu não sei se... Não, é particular.

POLICIAL: Você não quer me contar?

SS: Hum, isso, não. Não quero contar.

POLICIAL: Você pode achar que não é relevante, mas qualquer detalhe pode nos ajudar a encontrá-la.

SS: Hum. Não, mesmo assim não posso dizer.

POLICIAL: Tem certeza?

SS: Tenho.

POLICIAL: Tudo bem, vamos continuar, então. Você marcou de se encontrar com Andie na noite passada?

SS: Não, não. Marquei de encontrar meus amigos.

POLICIAL: Porque **proibido Seção 40 (2)** disse que, quando Andie saiu de casa por volta das 22h30, assumiu que ela ia encontrar o namorado.

SS: Não. Andie sabia que eu estava na casa de um amigo e que não ia me encontrar com ela.

POLICIAL: Onde você estava ontem à noite?

SS: Estava na casa do meu amigo **proibido Seção 40 (2)**. Quer saber de que horas a que horas?

POLICIAL: Claro.

SS: Acho que cheguei lá por volta das 20h30. Meu pai me levou de carro. E saí por volta de 00h15 para ir andando para casa. Quando não vou dormir fora, a regra é que preciso voltar até uma da manhã. Acho que cheguei um pouco antes disso. Você pode confirmar com meu pai, ele estava acordado.

POLICIAL: E quem mais estava com você na casa de <mark>proibido Seção 40 (2)</mark>?

SS: <mark>proibido Seção 40 (2)</mark>

POLICIAL: E você falou com Andie naquela noite?

SS: Não. Quer dizer, ela tentou me ligar por volta das nove, mas eu estava ocupado e não atendi. Posso mostrar meu celular?

POLÍCIA: <mark>proibido Seção 40 (2)</mark>

E você teve qualquer contato com Andie desde que ela desapareceu?

SS: Desde que fiquei sabendo, hoje de manhã, liguei para ela um milhão de vezes. Cai direto na caixa postal. Acho que o telefone dela está desligado.

POLICIAL: Está bem, e, <mark>proibido Seção 40 (2)</mark>, você queria perguntar...?

POLICIAL: Sim. Então, Salil, sei que você já disse que não sabe, mas onde acha que Andie pode estar?

SS: Hum, sinceramente, Andie nunca faz nada que não queira fazer. Acho que pode estar tirando uma folga em algum lugar, com o telefone desligado para ignorar o mundo por um tempo. Torço para que seja só isso.

POLICIAL: Por que Andie precisaria tirar uma folga?

SS: Não sei.

POLICIAL: E onde você acha que ela poderia estar tirando essa folga?

SS: Não sei. Andie é cheia de segredos, talvez tenha amigos que a gente não conhece. Não sei.

POLICIAL: Está bem. Tem mais alguma coisa que você queira acrescentar que possa nos ajudar a encontrar Andie?

SS: Hum, não. Hum, se eu puder, gostaria de ajudar nas buscas que vocês forem fazer.

POLICIAL: proibido Seção 30 (1) (b)
proibido Seção 30 (1) (b)
Tudo bem, então. Já fizemos todas as perguntas que queríamos no momento. Vou terminar o interrogatório. São 16h06 e vou parar a fita.

Certo, respire fundo. Já li essa transcrição mais de seis vezes, até em voz alta. E agora estou com uma sensação horrível de embrulho no estômago, como se estivesse faminta e comido demais ao mesmo tempo.

A situação não parece nada boa para Sal.

Sei que às vezes é difícil captar as nuances em uma transcrição, mas Sal foi *muito* evasivo com a polícia sobre a discussão com Andie. Não consigo imaginar nada que seja tão particular que alguém não contaria à polícia, caso pudesse ajudar a encontrar sua namorada desaparecida.

Se tinha a ver com o fato de Andie estar saindo com outro cara, por que Sal simplesmente não contou? Poderia tê-los levado ao possível assassino já de cara.

Mas e se Sal estivesse escondendo algo ainda pior? Algo que lhe serviria de motivação para matar Andie. Sabemos que ele mentiu em outro ponto do depoimento: quando disse à polícia a que horas saiu da casa de Max.

Eu ficaria arrasada de ter feito tudo isso só para descobrir que Sal é mesmo culpado. Ravi ficaria destruído. Talvez eu nunca devesse ter começado este projeto, nunca devesse ter falado com Ravi. Vou ter que mostrar a transcrição para ele. Ontem falei que a resposta devia chegar a qualquer momento. Mas não sei como ele vai reagir. Ou... talvez seja melhor eu mentir e dizer que ainda não chegou?

Será que Sal pode ser mesmo o culpado? Acreditar que ele era o assassino sempre foi o caminho mais fácil para todo mundo, mas será que foi tão fácil porque era verdade?

Mas não pode ser: *O bilhete.*

Alguém me avisou para parar de investigar.

Claro, o bilhete pode ter sido uma brincadeira e, neste caso, Sal pode ser o verdadeiro assassino. Mas não encaixa. Alguém nesta cidade tem algo a esconder e está com medo porque estou no caminho certo e prestes a descobrir.

Só tenho que seguir em frente, mesmo quando houver obstáculos.

LISTA DE SUSPEITOS
Jason Bell
Naomi Ward
Cara Mais Velho Secreto
Nat da Silva
Daniel da Silva

quinze

— Segure minha mão — pediu Pip, abaixando-se e envolvendo os dedos de Joshua com os seus.

Os dois atravessaram a rua. Pip sentia a palma de Josh pegajosa em sua mão direita e a guia de Barney raspando na esquerda, enquanto o cachorro a puxava para a frente.

Ela soltou Josh quando chegaram à calçada da cafeteria e se agachou para amarrar a guia de Barney na perna de uma mesa.

— Sente. Bom garoto — elogiou, acariciando a cabeça do cachorro enquanto ele sorria de boca aberta e língua para fora.

Pip abriu a porta da cafeteria e incentivou Josh a entrar.

— Eu também sou um bom garoto — resmungou ele.

— Bom garoto, Josh — replicou Pip, acariciando a cabeça do irmão enquanto examinava os sanduíches nas prateleiras.

Escolheu quatro sabores diferentes: queijo brie com bacon para o pai, óbvio, e queijo com presunto "sem as partes nojentas" para Josh. Levou a pilha de sanduíches até o caixa.

— Oi, Jackie — cumprimentou, sorrindo ao entregar o dinheiro.

— Olá, querida. Os Amobi têm grandes planos para o almoço?

— Estamos montando os móveis do jardim, e a situação está ficando tensa — disse Pip. — Preciso de sanduíches para aplacar as tropas famintas.

— Ah, entendi. Você avisa à sua mãe que vou passar lá na semana que vem com minha máquina de costura?

— Pode deixar. Obrigada. — Pip pegou o saco de papel e se voltou para Josh. — Vamos, pequeno.

Estavam quase na porta quando Pip a viu, sentada sozinha a uma mesa, com as mãos em concha ao redor de um copo de café para viagem. Pip não a via na cidade fazia anos. Achava que ainda estava na universidade. Já devia ter vinte e um, talvez vinte e dois anos. Mas ali estava ela, a poucos metros de distância, passando a ponta dos dedos sobre as palavras em baixo relevo — *cuidado, bebida quente* —, mais parecida com Andie do que nunca.

Seu rosto estava mais magro, e ela começara a pintar o cabelo de um tom mais claro, igual ao da irmã. Mas o dela tinha um corte reto acima dos ombros, enquanto o de Andie descia até a cintura. Embora fossem parecidas, o rosto de Becca Bell não tinha a mesma magia do da irmã, que aparentava ser mais uma pintura do que uma pessoa de verdade.

Pip sabia que não devia fazer aquilo. Sabia que era errado e insensível e todas aquelas palavras que a sra. Morgan tinha usado em seus avisos de "Estou preocupada com o rumo do projeto". Embora pudesse sentir seu bom senso e sua racionalidade lutando contra a ideia, Pip sabia que um pedacinho seu já havia tomado a decisão. Aquela semente de imprudência abafara todos os outros pensamentos.

— Josh — chamou, entregando o saco com os sanduíches ao irmão —, pode ir se sentar lá fora com o Barney? Eu já vou.

Ele lhe lançou um olhar suplicante.

— Você pode jogar no meu celular — concedeu Pip, tirando o aparelho do bolso.

— Oba! — exclamou ele, vitorioso. Pegou o celular e foi direto para a tela dos jogos, esbarrando na porta ao sair.

O coração de Pip disparou em protesto. Parecia um relógio turbulento preso em sua garganta, com o tique-taque acelerado. Ela se aproximou e apoiou as mãos nas costas da cadeira vazia.

— Oi. Becca, certo? — cumprimentou.

— É. A gente se conhece?

Becca baixou as sobrancelhas, como se a examinasse.

— Não, a gente não se conhece. — Pip tentou abrir seu sorriso mais caloroso, mas ele parecia duro e forçado. — Meu nome é Pippa, moro aqui na cidade. Estudo no Colégio Kilton, estou no último ano.

— Ah, espere, não me diga — interveio Becca, mexendo-se na cadeira. — Você é a garota que está fazendo o projeto sobre a minha irmã, né?

— Co... como você sabe? — gaguejou Pip.

— É... — Ela fez uma pausa. — Estou meio que saindo com Stanley Forbes.

Becca deu de ombros.

Pip tentou esconder o choque com uma tosse falsa.

— Ah. Ele parece um cara legal.

— Pois é. — Becca olhou para seu café. — Acabei de me formar e estou fazendo estágio no *Kilton Mail*.

— Ah, maneiro. Na verdade, também quero ser jornalista. Jornalista investigativa.

— É por isso que está fazendo o projeto sobre Andie?

Becca voltou a traçar a borda do copo de café para viagem com o dedo.

— É. — Pip assentiu. — Sinto muito por importunar você, e pode me mandar embora, se quiser. Só queria saber se você estaria disposta a responder algumas perguntas sobre a sua irmã.

Becca se inclinou para a frente, o cabelo balançando na altura do pescoço, e tossiu.

— Hum, que tipo de pergunta?

Muitas. Todas vieram à mente ao mesmo tempo, e Pip gaguejou.

— Ah. Tipo, você e Andie recebiam mesada dos seus pais quando eram adolescentes?

Becca contorceu o rosto em uma expressão confusa.

— Nossa, não era isso que eu estava esperando. Na verdade, não. Eles meio que compravam as coisas quando a gente precisava. Por quê?

— Só estou... preenchendo algumas lacunas — respondeu Pip. — Sua irmã e seu pai costumavam brigar?

Becca voltou o olhar para o chão.

— Hum...

Sua voz falhou. Ela envolveu o copo de café com as mãos e se levantou bruscamente. A cadeira gritou ao arranhar o chão de ladrilhos.

— Na verdade, não acho que seja uma boa ideia — disse, por fim, esfregando o nariz. — Desculpe. É que...

— Não, eu que sinto muito — assegurou Pip, dando um passo para trás. — Não devia ter vindo falar com você.

— Não, tudo bem — respondeu Becca. — É que as coisas finalmente voltaram a se acalmar. Eu e minha mãe encontramos nosso novo normal, e as coisas estão melhorando. Não acho que continuar pensando no passado... na história da Andie... seja bom para a gente. Principalmente para minha mãe. Então... — Ela deu de ombros. — Você pode fazer o projeto se quiser, mas prefiro que nos deixe de fora.

— Claro — concordou Pip. — Sinto muito.

— Sem problemas.

Becca baixou a cabeça em um cumprimento hesitante ao passar rapidamente por Pip e sair pela porta da cafeteria.

Pip esperou vários segundos antes de sair também, de repente grata por ter trocado a camiseta cinza que estava usando antes.

Caso contrário, com certeza estaria com enormes manchas de suor nas axilas.

— Pronto — disse, soltando a guia de Barney da mesa. — Vamos voltar para casa.

— Acho que aquela moça não gostou de você — comentou Josh, com os olhos voltados para os bonequinhos que dançavam na tela do celular. — Você foi mal-educada, Pippa avoada?

PIPPA FITZ-AMOBI
QPE 24/09/2017
DIÁRIO DE PRODUÇÃO — 19ª ENTRADA

Eu sei, forcei a barra ao tentar entrevistar Becca. Foi uma má ideia. Mas não consegui evitar. Ela estava bem ali, a dois passos de mim. A última pessoa a ver Andie com vida, além do assassino, óbvio.

A irmã dela foi assassinada. Entendo que não queira falar sobre o assunto, mesmo que eu só esteja tentando descobrir a verdade. E se a sra. Morgan descobrir, meu projeto vai ser desqualificado. Não que eu ache que isso me impediria a esta altura.

Mas preciso de mais informações sobre a vida familiar de Andie e não posso nem pensar em falar com os pais dela.

Stalkeei os posts do perfil de Becca no Facebook até cinco anos atrás, antes do assassinato. Além de ficar sabendo que o cabelo dela costumava ser mais lambido e as bochechas mais cheias, parece que ela tinha uma amiga muito próxima em 2012. Uma garota chamada Jess Walker. Talvez Jess esteja distanciada o bastante da situação para não ficar tão abalada ao falar sobre Andie, mas perto o suficiente para que eu consiga obter algumas das informações que estou desesperada para conseguir.

O perfil de Jess Walker é muito organizado e informativo. Ela está estudando na universidade de Newcastle. Rolei a tela até os posts de cinco anos atrás (levou uma eternidade) e quase todas as fotos eram com Becca Bell. Até que, de repente, não eram mais.

Droga droga porcaria de bosta de cocô de caquinha de bunda...
Curti uma das fotos de cinco anos atrás sem querer.

Droga! Agora vou ficar parecendo uma obcecada. Já descurti, mas ela ainda vai receber a notificação. Argh, híbridos de notebook/tablet com telas sensíveis ao toque são MUITO PERIGO-SOS para o stalker casual do Facebook.

De qualquer maneira, é tarde demais. Jess vai saber que estou metendo o nariz na vida dela. Vou mandar uma mensagem privada para ver se ela está disposta a me dar uma entrevista por telefone.

MALDITO POLEGAR SEM COORDENAÇÃO MOTORA.

PIPPA FITZ-AMOBI
QPE 26/09/2017
DIÁRIO DE PRODUÇÃO — 20ª ENTRADA

TRANSCRIÇÃO DA ENTREVISTA COM
JESS WALKER (AMIGA DE BECCA BELL)

[Falamos um pouco sobre Little Kilton, sobre como o colégio mudou nos últimos anos, sobre quais professores ainda estão lá etc. Demora alguns minutos até que eu consiga direcionar a conversa ao projeto.]

PIP: Bom, na verdade, eu queria perguntar sobre os Bell, não só sobre Andie. Que tipo de família eram, como era o relacionamento deles. Coisas assim.

JESS: Ah, hum, quer dizer, essas são perguntas complicadas. (Ela funga.)

PIP: Como assim?

JESS: Hum, não sei se "disfuncional" é a palavra certa. As pessoas usam esse termo como um tipo engraçado de elogio. Mas estou usando no sentido literal. Os Bell não eram muito normais. Quer dizer, eles eram normais o suficiente. Pareciam normais para quem não passava muito tempo lá. Mas eu passava, e fui percebendo um monte de coisinhas que não teria notado se não convivesse com eles.

PIP: Em que sentido eles não eram muito normais?

JESS: Não sei se esse é o melhor jeito de descrever a família. É que algumas coisas não eram muito boas. Tinha a ver principalmente com Jason, o pai da Becca.

PIP: O que ele fazia?

JESS: Era só o jeito com que falava com elas, com as meninas e com Dawn. Se você só visse isso algumas vezes, pensaria que ele estava tentando fazer graça. Mas eu via com frequência, com muita frequência, e acho que definitivamente afetava o ambiente.

PIP: O quê?

JESS: Desculpe, não estou sendo muito direta, né? É muito difícil de explicar. Hum. Ele dizia umas coisas, fazia pequenos comentários maldosos sobre a aparência delas e tal. Exatamente o oposto de como se deve falar com filhas adolescentes. Criticava coisas sobre as quais sabia que elas eram inseguras. Comentava sobre o peso da Becca e ria como se fosse piada. Dizia a Andie que precisava passar maquiagem antes de sair de casa, que seu rosto era a única coisa que a sustentaria. Piadas assim o tempo todo. Como se a aparência delas fosse a coisa mais importante do mundo. Lembro que fui jantar lá um dia em que Andie estava chateada por não ter sido aceita em nenhuma das universidades para as quais tinha se candidatado, só na universidade local, que não era o que ela queria. E Jason disse: "Ah, não importa, você só vai para a universidade para encontrar um marido rico."

PIP: Sério?!

JESS: E ele fazia isso com a esposa também. Dizia coisas realmente desagradáveis quando eu estava lá. Tipo como Dawn parecia velha, e contava as rugas no rosto dela de brincadeira. Dizia que tinha se casado porque ela era bonita e que ela havia se casado por dinheiro, e que apenas um deles estava mantendo o acordo. Quer dizer, todos eles riam quando Jason dizia essas coisas, como se fosse apenas uma brincadeira da família. Mas depois de testemunhar aquilo tantas vezes, era... incômodo. Eu não gostava de ficar lá.

PIP: E você acha que isso afetava as meninas?

JESS: Ah, Becca nunca queria falar sobre o pai. Mas, sim, era óbvio que os comentários destruíam a autoestima delas. Andie começou a se importar muito com a aparência, com o que as pessoas pensavam. A gritaria era horrível quando os pais diziam que estava na hora de sair, e Andie não estava pronta, não tinha se penteado ou se maquiado ainda. Ou quando se recusavam a comprar um batom novo, que ela dizia que *precisava*. Nunca vou entender como aquela garota conseguia achar que era feia. Becca ficou obcecada pelos próprios defeitos. Começou a pular refeições. Mas isso afetou as duas de maneiras diferentes: Andie ficou mais barulhenta, e Becca ficou mais quieta.

PIP: E como era o relacionamento entre as irmãs?

JESS: A influência do Jason também afetava o relacionamento delas. Ele transformava tudo que acontecia na casa em uma competição. Se uma das meninas fizesse algo bom, tipo tirar uma nota alta, ele usava isso para criticar a outra.

PIP: Mas como Becca e Andie se comportavam juntas?

JESS: Bom, elas eram irmãs adolescentes, brigavam como gato e rato e, alguns minutos depois, esqueciam tudo. Mas Becca sempre admirou Andie. Eram muito próximas em idade, tinham apenas quinze meses de diferença. Andie estava um ano a nossa frente na escola. E, quando completamos dezesseis anos, acho que Becca começou a tentar copiar Andie. Acho que foi porque Andie sempre pareceu muito confiante, muito admirada. Becca tentar se vestir como a irmã. Implorou ao pai para começar a ensiná-la a dirigir mais cedo para poder fazer a prova assim que tivesse dezessete anos e ganhar um carro, igual a Andie. Também começou a querer sair para as festas, que nem Andie.

PIP: Está falando das festas do apocalipse?

JESS: É, isso. Apesar de o pessoal do ano acima do nosso organizar a festa e de a gente não conhecer quase ninguém, Becca me convenceu a ir uma vez. Acho que foi em março, pouco antes do desaparecimento da Andie. Andie não tinha convidado Becca nem nada. Becca simplesmente descobriu onde seria a festa e aí a gente apareceu. Fomos a pé.

PIP: Como foi?

JESS: Argh, horrível. A gente ficou sentada em um canto a noite toda, sem falar com ninguém. Andie simplesmente ignorou Becca. Acho que estava com raiva porque a irmã tinha ido. A gente bebeu um pouco, e aí a Becca desapareceu. Não consegui encontrá-la em lugar nenhum no meio de tantos adolescentes bêbados e tive que voltar andando para casa, bêbada e sozinha. Fiquei com muita raiva da Becca. Mais ainda no dia seguinte, quando ela finalmente atendeu ao telefone e eu descobri o que tinha acontecido.

PIP: O que tinha acontecido?

JESS: Ela não quis me contar, mas ficou bastante óbvio quando me pediu para ir com ela comprar uma pílula do dia seguinte. Perguntei várias vezes, e Becca simplesmente não me disse com quem tinha transado. Acho que deve ter ficado com vergonha. Mas, na época, fiquei chateada. Especialmente porque ela tinha considerado a oportunidade importante o suficiente para me abandonar sozinha em uma festa a que eu nem queria ir.

Tivemos uma briga feia e, acho, foi o início do fim da nossa amizade. Becca faltou alguns dias de aula e eu não a vi por alguns fins de semana. E aí Andie desapareceu.

PIP: Você viu os Bell muitas vezes depois que Andie desapareceu?

JESS: Fui visitá-los algumas vezes, mas Becca nunca queria falar muito. Nenhum deles queria. Jason parecia ainda mais irritado do que o normal, principalmente no dia em que a polícia o interrogou. Pelo jeito, na noite em que Andie desapareceu, o alarme do escritório disparou enquanto ele estava no jantar. Ele foi de carro até lá para conferir, mas já tinha bebido muito, então estava com medo de contar para a polícia. Bom, isso foi o que Becca me disse. Mas, sim, a casa ficou muito silenciosa. E, mesmo meses depois, quando Andie foi declarada morta e eles souberam que ela nunca mais voltaria para casa, a mãe de Becca insistiu em deixar o quarto da Andie intocado. Só por via das dúvidas. Foi tudo muito triste.

PIP: Quando estava na festa do apocalipse, em março, você viu o que Andie estava fazendo, com quem estava?

JESS: Vi. Olha, eu só fiquei sabendo que Sal era namorado da Andie depois que ela desapareceu. Ela nunca o levava para casa. Mas eu sabia que ela tinha um namorado e, depois daquela festa, imaginei que fosse outro cara. Eu os vi sozinhos na festa, sussurrando e parecendo muito próximos. Várias vezes. Nunca a vi com Sal.

PIP: Quem? Quem era o cara?

JESS: Hum, era um cara alto e loiro, de cabelo meio comprido, que falava de um jeito meio rico e esnobe.

PIP: Max? O nome dele era Max Hastings?

JESS: É, é, acho que era ele.

PIP: Então você viu Max e Andie sozinhos na festa?

JESS: Vi, eles pareciam muito próximos.

PIP: Jess, muito obrigada por conversar comigo. Você ajudou muito.

JESS: Ah, tudo bem. Ei, Pippa, você sabe como Becca está agora?

PIP: Na verdade, eu a vi outro dia. Acho que está bem. Ela se formou e está estagiando no jornal de Kilton. Parece bem.

JESS: Ótimo. Fico feliz em saber.

Estou com dificuldades para processar tudo que descobri nessa conversa. Esta investigação muda da água para o vinho sempre que fico sabendo de outro detalhe da vida de Andie.

À medida que investigo, Jason Bell parece cada vez mais sinistro. E agora sei que ele saiu do jantar por *um tempo* naquela noite. Pelo que Jess disse, ele abusava emocionalmente da família. Era um valentão. Um machista. Um adúltero. Não é à toa que Andie tenha ficado daquele jeito depois de crescer em um ambiente tão tóxico. Parece que Jason destruiu tanto a autoestima das filhas que uma virou uma valentona igual ao pai e a outra passou a se automutilar. Sei pela amiga da Andie, Emma, que Becca foi hospitalizada semanas antes do desaparecimento de Andie e que Andie devia ter ficado vigiando a irmã naquela mesma noite. Pelo jeito, Jess não sabia que a amiga se cortava. Só achou que Becca estivesse matando aula.

Então Andie não era a garota perfeita, e os Bell não eram a família perfeita. Fotos de família talvez digam mais do que mil palavras, mas a maioria delas é mentira.

Falando em mentiras: o filho da mãe do Max Hastings. Aqui está uma citação direta da entrevista com ele, de quando perguntei se era próximo de Andie: "Às vezes a gente conversava. Mas nunca fomos, tipo, amigos de verdade. Eu não conhecia ela direito. Era mais uma colega."

Uma colega que foi vista abraçada com você em uma festa? Tantas vezes que uma testemunha imaginou que VOCÊ era o namorado dela?

E tem mais uma coisa: apesar de serem da mesma turma, Andie fazia aniversário no início do ano, e Max tinha repetido por causa da leucemia e fazia aniversário em setembro. Quando a gente olha por esse ângulo, há uma diferença de idade de quase dois anos entre eles. Do ponto de vista de Andie, Max era, DE FATO, tecnicamente um cara mais velho. Mas será que era o Cara Mais Velho Secreto? Bem próximo, agindo pelas costas de Sal.

Já tentei investigar o perfil de Max no Facebook, mas é uma paisagem deserta, que só contém fotos de viagens e festas de Natal com os pais e votos de feliz aniversário de tios e tias. Lembro de ter pensado que não combinava com ele, mas dado de ombros depois.

Bem, agora não vou mais dar de ombros, Hastings. Fiz uma descoberta. Em algumas fotos da Naomi, Max não está marcado como Max Hastings, mas como *Nancy Peitaria*. Achei que fosse só uma piada, mas NÃO, *Nancy Peitaria* é o perfil verdadeiro de Max no Facebook. O que usa o nome *Max Hastings* deve ser uma versão mais comportada que ele mantém para o caso de universidades ou empregadores em potencial decidirem pesquisar suas atividades na internet. Faz sentido. Alguns dos meus amigos começaram a mudar o nome de seus perfis para escondê-los, agora que estamos na época de candidatura às universidades.

O verdadeiro Max Hastings — e todas suas fotos malucas e bêbadas, e as postagens de seus amigos — se esconde atrás de Nancy.

Pelo menos é o que eu acho. Na verdade, não consigo ver nada: as configurações de privacidade de Nancy são completamente restritas. Só consigo ver fotos e postagens em que Naomi também foi marcada, o que não me dá muito material para trabalhar. Não achei nenhuma foto secreta com Max e Andie se beijando ao fundo, nenhuma das fotos dele da noite em que ela desapareceu.

Mas já aprendi a lição. Ao pegar alguém mentindo sobre uma garota que foi assassinada, a melhor coisa a se fazer é perguntar à pessoa por quê.

LISTA DE SUSPEITOS

Jason Bell

Naomi Ward

Cara Mais Velho Secreto

Nat da Silva

Daniel da Silva

Max Hastings (Nancy Peitaria)

dezesseis

A porta estava diferente. Da última vez que ela havia estado ali, havia mais de seis semanas, era marrom. Agora estava coberta por uma camada irregular de tinta branca, que ainda deixava a cor antiga transparecer.

Pip bateu outra vez, com mais força, torcendo para ser ouvida por cima do som monótono de um aspirador de pó.

O zumbido parou de repente, deixando um silêncio agitado em seu rastro. De repente, passos pesados soaram no chão de madeira.

A porta se abriu, e uma mulher bem-vestida usando um batom vermelho-cereja apareceu.

— Olá — disse Pip. — Sou amiga de Max, ele está?

— Ah, oi. — A mulher sorriu, revelando uma mancha vermelha em um dos dentes e recuando para deixar Pip passar. — Ele está, sim. Entre…

— Pippa — completou a garota, sorrindo e entrando.

— Pippa, certo. Ele está na sala de estar. Gritando comigo por passar o aspirador enquanto ele joga videogame. Não dá para pausar, pelo jeito.

A mãe de Max acompanhou Pip pelo corredor, atravessando o arco que dava para a sala de estar.

Max estava deitado no sofá, de calça de pijama xadrez e camiseta branca, segurando um controle com as duas mãos e apertando o botão X sem parar.

Sua mãe pigarreou.

Max ergueu os olhos.

— Ah, oi, Pippa Sobrenome Engraçado — cumprimentou ele, com sua voz grave e refinada, voltando o olhar para a tela. — O que você veio fazer aqui?

Pip quase fez uma careta por reflexo, mas resistiu com um sorriso falso.

— Ah, nada de mais. — Deu de ombros, indiferente. — Só quero perguntar o quanto você *realmente* conhecia Andie Bell.

O jogo foi pausado.

Max se sentou, olhou para Pip, depois para a mãe e de volta para Pip.

— Hum — gaguejou a mãe. —Alguém quer uma xícara de chá?

— Não, não queremos. — Max se levantou. — Vamos lá para cima, Pippa.

Ele passou pelas duas e subiu a grande escada no corredor, com os pés descalços trovejando pelos degraus. Pip o seguiu, acenando educadamente para a mãe dele. No topo da escada, Max abriu a porta de seu quarto e gesticulou para que ela entrasse.

Pip hesitou, com um pé suspenso acima do carpete aspirado. Será que devia ficar sozinha com ele?

Max balançou o queixo, impaciente.

A mãe dele estava no andar de baixo. Era seguro. Pip pousou o pé no chão e entrou no quarto.

— Muitíssimo obrigado — disse ele sarcástico, fechando a porta. — Minha mãe não precisava saber que estive falando sobre Andie e Sal de novo. Aquela mulher é um cão perdigueiro, nunca larga assunto nenhum.

— Pit bull — retrucou Pip. — São os pit bulls que não largam nada que mordem.

Max se recostou na colcha marrom.

— Tanto faz. O que você quer?

— Quero saber o quanto você realmente conhecia a Andie.

— Já disse — repetiu ele, apoiando-se nos cotovelos e olhando por cima do ombro de Pip. — Não a conhecia muito bem.

— Hum. — Pip se encostou na porta. — Vocês eram só colegas, né? Não foi isso que você disse?

— É, foi. — Ele coçou o nariz. — Vou ser sincero, estou começando a achar seu tom um pouco irritante.

— Ótimo — respondeu Pip, seguindo a direção do olhar de Max, que havia se fixado outra vez em um quadro de avisos coberto de pôsteres, bilhetes e fotografias. — E eu estou começando a achar as suas mentiras um pouco curiosas.

— Que mentiras? Eu não conhecia Andie direito.

— Interessante. Falei com uma testemunha que foi a uma festa do apocalipse em que você e Andie estavam em março de 2012. É interessante porque ela disse que viu vocês dois juntos várias vezes naquela noite, parecendo muito próximos.

— Quem falou isso?

Outra micro-olhada para o quadro de avisos.

— Não posso revelar minhas fontes.

— Ai, meu Deus. — Ele soltou uma risada profunda e gutural. — Você está louca. Sabe que não é uma policial de verdade, né?

— Você não respondeu à pergunta. Você e Andie estavam se encontrando escondido, pelas costas de Sal?

Max riu outra vez.

— Ele era meu melhor amigo.

— Isso não é resposta — insistiu Pip, cruzando os braços.

— Não, eu não estava saindo com Andie Bell. Como falei, não a conhecia muito bem.

— Então, por que essa fonte viu vocês dois juntos? De um jeito que a fez pensar que, na verdade, *você* era namorado da Andie?

Enquanto Max revirava os olhos, Pip deu uma espiada no quadro de avisos. Os bilhetes rabiscados e pedaços de papel tinham se acumulado em alguns lugares, com cantos ocultos e bordas enroladas. Fotos brilhantes de Max esquiando e surfando tinham sido presas no topo. Um cartaz de *Cães de Aluguel* ocupava a maior parte do espaço.

— Não sei — retrucou ele. — Quem quer que tenha dito isso, deve ter se enganado. Devia estar bêbado. Digamos que seja uma fonte pouco confiável.

— Tudo bem. — Pip se afastou da porta. Deu alguns passos para a direita e depois alguns passos para trás, para que Max não percebesse que ela estava se aproximando aos poucos do quadro de avisos. — Então, vamos ver se entendi. — Ela deu mais alguns passos, chegando cada vez mais perto. — Você está dizendo que nunca falou sozinho com Andie em uma festa do apocalipse?

— Não sei se nunca falei — respondeu Max —, mas não era o que você está insinuando.

— Certo. — Pip olhou para a frente, apenas a alguns metros do quadro. — E por que você não para de olhar para cá?

Ela deu meia-volta e começou a folhear os papéis presos ao quadro.

— Ei, pare!

Ela ouviu a cama ranger quando Max se levantou.

Os olhos e dedos de Pip examinaram listas de tarefas, nomes de empresas e programas de graduação rabiscados, folhetos e fotos antigas de Max em uma cama de hospital.

Passos descalços soaram às suas costas.

— Isso é particular!

Então ela viu um pequeno pedaço de papel branco, enfiado atrás do pôster de *Cães de Aluguel*. Pip o puxou logo antes de Max agarrar seu braço. Ela se virou para ele, sentindo os dedos do garoto cravados em seu pulso. Os dois olharam para o pedaço de papel em sua mão.

O queixo de Pip caiu.

— Ah, pelo amor de Deus!

Max soltou o braço dela e passou os dedos pelos cabelos bagunçados.

— Só uma colega? — perguntou ela, tremendo.

— Quem você pensa que é? Mexendo nas minhas coisas...

— Só uma colega?! — repetiu Pip, segurando a foto perto do rosto de Max.

Era Andie.

Era uma selfie diante de um espelho. Andie estava de pé sobre um piso de ladrilhos vermelhos e brancos, com a mão direita erguida, segurando o celular. Sua boca formava um beicinho e seus olhos encaravam a câmera. Ela só vestia uma calcinha preta.

— Quer explicar? — perguntou Pip.

— Não.

— Ah, então você prefere explicar primeiro para a polícia? Entendi.

Pip fez uma cara feia e fingiu avançar para a porta.

— Não seja dramática — retrucou Max, retribuindo a cara feia com seus olhos azuis vítreos. — A foto não tem nada a ver com o que aconteceu com ela.

— Vou deixar a polícia decidir isso.

— Não, Pippa. — Max se colocou entre ela e a porta. — Olha, não é o que parece. Andie não me deu essa foto. Eu achei.

— Você achou? Onde?

— Estava no chão na escola. Achei e guardei. Andie nunca ficou sabendo.

Havia uma pontada de súplica em sua voz.

—Você encontrou uma foto da Andie pelada no chão da escola? Ela nem tentou esconder a incredulidade.

— Sim. Estava escondida no fundo de uma sala de aula. Juro.

— E você não contou à Andie nem a ninguém que tinha encontrado? — perguntou Pip.

— Não, só guardei.

— Por quê?

— Não sei. — O tom de voz de Max se tornou mais agudo. — Porque ela era gostosa, e eu quis. E depois pareceu errado jogar fora... O que foi? Não me julgue. Ela tirou a foto. É óbvio que queria que fosse vista.

— Você espera que eu acredite que simplesmente encontrou uma foto da Andie pelada, a mesma garota que foi vista muito perto de você nas festas...

Max a interrompeu.

— Isso não tem nada a ver. Eu não fui visto com Andie porque estávamos ficando e nem tenho a foto porque estávamos ficando. A gente nunca ficou.

— Então você estava, *sim*, conversando sozinho com Andie na festa do apocalipse? — indagou Pip, triunfante.

Max cobriu o rosto com as mãos por um instante, pressionando os olhos com as pontas dos dedos.

— Tudo bem — respondeu ele, calmo. — Se eu contar, você pode, por favor, me deixar em paz? E não chamar a polícia?

— Depende.

— Tudo bem, tudo bem. Eu conhecia Andie mais do que disse que conhecia. Muito mais. Desde antes de ela começar a namorar Sal. Mas eu não estava *saindo* com ela. Eu comprava dela.

Pip encarou Max, confusa, processando as últimas palavras.

— Comprava... drogas? — perguntou, baixinho.

Max assentiu.

— Mas nada muito pesado. Só maconha e alguns comprimidos.

— Jesus Cristinho. Calma. — Pip ergueu o indicador para empurrar o mundo para trás e dar espaço ao seu cérebro para pensar. — Andie Bell traficava drogas?

— É, mas só nas festas do apocalipse e quando a gente ia para boates ou lugares assim. Só para algumas pessoas. Pouquíssima gente. Ela não era uma traficante de verdade. — Max fez uma pausa. — Trabalhava com um traficante de verdade na cidade, e conseguia vender o produto do cara para o pessoal da escola. Era bom para os dois.

— Por isso que ela sempre tinha tanto dinheiro — concluiu Pip quando a peça do quebra-cabeça se encaixou com um clique em sua mente. — Ela usava?

— Não que eu saiba. Acho que só vendia pelo dinheiro. Pelo dinheiro e pelo poder. Dava para ver que Andie gostava de poder.

— Sal sabia que ela vendia drogas?

Max riu.

— Não, não, não. De jeito nenhum. Sal sempre odiou drogas, não teria pegado bem. Andie escondia dele. Era boa em guardar segredos. Acho que as únicas pessoas que sabiam eram as que compravam. Mas sempre achei Sal meio ingênuo. Fico surpreso que ele nunca tenha descoberto.

— Há quanto tempo ela fazia isso? — perguntou Pip, sentindo uma animação sinistra atravessar seu corpo.

— Um tempinho. — Max olhou para o teto, com os olhos girando como se revirasse as próprias memórias. — Acho que a primeira vez que comprei maconha dela foi no início de 2011, quando Andie ainda tinha dezesseis anos. Deve ter sido por aí que tudo começou.

— E quem era o traficante da Andie? Com quem ela conseguia as drogas?

Max deu de ombros.

— Não sei, nunca conheci o cara. Só comprava através da Andie, e ela nunca me contou.

Pip desanimou.

— Você não sabe de nada? Nunca mais comprou drogas em Kilton depois que Andie morreu?

— Não. — Ele voltou a dar de ombros. — Não sei de mais nada.

— Mas as outras pessoas continuavam usando drogas nas festas de apocalipse? Onde conseguiam?

— Não sei, Pippa — disse Max, em tom enfático. — Eu já contei o que você queria saber. Agora quero que vá embora.

Ele deu um passo à frente e arrancou a foto das mãos de Pip. Pousou o polegar sobre o rosto de Andie, amassando a imagem no punho trêmulo. Um vinco dividiu o corpo de Andie ao meio quando ele dobrou a foto.

dezessete

Pip abstraiu a conversa ao redor e se concentrou na trilha sonora do refeitório. Cadeiras sendo arrastadas e gargalhadas de um grupo de adolescentes cujas vozes oscilavam, sem controle, entre o tenor grave e o soprano estridente. O som melodioso de bandejas de almoço deslizando ao longo da bancada, recebendo pacotes de salada ou tigelas de sopa, harmonizado com o farfalhar de embalagens de batatas chips e fofocas sobre o fim de semana.

Pip o viu antes de todo mundo e acenou para que se aproximasse da mesa. Ant caminhou até eles, com dois sanduíches nos braços.

— Oi, gente — cumprimentou, sentando-se ao lado de Cara, já mordendo o primeiro sanduíche.

— Como foi o treino? — perguntou Pip.

Ant ergueu os olhos para ela com cautela, a boca ligeiramente aberta, revelando o produto revirado de sua mastigação.

— Bom — respondeu, antes de engolir. — Por que você está sendo legal comigo? O que você quer?

— Nada — disse Pip, rindo. — Só estou perguntando como foi o futebol.

— Não. — Zach se intrometeu. — Isso é simpático demais para o seu feitio. Tem alguma coisa errada.

— Não tem nada de errado. — Pip deu de ombros. — Tirando a dívida nacional e o aumento do nível do mar.

— Devem ser só hormônios — sugeriu Ant.

Pip fez o movimento de uma manivela invisível com a mão, erguendo aos poucos o dedo do meio para ele.

Já estavam desconfiados. Ela esperou cinco minutos enquanto o grupo conversava sobre o episódio mais recente da série sobre zumbis a que todos assistiam e Connor tapava os ouvidos, cantarolando alto e desafinado, porque não queria spoilers.

— Então, Ant — tentou Pip novamente —, sabe seu amigo, o George, do time de futebol?

— É, acho que sei quem é meu amigo George, do time de futebol — respondeu ele, claramente se achando muito brincalhão.

— Ele é do grupo que ainda dá as festas do apocalipse, né?

Ant assentiu.

— É. Na verdade, acho que a próxima festa vai ser na casa dele. Os pais dele viajaram para comemorar o aniversário de casamento ou algo assim.

— Este fim de semana?

— É.

— Você... — Pip se inclinou para a frente, apoiando os cotovelos na mesa. — Você acha que poderia conseguir convites para a gente?

Todos se viraram, boquiabertos, para encará-la.

— Quem é você e o que fez com Pippa Fitz-Amobi? — exigiu Cara.

— O que foi? — Pip sentiu que estava entrando na defensiva. Quatro fatos inúteis emergiram em sua mente, prontos para ser disparados. — É nosso último ano na escola. Achei que seria divertido se a gente fosse. É uma boa época, antes das entregas dos trabalhos e dos simulados.

—Ainda me parece uma pegadinha da Pip — disparou Connor, sorrindo.

— *Você* quer ir a uma festa? — perguntou Ant, indo direto ao ponto.

— Quero.

— Todo mundo vai ficar trêbado, vai ter gente gozando, vomitando, desmaiando. Uma bagunça enorme — avisou Ant. — Não faz muito seu estilo, Pip.

— Me parece... um aprendizado cultural — respondeu ela. — Mesmo assim, quero ir.

— Tudo bem. — Ant bateu palmas. — Então a gente vai.

Depois da escola, Pip passou na casa de Ravi. Ele pousou uma xícara de chá preto à sua frente e avisou que ela não precisava esperar *um segundinho* para que esfriasse, porque ele havia se planejado e adicionado um pouco de água fria.

— Certo — disse ele, finalmente, balançando a cabeça de um jeito estranho enquanto tentava imaginar Andie Bell, uma garota loira de feições delicadas, como traficante de drogas. — Certo, então você acha que o homem que fornecia drogas para ela pode ser um suspeito?

— Isso. Se ele é depravado o suficiente para vender drogas para crianças, deve ter inclinação a matar.

— É, faz sentido — concordou Ravi. — Mas como a gente vai encontrar esse traficante de drogas?

Pip baixou a xícara e olhou nos olhos dele.

— Vou me infiltrar.

dezoito

— É uma festa, não uma pantomima — reclamou Pip, tentando fazer Cara largar seu rosto.

Mas Cara segurou firme: era um sequestro facial.

— É, mas você tem sorte. Sombras ficam ótimas em você. Pare de se contorcer, estou quase terminando.

Pip desabou na cadeira, submetendo-se à arrumação forçada. Estava de mau humor porque as amigas a haviam feito trocar seu macacão por um vestido curto de Lauren, que mais parecia uma camiseta. As duas riram muito quando ela disse isso.

— Meninas! — gritou a mãe de Pip do pé da escada. — É melhor vocês se apressarem. Victor começou a mostrar os passos de dança dele para a Lauren.

— Ai, meu Deus — disse Pip. — Já estou pronta? A gente precisa ir resgatá-la.

Cara se inclinou para a frente e soprou o rosto da amiga.

— Pronto.

— Maravilha — respondeu Pip, pegando a bolsa e verificando, mais uma vez, que seu celular estava carregado. — Vamos.

— Oi, querida! — gritou o pai enquanto Pip e Cara desciam as escadas. — Lauren e eu achamos que eu também devia ir à festa do calipso.

— Do apocalipse, pai. E só se eu tivesse perdido todos os neurônios.

Victor se aproximou, pôs o braço nos ombros da filha e a espremeu.

— Minha Pipinha vai a uma festa.

— Eu sei — disse a mãe de Pip, com um sorriso largo e brilhante. — Com bebidas alcoólicas e meninos.

— É. — Ele a soltou e olhou para a filha com uma expressão séria, erguendo o dedo. — Pip, quero que você se lembre de ser, pelo menos, um pouco irresponsável.

— Está bem — anunciou Pip, pegando as chaves do carro e indo até a porta da frente. — A gente já vai. Adeus, pais esquisitos.

— Adeus! — respondeu Victor dramaticamente, agarrando-se ao corrimão e estendendo a mão para as adolescentes, como se a casa fosse um navio naufragando e ele, o capitão heroico, afundando junto.

Até a calçada pulsava com a música. As três foram até a entrada, e, assim que Pip ergueu o punho para bater, a porta da frente se abriu, deixando escapar uma cacofonia distorcida de música, palavras arrastadas e iluminação fraca.

Pip entrou, hesitante, e sua primeira inspiração foi contaminada pelo cheiro metálico e abafado de vodca, pitadas de suor e um leve traço de vômito. Ela avistou o anfitrião, o amigo de Ant, George, tentando colar o rosto no de uma garota um ano mais nova, os olhos abertos e fixos. Ele olhou para as recém-chegadas e, sem interromper o beijo, acenou para as três pelas costas da parceira.

Pip se recusava a ser cúmplice de tal cumprimento, então o ignorou e pegou o corredor. Cara e Lauren a seguiram, e Lauren teve que passar por cima de Paul, da aula da política, que estava caído contra a parede, roncando de leve.

— Essa festa está... interessante — murmurou Pip quando entraram na sala de estar e se depararam com o caos adolescente.

Havia corpos se esfregando e se movendo ao ritmo da música, torres de garrafas de cerveja precariamente equilibradas, monólogos embriagados sobre o sentido da vida enunciados aos berros, manchas no carpete, mãos pouquíssimo sutis nas partes íntimas e casais pressionando seus corpos juntos às paredes úmidas por condensação.

— Era você que estava louca para vir — lembrou Lauren, acenando para algumas garotas com quem fazia aula de teatro.

Pip engoliu em seco.

— É verdade. E a Pip do presente está sempre satisfeita com as decisões da Pip do passado.

Ant, Connor e Zach as avistaram e se aproximaram, atravessando a multidão cambaleante.

— Tudo bem? — quis saber Connor, dando abraços desajeitados nas três. — Vocês estão atrasadas.

— Eu sei — respondeu Lauren. — Tivemos que trocar a roupa da Pip.

Pip não entendia por que seu macacão causava vergonha alheia, mas os movimentos de dança das amigas de Lauren eram considerados aceitáveis.

— Tem algum copo aqui? — perguntou Cara, erguendo uma garrafa de vodca e limonada.

— Tem, vou mostrar para você — disse Ant, levando Cara até a cozinha.

Quando ela voltou com uma bebida para a amiga, Pip passou a fingir tomar goles frequentes enquanto concordava e ria, acompanhando a conversa. Quando uma oportunidade surgiu, ela se esgueirou até a pia da cozinha, despejou o conteúdo do copo e o encheu de água.

Mais tarde, quando Zach se ofereceu para encher seu copo outra vez, ela teve que fazer a mesma coisa e acabou encurralada em uma conversa com Joe King, que se sentava atrás dela na aula de literatura. Sua única forma de humor era falar algo ridículo, esperar que a vítima fizesse uma cara confusa e depois dizer:

— Só estou sendo *Joe*-coso.

Depois de ouvir a piada pela terceira vez, Pip pediu licença e foi para um canto, feliz por conseguir ficar sozinha. Ela se escondeu nas sombras e analisou a sala. Observou os dançarinos e os beijoqueiros entusiasmados, procurando por sinais de trocas de mãos sutis, pílulas ou mandíbulas mordiscando. Pupilas dilatadas demais. Qualquer coisa que pudesse lhe dar uma pista do traficante de Andie.

Dez minutos inteiros se passaram, e Pip não notou nada de suspeito, exceto um garoto chamado Stephen quebrando o controle remoto da televisão e escondendo a prova em um vaso de flores. Seus olhos o seguiram enquanto ele vagava para uma grande área de serviço e, depois, em direção à porta dos fundos, pegando um maço de cigarros do bolso de trás da calça.

Óbvio.

O primeiro lugar que ela devia ter pensado em explorar era a área dos fumantes. Pip abriu caminho pelo caos, protegendo-se com os cotovelos contra os jovens desequilibrados e cambaleantes.

Havia poucas pessoas lá fora. Algumas silhuetas escuras rolando na cama elástica nos fundos do jardim. Uma Stella Chapman chorosa ao lado da lata de lixo, gritando ao telefone. Outras duas garotas de sua turma em um balanço infantil, tendo o que parecia ser uma conversa muito séria, pontuada por mãos levadas à boca. E Stephen Thompson-ou-Timpson, atrás de quem ela costumava se sentar na aula de matemática. Ele estava empoleirado em um muro, com um cigarro na boca, enquanto vasculhava os vários bolsos.

Pip se aproximou.

— Oi — disse, sentando-se no muro ao lado dele.

— Oi, Pippa — respondeu Stephen, tirando o cigarro da boca para poder falar. — E aí?

— Ah, nada de mais. Vim procurar Mary Jane.

— Não sei de quem você está falando, desculpe — respondeu, finalmente puxando um isqueiro verde neon do bolso.

— Não é uma pessoa. — Pip lançou um olhar sugestivo para ele. — Sabe, eu queria fumar uma brenfa.

— Oi?

Naquela manhã, Pip havia passado uma hora pesquisando gírias para maconha na internet.

Tentou outra vez, baixando a voz para um sussurro.

— Tipo, uma erva, um baseado, um dedo de gorila, um boldo, uma perninha de grilo, um beque. Você sabe do que estou falando. Ganja.

Stephen caiu na gargalhada.

— Ai, meu Deus! — exclamou. — Você está muito bêbada.

— Aham. — Pip tentou imitar uma risadinha bêbada, mas soou meio vilanesca. — E aí? Você tem? Um cigarrinho do capeta?

Quando ele conseguiu parar de rir, analisou a garota de cima a baixo. Seu olhar se demorou sobre os seios e as pernas pálidas de Pip, que se contorceu por dentro; um ciclone pegajoso de nojo e constrangimento. Ela deu um fora mental em Stephen, mas sua boca teve que permanecer calada. Estava infiltrada.

— Tenho — respondeu Stephen, por fim, mordendo o lábio. — Posso enrolar um baseado para a gente.

Ele vasculhou os bolsos outra vez e tirou um saquinho de maconha e um pacote de seda.

— Sim, por favor — concordou Pip, sentindo-se ansiosa, animada e um pouco enjoada. — Pode enrolar. Enrole como... hum, uma linha de pesca num molinete.

Stephen riu outra vez e lambeu uma ponta do papel, tentando manter contato visual enquanto sua língua rosada e curta estava para fora. Pip desviou o olhar. Chegou a considerar que talvez tivesse ido longe demais por um projeto escolar. Mas não era só pelo projeto. Era por Sal, por Ravi. Pela verdade. Pip faria aquilo por eles.

Stephen acendeu o baseado e deu duas longas tragadas antes de passá-lo para Pip. Ela o segurou de forma desajeitada, entre os dedos do meio e o indicador, e o levou aos lábios. Virou a cabeça bruscamente para que o cabelo caísse sobre o rosto e fingiu dar algumas tragadas.

— Hum, muito bom — disse, devolvendo-o. — Vai dar onda.

— Você está bonita hoje — elogiou Stephen, dando uma tragada e oferecendo o baseado outra vez.

Pip tentou pegá-lo sem que seus dedos tocassem nos dele. Deu outra tragada falsa, mas o cheiro era enjoativo, e ela tossiu ao fazer a pergunta seguinte.

— Então... — começou, devolvendo o baseado. — Onde posso comprar um pouco disso para mim?

— Posso dividir com você.

— Não, quer dizer, de quem você compra? Sabe, para eu poder entrar nessa também.

— Com um cara da cidade. — Stephen se moveu no muro, chegando mais perto de Pip. — Chamado Howie.

— E onde Howie mora? — perguntou Pip, devolvendo o beque e usando o movimento como uma desculpa para se afastar.

— Não sei. Ele não vende em casa. Eu o encontro no estacionamento da estação de trem, nos fundos, onde não tem câmeras.

— À noite? — perguntou Pip.

— Normalmente, sim. Na hora que ele me manda mensagem.

— Você tem o número dele? — Pip abriu a bolsa para pegar o celular. — Pode me passar?

Stephen balançou a cabeça.

— Ele vai ficar bravo se souber que estou distribuindo assim. Você não precisa procurar o cara. Se quiser alguma coisa, pode me pagar e eu pego para você. Posso até dar um desconto.

Ele deu uma piscadinha.

— Na verdade, prefiro comprar direto dele — insistiu Pip, sentindo o calor da irritação subindo por seu pescoço.

— Não vai rolar.

Stephen balançou a cabeça, encarando a boca de Pip.

Ela desviou o olhar rapidamente, os cabelos escuros formando uma cortina entre eles. A frustração era gritante e embotava todos os seus pensamentos. Ele não parecia disposto a ceder.

E então a centelha de uma ideia brilhou.

— Bom, mas como vou comprar de você? — perguntou, pegando o beque das mãos dele. — Você nem tem meu número.

— Ah, e isso é uma pena, né? — comentou Stephen, a voz tão viscosa que quase escorria da boca.

Ele enfiou a mão no bolso de trás e pegou o celular. Cutucando a tela com o indicador, digitou a senha e entregou o aparelho desbloqueado.

— Pode pôr seu número aí.

— Está bem — concordou Pip.

A garota abriu os contatos e reposicionou os ombros para que Stephen não conseguisse ver a tela. Digitou *How* na barra de pesquisa e só um resultado apareceu. *Howie Bowers* e um número de telefone.

Ela estudou a sequência de dígitos. Droga, nunca conseguiria se lembrar de tudo. Outra ideia faiscou. Talvez pudesse tirar uma foto da tela. Seu celular estava ao seu lado, no muro. Mas Stephen estava muito perto, olhando-a e mordendo a unha. Ela precisava de uma distração.

Pip se debateu de repente, lançando o baseado para longe no gramado.

— Desculpe! Pensei que tivesse um inseto em mim.

— Tranquilo, eu pego.

Stephen saltou do muro.

Pip tinha apenas alguns segundos. Pegou o celular, acessou a câmera e o posicionou acima da tela de Stephen.

Seu coração batia forte, enclausurado desconfortavelmente no peito.

A imagem da câmera entrava e saía de foco, desperdiçando segundos preciosos.

Seu dedo pairava sobre o botão.

A imagem focou. Pip tirou a foto, deixando o próprio celular cair em seu colo assim que Stephen retornou.

— Ainda está aceso — anunciou ele, subindo de volta no muro e sentando-se perto demais.

Pip estendeu o celular para Stephen.

— Hum, desculpe, mas acho que não quero dar meu número para você. Decidi que drogas não são para mim.

— Não se faz de difícil — respondeu Stephen, segurando o celular e a mão de Pip juntos.

Ele se inclinou na direção dela.

— Não, valeu — disse Pip, recuando. — Acho que vou entrar.

Mas Stephen colocou a mão na parte de trás de sua cabeça, puxou-a e avançou. Pip virou o rosto e o empurrou com tanta força que ele acabou caindo do muro de quase um metro, esparramado na grama molhada.

— Vadia burra! — xingou Stephen, levantando-se e enxugando as calças.

— Seu gorila degenerado, pervertido e réprobo! — gritou Pip de volta. — Desculpe, gorilas. Eu já disse que não.

Foi então que ela percebeu. Não sabia como ou quando isso tinha acontecido, mas os dois estavam sozinhos no jardim.

O medo percorreu seu corpo em um segundo, eriçando sua pele.

Stephen subiu no muro outra vez e Pip deu meia-volta, correndo em direção à porta da casa.

— Ei, relaxe. Vamos conversar mais um pouco — disse o garoto, agarrando o pulso dela e puxando-a de volta.

— Me largue, Stephen — exigiu Pip, ríspida.

— Mas...

Pip agarrou o pulso dele com a outra mão e cravou as unhas em sua pele. Stephen gemeu e a soltou. Pip não hesitou: correu em direção à casa e, assim que entrou, bateu e trancou a porta.

Ela abriu caminho através da multidão na pista de dança improvisada sobre o tapete persa, sendo empurrada de um lado para outro. Procurou entre os braços no ar e os rostos sorridentes e suados. Procurou a segurança do rosto de Cara.

Entre todos aqueles corpos, estava quente e úmido. Mas uma onda de frio atravessou Pip, fazendo seus joelhos nus tremerem.

PIPPA FITZ-AMOBI
QPE 03/10/2017
DIÁRIO DE PRODUÇÃO — 22ª ENTRADA

Novidades: Fiquei de tocaia quatro horas no carro hoje. Nos fundos do estacionamento da estação de trem. Verifiquei, e não há câmeras. Três levas de passageiros chegaram de Londres, inclusive meu pai. Por sorte, ele não viu meu carro.

Não vi ninguém perambulando por lá. Ninguém que parecia estar comprando ou vendendo drogas. Não que eu fosse capaz de reconhecer alguém assim. Nunca teria imaginado que Andie Bell fosse traficante.

É, sei que consegui o telefone de Howie Bowers com Stephen-o-babaca. Poderia simplesmente ligar para Howie e ver se ele estaria disposto a responder a algumas perguntas sobre Andie. É o que Ravi acha que devíamos fazer. Mas — vamos ser realistas — ele não vai falar nada tão fácil. É traficante de drogas. Não vai admitir nada para uma estranha ao telefone, como se fosse uma conversa casual sobre o clima ou a economia.

Não. A única maneira de fazer esse cara falar é com chantagem.

Vou voltar na estação amanhã à noite. Ravi tem que trabalhar de novo, mas posso ir sozinha. É só dizer aos meus pais que vou fazer o dever de literatura na casa de Cara. Quanto mais tenho que mentir, mais fácil fica.

Preciso encontrar Howie.

Preciso de material para a chantagem.

E preciso dormir.

LISTA DE SUSPEITOS
Jason Bell

Naomi Ward

Cara Mais Velho Secreto

Nat da Silva

Daniel da Silva

Max Hastings

Traficante de drogas — Howie Bowers?

dezenove

Pip já havia lido treze capítulos sob a forte luz branca da lanterna do celular quando percebeu uma figura solitária passar por um poste de luz na rua. Estava no carro, parada nos fundos do estacionamento da estação de trem, ouvindo os guinchos e grunhidos dos trens com destino a Londres ou Aylesbury a cada meia hora.

Os postes haviam acendido cerca de uma hora antes, quando o sol baixara, pintando Little Kilton de um azul cada vez mais escuro. As luzes eram de um tom laranja-amarelado vibrante e iluminavam a área com um brilho industrial perturbador.

Pip semicerrou os olhos para enxergar melhor. Quando a figura passou sob a luz, ela percebeu que se tratava de um homem de jaqueta verde-escura com um capuz de pele e forro laranja. O capuz lhe conferia uma máscara feita de sombras, deixando apenas um nariz triangular iluminado.

Ela desligou a lanterna do celular imediatamente e largou seu exemplar de *Grandes esperanças* no banco do passageiro. Chegou o assento para trás e se agachou no chão do carro. Escondida atrás da porta, pressionou o topo da cabeça e os olhos contra a janela.

O homem foi até o limite do estacionamento e se encostou na cerca, em um espaço escuro entre dois círculos de luz laranja. Pip o observou, prendendo a respiração porque seu hálito embaçava a janela e dificultava a visão.

Com a cabeça baixa, o homem sacou um celular do bolso. Quando o desbloqueou e a tela se iluminou, Pip pôde ver seu rosto pela primeira vez: era ossudo e cheio de traços e ângulos retos, com uma barba escura, curta e bem cuidada. Pip não era muito boa em adivinhar idades, mas o homem parecia ter uns vinte e tantos ou trinta e poucos anos.

Mas não era a primeira vez naquela noite que Pip pensava ter encontrado Howie Bowers. Dois outros homens a fizeram se abaixar e se esconder para observar. O primeiro tinha entrado direto em um carro velho e ido embora. O segundo parara para fumar por tempo suficiente para o coração de Pip acelerar, mas depois tinha apagado o cigarro, entrado em um carro e ido embora.

Mas algo não encaixava nos dois últimos casos: os homens estavam vestidos com ternos e casacos elegantes, claramente retardatários de um trem que chegara de Londres. Mas o homem parado ali era diferente. Usava calça jeans e jaqueta curta, e sem sombra de dúvida estava esperando por alguma coisa. Ou por alguém.

Seus polegares trabalhavam sem parar na tela do telefone. Talvez avisando um cliente que estava esperando. Tirar conclusões precipitadas era um pippismo típico, mas ela tinha uma maneira infalível de confirmar que aquele homem de jaqueta era Howie. Pip pegou o celular, tentando esconder a luz com a tela voltada para a coxa. Rolou a barra de contatos até chegar em Howie Bowers e fez a chamada.

Com os olhos na janela e o polegar pairando sobre o botão vermelho de desligar, esperou. Seu nervosismo disparava a cada meio segundo.

Então ela ouviu.

Muito mais alto do que o som da chamada de seu próprio celular.

O grasnado de um pato mecânico soou das mãos do homem. Ela o observou pressionar a tela e levar o aparelho ao ouvido.

— Alô? — Soou uma voz distante, abafada pela janela.

Logo depois, a mesma voz falou pelos alto-falantes do celular de Pip. Era a voz de Howie, estava confirmado.

Ela apertou o botão de desligar e observou Howie Bowers baixar o telefone e encarar a tela, franzindo as sobrancelhas grossas e incrivelmente retas que lançavam sombras sobre seus olhos. Ele voltou a levar o celular à orelha.

— Merda — sussurrou Pip, silenciando o próprio aparelho.

Uma fração de segundo depois, a tela se iluminou com uma chamada de Howie Bowers. Pip apertou o botão de bloqueio e deixou a chamada soar silenciosamente, com o coração disparado. Aquela tinha sido por pouco, muito pouco. Havia sido burrice não ocultar seu número ao ligar.

Howie guardou o celular e ficou parado, de cabeça baixa, com as mãos nos bolsos. Embora tivesse confirmado que aquele homem era Howie Bowers, Pip ainda não sabia se era ele quem fornecia drogas a Andie. Sua única informação era que Bowers traficava para os alunos do Colégio Kilton, o mesmo grupo para o qual Andie vendia a mercadoria de seu traficante. Podia ser coincidência. Talvez Howie Bowers não fosse o homem que havia trabalhado com Andie tanto tempo antes. Mas, em uma cidade pequena como Little Kilton, não dava para acreditar muito em coincidências.

Naquele instante, Howie ergueu a cabeça e assentiu. Então Pip ouviu passos pesados sobre o concreto, cada vez mais altos, aproximando-se. Não teve coragem de se virar para ver quem estava chegando, mas sentia os ruídos a atravessarem como choques. E então a pessoa entrou em seu campo de visão.

Era um homem alto, com um longo casaco bege e sapatos pretos engraxados, cujos estalidos nítidos e brilho demonstravam serem novos. O corte do cabelo escuro era rente à cabeça. Ao alcançar Howie, ele se virou para se recostar na cerca, ao lado do traficante. Pip precisou de alguns instantes antes que seu olhar focasse o homem. Então ela levou um susto.

Pip o conhecia. Reconhecia seu rosto das fotos dos funcionários no site do *Kilton Mail*. Era Stanley Forbes.

Stanley Forbes, alguém que não era central à investigação de Pip, mas que já tinha aparecido duas vezes. Becca Bell dissera que estava saindo com Stanley, e, naquele momento, lá estava ele, encontrando-se com o homem que talvez tivesse fornecido drogas para a irmã de Becca.

Ambos ainda estavam em silêncio. Stanley coçou o nariz e tirou um envelope grosso do bolso, depois empurrou o pacote para o peito de Howie. Só então Pip percebeu que o rosto dele estava vermelho e que suas mãos tremiam. Ela ergueu o celular e, depois de verificar que o flash estava desligado, tirou algumas fotos do encontro.

— É a última vez, está me ouvindo? — disparou Stanley, ríspido, sem se esforçar para manter um tom de voz baixo. Dava para ouvir as sílabas nitidamente através do vidro do carro. —Você não pode continuar me pedindo mais. Eu não tenho.

Howie falava baixo, e Pip ouviu apenas os murmúrios do início e do fim de sua frase:

— Mas… contar.

Stanley se aproximou dele.

— Não acho que você teria coragem.

Os dois se encararam por um momento tenso e prolongado, então Stanley deu meia-volta e se afastou rapidamente, o casaco balançando às suas costas.

Quando ele foi embora, Howie analisou o conteúdo do envelope que tinha em mãos antes de enfiá-lo no casaco. Pip tirou mais algumas fotos, mas Howie ainda não pretendia ir embora. Ficou apoiado na cerca, digitando no celular novamente. Como se estivesse esperando outra pessoa.

Poucos minutos depois, Pip viu alguém se aproximar. Encolhida em seu esconderijo, viu o menino caminhar até Howie, acenando. Também o reconheceu: era um aluno do ano abaixo ao dela, que jogava futebol com Ant. Chamava-se Robin alguma coisa.

O encontro também foi rápido. Robin entregou dinheiro a ele. Howie contou as notas e pegou no bolso do casaco um saco de papel enrolado. Pip tirou cinco fotos rápidas de Howie entregando o saco a Robin e guardando as notas.

Dava para ver que suas bocas se mexiam, mas Pip não conseguiu ouvir as palavras. Howie sorriu e deu um tapinha nas costas do garoto. Robin, enfiando o saco na mochila, atravessou o estacionamento, dizendo "até mais" ao passar por trás do carro de Pip, tão perto que a fez pular.

Abaixando-se para se esconder atrás da porta, Pip analisou as fotos que havia tirado. O rosto de Howie estava nítido e visível em pelo menos três delas. E Pip sabia o nome do garoto para quem ele estava traficando. Era um material de chantagem perfeito, se é que existia um jeito perfeito de chantagear um traficante de drogas.

Pip congelou. Alguém passava por trás de seu carro, movendo-se com passos arrastados e assobiando. Ela esperou vinte segundos e ergueu o olhar. Howie estava indo embora, voltando para a estação.

Então veio um momento de indecisão. Howie estava a pé. Pip não podia segui-lo de carro, mas não queria deixar a segurança de seu carro feioso para seguir um criminoso sem o escudo reforçado da Volkswagen.

O medo começou a revirar seu estômago, bagunçando sua mente com um pensamento: Andie Bell tinha saído sozinha à noite e nunca mais voltara. Pip reprimiu a ideia, inspirou fundo o medo e saiu do carro, fechando a porta com todo o cuidado. Precisava saber o máximo possível sobre aquele homem. Ele podia ser o fornecedor de Andie, seu verdadeiro assassino.

Howie estava uns quarenta passos à sua frente. O capuz tinha sido baixado e o forro laranja era fácil de localizar no escuro. Pip manteve certa distância, com o coração batendo quatro vezes a cada passo.

Ela recuou e ficou mais longe quando os dois passaram pela rotatória bem iluminada em frente à estação. Não podia se aproximar demais. Seguiu Howie enquanto ele virava à direita, descendo a ladeira e passando pelo minimercado da cidade. O homem atravessou a rua e dobrou à esquerda na High Street, na direção contrária à escola e à casa de Ravi.

Ela o seguiu por todo o caminho até a estrada Wyvil, passando pela ponte que cruzava os trilhos. Depois, Howie se afastou da estrada e entrou em uma pequena trilha que cortava um gramado limitado por uma cerca viva amarelada.

Pip esperou Howie avançar um pouco mais antes de segui-lo pela trilha, emergindo em uma pequena rua residencial escura. Continuou andando, com os olhos fixos no capuz laranja cinco metros à sua frente. A escuridão sem dúvida era o melhor disfarce — tornava desconhecido e estranho tudo que era familiar. Foi só quando Pip passou por uma placa que percebeu em que rua estavam.

Romer Close.

Seu coração disparou, batendo seis vezes a cada passo. Romer Close, a mesma rua onde o carro de Andie Bell fora encontrado após seu desaparecimento.

Pip viu Howie se virar e correu para se esconder atrás de uma árvore, observando o traficante se dirigir até uma pequena casa, pegar a chave e entrar. Quando a porta se fechou, Pip saiu do esconderijo e se aproximou da residência de Howie. Romer Close, número vinte e nove.

Era uma construção geminada baixa, com fachada de tijolos marrons e um telhado de ardósia coberto de musgo. As duas janelas da frente eram cobertas por persianas grossas, mas a da esquerda começou a exibir listas amarelas quando Howie acendeu as luzes internas. Havia um pequeno terreno coberto de cascalho diante da porta, onde um carro vinho desbotado estava estacionado.

Pip encarou o veículo. Daquela vez, não demorou a reconhecê-lo. Seu queixo caiu e seu estômago se revirou, enchendo sua boca com o sabor regurgitado do sanduíche que havia comido no carro.

— Ai, meu Deus — sussurrou.

Ela se afastou da casa, pegando o celular. Abriu a lista de ligações recentes e apertou o número de Ravi.

— Por favor, me diga que você já saiu do trabalho — implorou Pip assim que ele atendeu.

— Acabei de chegar em casa. Por quê?

— Você precisa vir para a Romer Close agora.

vinte

Pip sabia, graças ao mapa do assassinato, que Ravi levaria cerca de dezoito minutos para andar de sua casa até a Romer Close. Ele chegou quatro minutos antes do previsto e começou a correr assim que a viu.

— O que houve? — perguntou, meio sem fôlego e tirando o cabelo do rosto.

— *Muitas* coisas — respondeu Pip, baixinho. — Não sei bem por onde começar, então vou sair falando.

—Você está me deixando assustado.

Ravi encarou o rosto dela, analisando sua expressão.

— Eu também estou assustada. — Pip respirou fundo e forçou seu estômago a se controlar. — Certo, você sabe que eu estava procurando o traficante depois da pista que consegui na festa do apocalipse. Ele estava lá hoje, no estacionamento. Eu o segui até em casa. Ele mora aqui, Ravi. Na rua onde o carro da Andie foi encontrado.

Os olhos de Ravi traçaram o contorno da rua escura.

— Mas como você sabe que ele é o fornecedor da Andie?

— Eu não tinha certeza. Agora tenho. Mas, antes, tem outra coisa que preciso contar e não quero que você fique bravo.

— Por que eu ficaria bravo?

Sua expressão gentil endureceu.

— Hum, porque eu menti para você — confessou Pip, olhando para os próprios pés. — Disse que a transcrição do interrogatório do Sal ainda não tinha chegado. Mas chegou há mais de duas semanas.

— O quê? — disse Ravi, baixinho.

A mágoa tomou conta de seu rosto. Ele franziu o nariz e a testa.

— Sinto muito. Mas, depois que li a transcrição, achei que seria melhor você não ver.

— Por quê?

Ela engoliu em seco.

— Porque pegava muito mal para Sal. Ele foi evasivo com a polícia e disse claramente que não queria contar por que ele e Andie estavam discutindo na quinta e na sexta-feira. Parecia que estava tentando esconder a motivação para o assassinato. E eu fiquei com medo de ele ter realmente matado Andie e não quis magoar você.

Ela se arriscou a olhar para os olhos de Ravi. Estavam abatidos e tristes.

— Depois de tudo isso, você acha que Sal é culpado?

— Não, não acho. Mas fiquei em dúvida por um momento e tive medo do efeito disso em você. Sei que foi errado, desculpe. Não devia ter feito isso. Mas também errei ao duvidar do Sal.

Ravi hesitou e olhou para ela, coçando a nuca.

— Está bem. Tudo bem, eu entendo. Então, o que está acontecendo?

— Acabei de descobrir por que Sal foi tão evasivo no interrogatório e por que ele e Andie estavam discutindo. Venha.

Ela gesticulou para que Ravi a seguisse e voltou à residência de Howie. Então apontou.

— Esta é a casa do traficante. Olhe o carro dele, Ravi.

Pip o observou enquanto seus olhos percorriam o carro de cima a baixo. Do para-brisa ao capô, e de um farol ao outro. Até que ele baixou o olhar para a placa, percorrendo-a da esquerda para a direita várias vezes.

— Ah! — exclamou ele.

Pip assentiu.

— Pois é.

— Na verdade, acho que este é mais um momento "Jesus Cristinho".

Ambos voltaram os olhos para a placa do carro: *R009 KKJ*.

— Sal anotou esse número no bloco de notas do celular — disse Pip. — Na quarta-feira, 18 de abril, por volta das 19h45. Devia ter desconfiado, talvez tivesse ouvido boatos na escola ou alguma coisa assim. Então, naquela noite, seguiu Andie e deve tê-la visto com Howie e este carro. E o que ela estava fazendo.

— Foi por isso que discutiram nos dias anteriores ao desaparecimento dela — acrescentou Ravi. — Sal odiava drogas. Odiava mesmo.

— E, quando a polícia perguntou a ele sobre as brigas — continuou Pip —, Sal não foi evasivo para esconder a motivação do assassinato. Estava protegendo Andie. Não achava que ela estava morta. Pensava que estava viva, que voltaria, e não queria criar problemas revelando para a polícia que ela estava traficando drogas. E a última mensagem que mandou para Andie na sexta-feira à noite?

— *Não vou falar com você até você parar* — citou Ravi.

— Quer saber de uma coisa? — Pip sorriu. — Seu irmão nunca pareceu tão inocente.

— Obrigado. — Ravi retribuiu o sorriso. — Sabe, eu nunca disse isso a uma garota, mas… Fico feliz por você ter ido bater na minha porta do nada.

— Lembro perfeitamente de você me mandando embora.

— Bem, parece que é impossível me livrar de você.

— É mesmo. — Pip abaixou a cabeça. — Pronto para bater na porta comigo?

— Espere. Não. O quê?

Ravi a encarou, horrorizado.

— Ah, vamos lá — incentivou ela, caminhando em direção à porta de Howie. —Você finalmente vai entrar em ação.

— Ai, é muito difícil ignorar o duplo sentido dessa frase. Espere, Pip — pediu Ravi, correndo atrás dela. — O que você pensa que está fazendo? Ele não vai falar com a gente.

— Vai, sim — garantiu Pip, balançando o celular acima da cabeça. — Eu tenho material para chantagem.

— Que material?

Ravi a alcançou pouco antes de chegarem à porta.

Ela se virou e abriu um sorriso imenso, de olhos franzidos. Então pegou a mão dele. Antes que Ravi pudesse soltá-la, Pip usou a mão dele para bater três vezes na porta.

Ravi arregalou os olhos e ergueu o dedo em uma reprimenda silenciosa.

Os dois ouviram alguém se mexer e tossir dentro da casa. Alguns segundos depois, a porta se abriu com força.

Howie os encarou, parado. Havia tirado o casaco, vestia uma camiseta azul manchada, e estava descalço. Um cheiro de fumaça rançosa e roupas úmidas e mofadas o impregnava.

— Olá, Howie Bowers — cumprimentou Pip. — Por favor, poderíamos comprar algumas drogas?

— Quem é você, porra? — respondeu Howie, ríspido.

— Sou a pessoa que tirou estas lindas fotos hoje, porra — rebateu Pip, erguendo o celular para ele e deslizando o polegar na tela para que ele visse toda a série. — Curiosamente, eu conheço o garoto para quem você vendeu drogas. O nome dele é Robin. Eu me pergunto o que aconteceria se eu ligasse para os pais dele agora mesmo e pedisse para que revistassem a mochila do filho. Me pergunto se encontrariam um pequeno saco de papel cheio de guloseimas, e então me pergunto em quanto tempo a polícia chegaria aqui, ainda mais se eu ligasse para facilitar o processo.

Ela deixou Howie digerir as informações. O olhar do traficante disparava entre o celular, Ravi e os olhos de Pip.

— O que você quer? — grunhiu.

— Quero que você nos convide para entrar e responda a algumas perguntas — disse Pip. — Só isso e não vamos procurar a polícia.

— Sobre o quê? — perguntou ele, tirando algo dos dentes com a unha.

— Sobre Andie Bell.

Uma expressão confusa mal ensaiada tomou o rosto de Howie.

— Sabe, a garota para quem você fornecia as drogas que depois eram vendidas para alunos do Colégio Kilton. A mesma que foi assassinada há cinco anos. Lembra? — insistiu Pip. — Bem, se não lembrar, tenho certeza de que a polícia vai.

— Está bem — cedeu Howie, dando um passo por uma pilha de sacolas plásticas e segurando a porta aberta. — Podem entrar.

— Maravilha — disse Pip, olhando para Ravi por cima do ombro.

"Chantagem", ela fez com a boca, sem emitir som. Ele revirou os olhos. Mas, na hora de entrar na casa, puxou-a para trás e entrou primeiro. Encarou Howie até que ele se afastasse e seguisse pelo minúsculo corredor.

Pip seguiu Ravi, fechando a porta depois de entrar.

— Por aqui — indicou Howie, ríspido, desaparecendo na sala de estar.

O traficante desabou em uma poltrona esfarrapada. No braço do móvel, uma lata de cerveja aberta esperava por ele.

Ravi foi até o sofá e, depois de afastar uma pilha de roupas, sentou-se de frente para Howie, com as costas retas e o mais perto possível da borda da almofada. Pip se sentou ao lado, cruzando os braços.

Howie apontou a lata de cerveja para Ravi.

—Você é irmão do cara que matou Andie.

— Supostamente — responderam Pip e Ravi ao mesmo tempo.

A tensão na sala se esgueirou entre os três como tentáculos invisíveis que passavam de uma pessoa para a outra enquanto eles se entreolhavam.

—Você está ciente de que vamos levar as fotos à polícia se não responder às nossas perguntas sobre Andie? — perguntou Pip, olhando para a cerveja, que não devia ser a primeira que Howie tomava desde que havia voltado para casa.

— Sim, querida. — Howie soltou uma risada sibilante. —Você deixou isso bem claro.

—Ótimo. Minhas perguntas também vão ser bem claras. Quando Andie começou a trabalhar com você e como isso aconteceu?

— Não me lembro. — Ele tomou um grande gole de cerveja. —Acho que no início de 2011. E foi ela quem me procurou. Só sei que uma adolescente atrevida se aproximou de mim no estacionamento, dizendo que poderia conseguir mais clientes para mim se eu dividisse o lucro com ela. Falou que queria ganhar dinheiro, e eu respondi que tinha interesses parecidos. Não sei como ela descobriu onde eu ficava.

— E você concordou com a proposta dela?

— Concordei, claro. Ela me garantia um público mais jovem, adolescentes a quem eu não tinha acesso. Todo mundo saía ganhando.

— E o que aconteceu depois? — quis saber Ravi.

Howie pousou seu olhar frio no garoto, e Pip sentiu o braço de Ravi, tão próximo do seu, ficar tenso.

— A gente se encontrou, e eu defini algumas regras básicas, tipo manter o estoque e o dinheiro escondidos, usar códigos em vez de nomes. Perguntei que tipo de coisa ela achava que os adolescentes iam gostar. Dei um celular descartável para ela e foi isso. Deixei a garota seguir a vida.

Howie sorriu, o rosto e a barba por fazer irritantemente simétricos.

— Andie tinha um segundo telefone? — questionou Pip.

— Óbvio. Não dava para fechar negócios com um celular que os pais dela pagavam, né? Comprei um para ela, pré-pago, em dinheiro. Na verdade, dois. Comprei o segundo quando o crédito do primeiro acabou. Isso aconteceu poucos meses antes de ela ser morta.

— E onde Andie guardava as drogas antes de vender? — perguntou Ravi.

— Era uma das regras básicas. — Howie se recostou, falando para a lata de cerveja. — Falei que o pequeno empreendimento não iria a lugar nenhum se ela não tivesse um lugar para esconder as drogas e o segundo telefone dos pais. Andie me garantiu que tinha um lugar perfeito que ninguém mais conhecia.

— Onde era? — insistiu Ravi.

Howie coçou o queixo.

— Hum, acho que era uma tábua solta no piso do closet. Disse que os pais não faziam ideia de que aquilo existia e que ela sempre escondia os troços dela lá.

— Então, o aparelho provavelmente ainda está escondido no quarto da Andie? — quis saber Pip.

— Não sei. A menos que estivesse com ela quando...

Howie passou o dedo com força pela garganta.

Pip olhou para Ravi antes de fazer a pergunta seguinte. Ele estava com a mandíbula tensa por cerrar os dentes e se concentrava em não tirar os olhos de Howie. Como se fosse capaz de mantê-lo parado apenas com o olhar.

— Certo — começou ela —, quais drogas Andie vendia nas festas?

Howie esmagou a lata vazia e a jogou no chão.

— Começou só com maconha. No fim, ela estava vendendo um monte de coisas.

— Ela perguntou *quais* drogas Andie vendia — disse Ravi. — Pode falar.

— É, está bem. — Howie pareceu irritado, sentando-se com as costas mais retas e cutucando uma mancha marrom em sua camiseta. — Ela vendia maconha, às vezes ecstasy, mefedrona, cetamina. Tinha uns poucos clientes regulares de flunitrazepam.

— Flunitrazepam? — repetiu Pip, incapaz de esconder o choque. — Quer dizer Boa-noite, Cinderela? Andie estava vendendo Boa-noite, Cinderela nas festas da escola?

— Isso. É que também serve para, tipo, relaxar, não só para o que a maioria das pessoas pensa.

— Você sabe quem estava comprando flunitrazepam da Andie? — perguntou Pip.

— Hum, tinha um garoto rico, acho que foi isso que ela disse. Sei lá.

Howie balançou a cabeça.

— Um garoto rico? — A mente de Pip desenhou uma imagem de imediato: o rosto angular e o sorriso zombeteiro, o cabelo desgrenhado. — Esse garoto rico era loiro?

Howie a encarou com expressão neutra e deu de ombros.

— Responda ou vamos à polícia — lembrou Ravi.

— É, talvez ele fosse loiro.

Pip pigarreou para ganhar tempo de pensar.

— Com que frequência você e a Andie se encontravam?

— Sempre que precisava, sempre que ela tinha estoque para pegar ou dinheiro para me dar. Acho que costumava ser uma vez por semana, às vezes mais, às vezes menos.

— Onde vocês se encontravam? — perguntou Ravi.

— Na estação ou às vezes ela vinha aqui.

— Vocês... — Pip hesitou. — Você e Andie estavam envolvidos romanticamente?

Howie bufou, então se sentou bruscamente, afastando algo de perto da orelha.

— Porra, claro que não — respondeu, mas a risada não conseguiu encobrir totalmente o aborrecimento que subia por seu pescoço em manchas vermelhas.

— Tem certeza?

— Absoluta.

A ironia tinha desaparecido.

— Por que você está na defensiva, então? — insistiu Pip.

— Óbvio que estou na defensiva. Tem duas crianças na minha casa me dando bronca por coisas que aconteceram anos atrás e ameaçando chamar a polícia.

Ele chutou a lata de cerveja amassada no chão. A lata voou pela sala e bateu nas persianas logo atrás da cabeça de Pip.

Ravi se levantou num pulo, entrando na frente dela.

— E o que você pensa que vai fazer? — provocou Howie, levantando-se cambaleante e olhando para Ravi de soslaio. — Você é uma piada, cara.

— Tudo bem, vamos nos acalmar — interveio Pip, levantando-se também. — Estamos quase terminando. Você só tem que ser sincero. Você teve algum envolvimento sexual com...?

— Não! Eu já disse que não, não disse?

A parte de seu rosto acima da barba ficou vermelha.

—Você queria ter envolvimento sexual com ela?

— Não! — Howie tinha começado a gritar, em tom indignado. — Ela era só um negócio para mim e eu para ela, entendeu? Nada além disso.

— Onde você estava na noite em que ela foi morta? — indagou Ravi.

— Eu estava bêbado, caído *naquele* sofá.

—Você sabe quem a matou? — pressionou Pip.

— Sei, o irmão dele! — Howie apontou agressivamente para Ravi. — É isso que você quer provar? Que seu irmão imundo e assassino era inocente?

Pip viu Ravi ficar tenso e olhar para os nós de seus dedos irregulares. Mas então ele olhou nos olhos dela e abafou a raiva, enfiando as mãos nos bolsos.

— Tudo bem, já terminamos aqui — anunciou Pip, colocando a mão no braço de Ravi. —Vamos embora.

— Não, acho que não.

Com dois passos gigantes, Howie disparou até a porta, bloqueando a saída.

— Com licença, Howard — disse Pip, com o nervosismo se transformando em medo.

— Não, não, não — respondeu ele, rindo e balançando a cabeça. — Não posso deixar vocês irem embora.

Ravi se aproximou.

— Saia da frente.

— Eu fiz o que você pediu — lembrou Howie, virando-se para Pip. — Agora você tem que deletar as fotos.

Pip relaxou um pouco.

— Está bem — concordou. — É justo.

Ela ergueu o celular e mostrou a Howie enquanto apagava todas as fotos do estacionamento, até chegar em uma foto de Barney e Josh dormindo na cama do cachorro.

— Pronto.

Howie deu um passo para o lado e os deixou sair.

Pip abriu a porta e, enquanto ela e Ravi saíam para a noite fria, Howie falou pela última vez:

— Você está fazendo perguntas perigosas, garota. Vai acabar encontrando respostas perigosas.

Ravi fechou a porta na cara dele e esperou estarem a pelo menos vinte passos de distância da casa antes de dizer:

— Bom, isso foi divertido. Obrigado por ter me convidado para fazer minha primeira chantagem.

— Disponha — respondeu Pip. — Foi a minha primeira também. Mas deu certo. Descobrimos que Andie tinha um segundo celular, que Howie sentia coisas complicadas por ela e que Max Hastings gostava de flunitrazepam. — Ela pegou o celular e clicou no aplicativo de fotos. — Só vou recuperar as fotos para o caso de precisarmos chantagear Howie outra vez.

— Ah, maravilha! — respondeu Ravi. — Mal posso esperar. Talvez aí eu possa adicionar chantagem como uma habilidade no meu currículo.

—Você já reparou que usa o humor como mecanismo de defesa quando está nervoso?

Pip sorriu, deixando-o passar pela abertura da cerca viva à sua frente.

— Já, e você fica mandona e metida.

Ele retribuiu seu olhar por um longo momento, e Pip fraquejou primeiro. Os dois começaram a rir e, simplesmente, não conseguiram mais parar. A baixa da adrenalina se tornou histeria. Pip se escorou nele, enxugando as lágrimas, arfando entre gargalhadas.

Ravi tropeçou, com o rosto contraído, rindo tanto que teve que se curvar e agarrar a barriga.

Riram até as bochechas de Pip doerem e sua barriga ficar tensa e dolorida.

Mas, quando acharam que tinha acabado, os suspiros apenas os fizeram voltar a rir.

PIPPA FITZ-AMOBI
QPE 06/10/2017
DIÁRIO DE PRODUÇÃO — 23ª ENTRADA

Devia estar me concentrando em minhas inscrições para a universidade. Tenho uma semana para terminar minha carta de apresentação para Cambridge. Só vou fazer uma pequena pausa antes de voltar a me vangloriar para os responsáveis pela admissão.

Então Howie Bowers não tem um álibi para a noite em que Andie desapareceu. Ele mesmo admitiu que estava "bêbado, caído no sofá" de casa. Sem ninguém para testemunhar, pode ser uma mentira deslavada. Ele é um cara mais velho, e Andie poderia ter *acabado com a vida dele* se o entregasse à polícia por tráfico. Seu relacionamento com Andie era criminoso e, a julgar pela reação defensiva, talvez tivesse um teor sexual. E o carro dela — o carro que a polícia acredita que carregou seu corpo no porta-malas — foi encontrado na rua de Howie.

Sei que Max tem um álibi para a noite em que Andie desapareceu, o mesmo que Sal pediu aos amigos. Mas vou só especular aqui. O intervalo de tempo para o sequestro de Andie é entre 22h40 e 00h45. Existe a possibilidade de Max ter agido nos últimos minutos desse prazo. Os pais dele estavam fora, Jake e Sal tinham ido embora de sua casa, e Millie e Naomi tinham ido dormir no quarto de hóspedes "um pouco antes da 00h30". Max poderia ter saído de casa sem que ninguém soubesse. Naomi também. Ou talvez os dois juntos?

Max tem uma foto de uma vítima de assassinato nua, com quem ele afirma nunca ter se relacionado romanticamente. Ele é tecnicamente um cara mais velho. Estava envolvido com o tráfico de Andie e comprava Boa-Noite, Cinderela dela. O rico e esnobe

Max Hastings não parece mais uma pessoa tão comportada. Talvez eu precise seguir a pista do flunitrazepam, ver se há alguma outra evidência do que estou começando a suspeitar. (Como não? Ele estava comprando *Boa-Noite, Cinderela*, pelo amor de Deus).

Embora ambos pareçam suspeitos, Max e Howie não têm relação entre si. Max só comprava drogas em Kilton através de Andie, e Howie só sabia sobre Max e suas preferências por meio de Andie.

Mas acho que a pista mais importante que conseguimos com Howie é a existência do segundo celular de Andie. Essa é a nossa *prioridade*. O aparelho provavelmente contém os contatos de todas as pessoas para quem ela vendia drogas. Talvez também haja uma confirmação da natureza de seu relacionamento com Howie. E se Howie não era o Cara Mais Velho Secreto, talvez Andie estivesse usando o celular pré-pago para entrar em contato com o cara, para mantê-lo em segredo. A polícia teve acesso ao celular normal de Andie quando encontraram o corpo de Sal. Se houvesse qualquer evidência de um relacionamento secreto naquele aparelho, a polícia o teria investigado.

Se acharmos o celular, talvez encontremos o Cara Mais Velho Secreto, o assassino de verdade, e tudo isso acabe. No momento, há três candidatos para o papel de Cara Mais Velho Secreto: Max, Howie e Daniel da Silva (em itálico na lista de suspeitos). Se o telefone pré-pago confirmar que era um deles, acho que teremos o suficiente para procurar a polícia.

Ou será que se trata de alguém que ainda não encontramos, alguém que está nos bastidores, preparando-se para assumir o papel principal? Alguém como Stanley Forbes, talvez? Sei que não há ligação direta entre ele e Andie, então não vou colocá-lo na lista de suspeitos. Mas é curioso que o jornalista que escreveu artigos mordazes sobre o "namorado assassino" de Andie agora esteja namorando a irmã dela *e* que eu o tenha visto pagando o traficante de drogas que fornecia para Andie. Ou será que é mesmo só uma coincidência? Não confio em coincidências.

LISTA DE SUSPEITOS

Jason Bell

Naomi Ward

Cara Mais Velho Secreto

Nat da Silva

Daniel da Silva

Max Hastings

Howie Bowers

vinte e um

— Barney, Barney, Barney, pula — cantou Pip, segurando as duas patas dianteiras do cachorro em suas mãos.

Os dois dançavam ao redor da mesa quando o CD velho da mãe travou devido a um risco superficial, repetindo *"hit the road, Ja--Ja-Ja-Ja-Ja..."*.

— Que barulheira!

Leanne, a mãe de Pip, entrou na sala de jantar com um prato de batatas assadas e o colocou em um suporte sobre a mesa.

— Passa para a próxima música, Pipinha — disse, e saiu novamente.

A garota soltou Barney e apertou o botão do tocador de CDs, a última relíquia do século XX que sua mãe ainda não estava pronta para substituir por um aparelho com tela sensível ao toque e alto-falantes Bluetooth. Dava para entender, porque ela se enrolava até para usar o controle remoto da televisão.

— Já cortou, Vic? — gritou Leanne, voltando com uma tigela de brócolis e ervilhas fumegantes, com um pedaço de manteiga derretendo por cima.

— As aves estão prontas, minha bela dama — respondeu Victor.

— Josh! O jantar está pronto — chamou Leanne.

Pip foi ajudar o pai a trazer os pratos e o frango assado. Josh se esgueirou atrás deles.

— Terminou a lição de casa, querido? — perguntou a mãe enquanto todos tomavam seus respectivos lugares à mesa.

Barney se sentou no chão, ao lado de Pip, que era sua aliada na missão de deixar cair pedacinhos de carne para ele quando seus pais estavam distraídos.

Pip mirou as batatas e atacou a travessa antes que o pai fosse mais rápido. Assim como a filha, ele era um grande apreciador dos tubérculos

— Joshua, pode passar o molho para o seu pai? — pediu Victor.

Quando todos estavam servidos e começaram a comer, Leanne se virou e apontou o garfo para a filha.

— Qual o prazo para enviar os materiais da inscrição para as faculdades mesmo?

— Dia 15 de outubro — respondeu Pip. — Vou tentar mandar daqui a alguns dias. Um pouco antes do prazo.

— Você se dedicou a sua carta de apresentação? Parece que só anda focada na QPE ultimamente.

— E quando é que eu não tenho tudo sob controle? — Pip espetou um brócolis particularmente grande, o equivalente a uma *Sequoiadendron giganteum* do mundo dos brócolis. — Se algum dia eu perder um prazo pode ter certeza de que o apocalipse começou.

— Tudo bem, então. Se você quiser, o papai e eu podemos ler depois do jantar.

— Claro, vou imprimir uma cópia.

O apito de trem do celular de Pip tocou. Barney deu um salto e sua mãe fez cara feia.

— Nada de celulares na mesa — ordenou ela.

— Desculpe — disse Pip. — Vou só colocar no silencioso.

Poderia ser apenas o começo de um dos longos monólogos que Cara enviava, frase por frase, e que faziam o celular de Pip se tornar uma estação infernal, com uma confusão frenética de trens apitando uns sobre os outros. Ou talvez fosse Ravi. Pip pegou o celular, espiou a tela em seu colo e clicou para silenciar o aparelho.

Sentiu o sangue sumir do rosto.

Uma onda de calor percorreu suas costas e quebrou em seu estômago, que se agitou e empurrou o jantar para cima. Sua garganta se contraiu com o medo repentino.

— Pip?

— Hum... Eu... vontade urgente de fazer xixi — anunciou ela, levantando-se em um pulo, com o celular na mão, e quase tropeçando no cachorro.

Saiu correndo da sala de jantar e atravessou o corredor. As meias de lã grossas a fizeram deslizar no piso de carvalho polido, e Pip caiu, amortecendo a queda em um cotovelo só.

— Pippa? — chamou a voz de Victor.

— Estou bem! — gritou ela de volta. — Só escorreguei.

Pip se levantou, entrou no banheiro e trancou a porta. Baixando a tampa do vaso sanitário com um gesto brusco, ela se sentou. Segurando o celular nas mãos trêmulas, Pip desbloqueou a tela e clicou na mensagem.

Sua vadia estúpida. Deixe isso para lá enquanto ainda pode.

De um número desconhecido.

PIPPA FITZ-AMOBI
QPE 08/10/2017
DIÁRIO DE PRODUÇÃO — 24ª ENTRADA

Não consigo dormir.

Preciso ir para a escola daqui a cinco horas, mas não consigo dormir.

Agora tenho certeza de que não é uma brincadeira. O bilhete em meu saco de dormir, a mensagem de texto. É tudo real. Desde a noite do acampamento, acabei com os vazamentos de informação da pesquisa: os únicos que sabem o que descobri são Ravi e os entrevistados.

No entanto, alguém sabe que estou chegando perto da verdade e está começando a se apavorar. Alguém que me seguiu na floresta. Alguém que tem meu número.

Tentei mandar mensagem de volta, um *"quem é?"* idiota. Deu erro no envio. Pesquisei e descobri que existem sites e aplicativos para mandar mensagens anônimas, então não consigo responder nem descobrir quem foi.

O nome que aparece na tela é apropriado. Desconhecido.

Será que foi o Desconhecido que assassinou Andie Bell? E quer que eu sabia que estou na sua mira também?

Não posso ir à delegacia. Ainda não tenho provas suficientes. Só tenho declarações não juramentadas de pessoas que conheciam diferentes fragmentos das vidas secretas de Andie. Tenho uma lista com sete suspeitos, mas nenhum principal. Há pessoas demais em Little Kilton com motivos para matar Andie.

Preciso de uma prova concreta.

Preciso daquele celular descartável.

E só então vou deixar isso para lá, Desconhecido. Só depois que a verdade vier à tona e você for preso.

vinte e dois

— Por que estamos aqui? — perguntou Ravi quando a avistou.

— Shhh — sibilou Pip, agarrando a manga do casaco dele e puxando-o para trás da árvore com ela.

A garota espreitou tirando a cabeça de trás do tronco, de olho na casa do outro lado da rua.

—Você não devia estar na escola? — questionou ele.

— Fingi que estava doente, está bem? — retrucou Pip. — Não me faça sentir ainda pior.

—Você nunca tinha fingido que estava doente antes?

— Só faltei quatro dias de aula. Na vida. Isso quando eu peguei catapora — sussurrou, com os olhos fixos no casarão rústico.

Os tijolos velhos, salpicados de um amarelo-pálido a um castanho-avermelhado escuro, estavam cheios de uma hera que subia até o telhado torto, onde três altas chaminés se empoleiravam. Do outro lado da rua vazia, o portão branco da garagem refletia o sol da manhã de outono. Era a última casa antes da subida que dava na igreja.

— O que a gente está fazendo aqui? — insistiu Ravi, esticando a cabeça do outro lado da árvore para ver o rosto de Pip.

— Estou aqui desde as oito e pouco da manhã — disparou ela, mal parando para respirar. — Faz uns vinte minutos que Becca saiu. Está estagiando no escritório do *Kilton Mail*. Dawn saiu logo que eu cheguei. Segundo minha mãe, ela trabalha meio período na sede de uma instituição de caridade em Wycombe. Agora são 9h15, então ainda deve demorar a voltar. E não tem alarme na frente da casa.

A última palavra terminou em um bocejo. Pip quase não dormira na noite anterior. Tinha acordado repetidas vezes para encarar a mensagem do Desconhecido, até as palavras ficarem marcadas na parte interna de suas pálpebras, assombrando-a sempre que fechava os olhos.

— Pip — chamou Ravi, trazendo a atenção de volta para ele.

— Mas, de novo, por que a gente está aqui? — Seus olhos já estavam arregalados em repreensão. — Diga que não é o que eu estou pensando.

— Para invadir a casa. Precisamos encontrar aquele celular descartável.

Ele gemeu.

— Como é que eu já sabia que você ia dizer isso?

— É uma prova, Ravi. Uma prova concreta de que ela traficava drogas com Howie. Talvez revele quem era o Cara Mais Velho Secreto com quem ela se relacionava. Se a gente encontrar o celular, podemos fazer uma denúncia anônima para a polícia e talvez reabrir a investigação para encontrar o verdadeiro assassino.

— Certo, mas deixe eu fazer uma observação rápida — começou Ravi, levantando o dedo. — Você está pedindo para mim, o irmão da pessoa que todo mundo acha que matou Andie Bell, invadir a casa dos Bell? Sem contar todos os problemas que eu teria por ser um garoto de pele marrom invadindo a casa de uma família branca.

— Que merda, Ravi — disse Pip, voltando a se esconder atrás da árvore, com a respiração presa na garganta. — Desculpe, eu não pensei direito.

Ela realmente não tinha pensado naquilo direito. Estava tão convencida de que a verdade os esperava naquela casa que sequer considerou a situação em que estava metendo Ravi. Era óbvio que ele não podia invadir a casa com ela. A cidade já o tratava como um criminoso, e as coisas ficariam ainda piores se fossem pegos.

Desde que Pip era pequena, seu pai sempre chamou atenção para a diferença das experiências dos dois no mundo, explicando a cada vez que algo acontecia: quando alguém o seguia em uma loja, quando alguém o questionava por estar sozinho com uma criança branca, quando alguém presumia que ele era o segurança no escritório, e não sócio da firma de advocacia. Pip cresceu determinada a nunca ignorar essas diferenças nem seus próprios privilégios.

Mas havia ignorado tudo isso naquela manhã. Estava brava consigo mesma, e seu estômago se revirava de forma desconfortável, como um furacão.

— Desculpe — repetiu. — Eu fui burra. Sei que você não pode correr os mesmos riscos que eu. Vou entrar sozinha. Talvez você possa ficar aqui fora, de olho?

— Não — rebateu ele, pensativo, afundando os dedos no cabelo. — Se é assim que vamos limpar o nome do Sal, tenho que ir também. Vale a pena. É importante. Ainda acho que é irresponsável e estou me cagando de medo, mas... — Ravi fez uma pausa, abrindo um sorrisinho. — No fim das contas, somos parceiros de crime. O que quer dizer que somos parceiros para o bem ou para o mal.

— Tem certeza?

Pip trocou o pé de apoio e a alça da mochila caiu até a curva de seu cotovelo.

— Tenho — concordou ele, estendendo a mão e colocando a alça de volta no lugar.

— Está bem. — Pip se virou para inspecionar a casa vazia. — E, se serve de consolo, sermos pegos não está nos meus planos.

— Mas *qual* é o plano? Quebrar uma janela?

Pip ficou boquiaberta.

— De jeito nenhum. Estava pensando em usar a chave reserva. Todo mundo em Kilton tem uma escondida em algum lugar.

— Ah... certo. Vamos lá investigar a área, sargento.

Ravi a olhou com atenção e fingiu fazer uma sequência complexa de gestos militares. Ela deu um peteleco para fazê-lo parar.

Pip foi na frente, atravessando a rua e o gramado rapidamente. Ainda bem que os Bell viviam bem no fim de uma rua tranquila, então não havia ninguém por perto. Ela alcançou a porta e se virou para observar Ravi correndo em disparada, com a cabeça baixa, para se juntar a ela.

Primeiro, procuraram sob o capacho, onde a família de Pip guardava a chave reserva. Não tiveram sorte. Ravi estendeu a mão e tateou a moldura acima da porta, mas as pontas dos dedos só voltaram cobertas de poeira e fuligem.

— Tudo bem, então você olha naquele arbusto e eu neste aqui.

Não havia nenhuma chave embaixo dos arbustos, nem escondida ao redor das arandelas, nem mesmo em um prego secreto atrás da trepadeira.

— Ah, não é possível... — disse Ravi, apontando para um sino dos ventos pendurado ao lado da porta da frente.

Ele serpenteou a mão pelos tubos do metal, cerrando os dentes quando dois se chocaram em um tinido.

— Ravi! — repreendeu Pip com um sussurro urgente. — O que você...?

Ele tirou algo da pequena plataforma de madeira entre os sinos e ergueu para Pip. Era uma chave com um pedacinho de fita adesiva velha grudado.

— Arrá! E o aprendiz se torna o mestre. Você pode até ser a sargento, sargento, mas eu sou o inspetor-chefe.

— Cale a boca, Singh.

Pip tirou a mochila do ombro e a colocou no chão. Enfiou a mão lá dentro e, de cara, encontrou o que estava procurando quando seus dedos pousaram na textura lisa de vinil. Ela puxou o objeto.

— O qu... Prefiro nem perguntar.

Ravi riu, balançando a cabeça enquanto Pip colocava as luvas de látex amarelo.

— Estou prestes a cometer um crime — explicou ela. — Não quero deixar impressões digitais. Tem um par para você também.

Ela estendeu a palma amarela fluorescente. Ravi entregou a chave e se abaixou para vasculhar a bolsa de Pip, agarrando um par de luvas roxas com estampa de flores.

— O que é isso? — perguntou.

— São as luvas de jardinagem da minha mãe. Olha, eu não tive muito tempo para planejar isso.

— Deu para perceber — murmurou Ravi.

— Esse é o maior par. Coloque logo.

— Homens *de verdade* usam flores para praticar invasões — declarou Ravi, colocando as luvas e batendo palmas.

Assentiu para indicar que estava pronto.

Pip colocou a mochila no ombro e foi até a porta. Respirou fundo e prendeu o ar. Usando uma das mãos para manter a outra firme, guiou a chave para dentro da fechadura e a girou.

vinte e três

A luz do sol os acompanhou para o interior da casa, iluminando o corredor de azulejos e formando uma faixa longa e brilhante. Quando passaram pela soleira da porta, suas sombras atravessaram a listra iluminada, criando uma só silhueta esticada, com duas cabeças e um emaranhado de braços e pernas em movimento.

Ravi fechou a porta, e eles avançaram pelo corredor devagar. Pip andava na ponta dos pés, apesar de saber que não tinha mais ninguém ali. Havia visto aquela casa muitas vezes antes, retratada em diversos ângulos com policiais de uniforme preto e colete fluorescente enxameando o lado de fora. Mas sempre do lado de fora. Tudo o que ela havia visto do interior foram fragmentos de quando a porta estava aberta e um fotógrafo de imprensa capturou o momento para sempre.

A fronteira entre o lado de fora e o de dentro parecia significativa.

Ela percebeu que Ravi sentia o mesmo pela maneira como prendia a respiração. A atmosfera da casa era pesada. Segredos capturados no silêncio flutuavam ao redor como partículas invisíveis de poeira. Pip nem queria pensar muito alto para não atrapalhar aquele lugar quieto onde Andie Bell foi vista com vida pela última vez, quando era apenas alguns meses mais velha do que Pip. A própria casa fazia parte do mistério, parte da história de Little Kilton.

Eles seguiram em direção à escada, olhando para a luxuosa sala de estar à direita e a enorme cozinha vintage à esquerda, mobiliada com armários azul-claros e uma ilha com tampo de madeira.

Então ouviram um barulho. Um pequeno baque no andar de cima.

Pip congelou, e Ravi agarrou sua mão enluvada.

Outro baque, dessa vez mais perto, bem acima de suas cabeças.

Pip olhou de volta para a porta: chegariam a tempo?

As pancadas se tornaram um tilintar frenético, e, alguns segundos depois, um gato preto apareceu no topo da escada.

— Caramba — disse Ravi, relaxando os ombros e soltando a mão de Pip, seu alívio se transformando em uma verdadeira rajada de ar pelo silêncio.

Pip soltou um riso ansioso pelo nariz, sentindo as mãos começarem a suar dentro do látex. O gato desceu correndo as escadas, parando no meio do caminho para miar para eles. Pip, nascida e criada para amar cachorros, não sabia ao certo como reagir.

— Oi, gato — sussurrou, enquanto o animal descia o resto da escada e se esgueirava até ela.

O bicho esfregou o rosto em suas canelas, passando para dentro e para fora de suas pernas.

— Pip, eu não gosto de gatos — confessou Ravi, inquieto, observando com aversão o gato pressionar o crânio coberto de pelos em seus tornozelos.

Pip se abaixou e fez um carinho no animal com a mão enluvada. O gato se voltou para ela e começou a ronronar.

— Vamos lá — disse para Ravi.

Afastando o gato de suas pernas, Pip se dirigiu para a escada. Enquanto subia os degraus, com Ravi em seu encalço, o gato miou e correu atrás deles, esfregando-se nas pernas do garoto.

— Pip...

A voz de Ravi falhou, enquanto ele tentava não pisar no gato. Pip enxotou o felino, que trotou escada abaixo e entrou na cozinha.

— Eu não estava com medo — acrescentou ele, de forma pouco convincente.

Segurando o corrimão, Pip subiu o restante dos degraus, quase derrubando um notebook e um pendrive equilibrados bem no final, quase no topo da escada. Um lugar estranho para deixá-los.

Quando chegaram ao andar de cima, Pip estudou as várias portas. O quarto dos fundos não podia ser o de Andie — a colcha floral estava amarrotada como se alguém tivesse dormido ali, além de ter um par de meias na cadeira do canto. Também não podia ser o quarto da frente, onde via um roupão esparramado pelo chão e um copo d'água na mesa de cabeceira.

Ravi foi o primeiro a perceber. Deu um tapinha gentil no braço dela e apontou. Havia apenas uma porta fechada, e os dois atravessaram o corredor até lá. Pip agarrou a maçaneta dourada e abriu a porta.

Ficou óbvio que aquele era o quarto *dela*.

Tudo parecia encenado e estagnado. Embora tivesse todos os adereços do quarto de uma adolescente — fotos de Andie entre Emma e Chloe, posando com os dedos em sinal de paz; uma foto dela e de Sal com um algodão-doce; um velho ursinho marrom na cama, ao lado de uma bolsa de água quente fofinha; e um estojo transbordando de maquiagens em cima da mesa —, o quarto não parecia real. Era um lugar sepultado em cinco anos de luto.

Pip deu o primeiro passo no tapete creme felpudo.

Seu olhar percorreu as paredes lilases e os móveis de madeira branca; tudo estava limpo e lustrado, com rastros do uso do aspirador pelo tapete. Dawn Bell ainda limpava o quarto da filha morta, preservando-o da forma que era quando Andie saiu de lá pela última vez. Não tinha sua filha, mas ainda tinha o lugar onde ela dormira, onde acordara, onde se vestira, onde berrara e batera a porta, onde a mãe sussurrara boa-noite e apagara a luz. Ou pelo menos foi o que Pip imaginou, reanimando o quarto vazio com a vida que podia ter sido vivida ali. Aquele quarto esperaria para sempre por alguém que nunca voltaria, enquanto o mundo girava do lado de fora da porta fechada.

Ela olhou para Ravi e, pela expressão em seu rosto, soube que havia um cômodo exatamente igual àquele na casa dos Singh.

Apesar de Pip ter começado a sentir que conhecia Andie, a garota por trás de tantos segredos, o quarto a tornou uma pessoa real pela primeira vez. Enquanto iam até o guarda-roupa, Pip prometeu silenciosamente ao quarto que descobriria a verdade. Não apenas por Sal, mas por Andie também.

A verdade que podia estar escondida bem ali.

— Pronta? — sussurrou Ravi.

Ela assentiu.

Ele abriu o guarda-roupa abarrotado de vestidos e moletons em cabides de madeira. Em uma extremidade, estava pendurado o antigo uniforme escolar de Andie, esmagado contra a lateral do móvel por saias e blusas, sem um centímetro de espaço entre as peças.

Atrapalhando-se com a luva de látex, Pip tirou o celular do bolso da calça jeans e ligou a lanterna. Ela se ajoelhou, com Ravi ao lado, e os dois se arrastaram por baixo das roupas, iluminando as velhas tábuas do assoalho. Começaram a cutucar o piso, passando os dedos por cima da madeira e tentando levantar as bordas.

Ravi encontrou. Era a tábua dos fundos, à esquerda.

Ele empurrou um canto para baixo e o lado oposto da tábua subiu. Pip se arrastou para a frente e a retirou do piso, colocando-a para trás. Com a iluminação do celular, Pip e Ravi se inclinaram para olhar dentro do espaço escuro.

— Não pode ser.

Ela moveu a lanterna para dentro do pequeno compartimento para se certificar, procurando em todos os cantos. Mas iluminou apenas camadas de poeira, espalhando-se em redemoinhos devido à respiração acelerada dos dois.

Estava vazio. Sem celular. Sem dinheiro. Sem drogas. Nada.

— Não está aqui — anunciou Ravi.

A decepção se manifestou como uma perfuração no estômago de Pip, abrindo espaço para o medo.

— Eu achei mesmo que estaria aqui — continuou ele.

Pip também. Achou que a tela do celular descartável de Andie revelaria o nome do assassino para eles e a polícia faria o resto. Achou que estaria a salvo do Desconhecido. Era para ter acabado, pensou. Pip sentiu a garganta se contrair como se estivesse prestes a chorar.

Ela deslizou a tábua de volta para o lugar e, com o cabelo se enrolando por um momento no zíper de um vestido longo, saiu do guarda-roupa depois de Ravi. Então se levantou, fechou a porta do móvel e se virou para ele.

— Onde mais o celular descartável poderia estar? — perguntou o garoto.

— Talvez Andie estivesse com ele quando morreu, e agora ou está enterrado com ela ou foi destruído pelo assassino.

— Ou... — ponderou Ravi, estudando os itens na mesa de Andie. — Ou um certo alguém sabia onde o celular estava escondido e o pegou depois que ela desapareceu, deduzindo que o aparelho levaria a polícia até ele se fosse encontrado.

— Ou isso — concordou Pip. — Mas não serve de nada agora.

Ela se juntou a Ravi perto da mesa. Em cima do estojo de maquiagem, havia uma escova com longos fios de cabelos loiros ainda enroscados nas cerdas. Ao lado, Pip avistou uma agenda escolar do Colégio Kilton dos anos de 2011/2012, quase idêntica à dela do ano vigente. Andie tinha decorado a folha de rosto, sob o plástico, com corações e estrelas rabiscados e pequenas imagens de modelos profissionais.

Pip folheou algumas páginas. Os dias estavam preenchidos com anotações dos deveres de casa e das avaliações das disciplinas. Novembro e dezembro tinham vários dias de visitas a universidades listados. Na semana antes do Natal, havia um lembrete para *talvez comprar um presente de Natal para Sal*. Datas e lugares de festas do apocalipse, prazos escolares, aniversários. E, estranhamente, letras aleatórias com horas escritas ao lado.

— Ei. — Ela mostrou a agenda para Ravi. — Olha estas iniciais estranhas. O que você acha que querem dizer?

Ravi as encarou por um momento, apoiando o queixo na mão coberta pela luva de jardinagem. Então ele enrijeceu as sobrancelhas, e seus olhos escureceram.

—Você se lembra daquilo que Howie Bowers disse para a gente? Que ele tinha falado para Andie usar códigos em vez de nomes?

—Talvez estes sejam os códigos. — Pip completou o raciocínio, traçando o dedo coberto de látex sobre as letras aleatórias. — A gente deveria documentar isso.

Ela colocou a agenda na mesa e pegou o celular outra vez. Ravi a ajudou a tirar uma das luvas, e ela clicou no ícone da câmera. Ravi virou as páginas até fevereiro de 2012, e Pip tirou fotos de duas em duas páginas, até a semana logo após o feriado de Páscoa, em abril. A última coisa que Andie escrevera na sexta-feira foi: *Começar revisão de francês logo*. Onze fotos ao todo.

— Tudo bem — disse Pip, guardando o celular no bolso e recolocando a luva. — A gente...

A porta da frente bateu no andar de baixo.

Ravi girou a cabeça, com o terror crescendo em suas pupilas.

Pip largou a agenda no lugar, depois acenou em direção ao guarda-roupa.

— Lá dentro — sussurrou.

Ela abriu as portas e engatinhou para dentro. Ravi continuava do lado de fora do armário, de joelhos. Pip se espremeu para abrir espaço para ele entrar, mas Ravi não se mexeu. Por que não estava se mexendo?

Pip estendeu a mão e o agarrou, puxando-o contra a parede do fundo. Ravi finalmente voltou à vida — segurou as portas do guarda-roupa e, em silêncio, fechou-as por dentro.

Ouviram passos de salto alto no corredor. Será que Dawn Bell já tinha voltado do trabalho?

Uma voz ecoou pela casa:

— Oi, Monty.

Era Becca.

Pip sentiu, em seu próprio corpo, o quanto Ravi estava tremendo ao seu lado. Segurou a mão dele, e as luvas de látex fizeram barulho com o movimento.

Então ouviram Becca na escada, cada passo mais alto do que o anterior, o tilintar da coleira do gato logo atrás.

— Ah, eu deixei aqui! — exclamou ela, parando no topo da escada.

Pip apertou a mão de Ravi, esperando que o garoto entendesse seu pedido de desculpas. Esperando que ele soubesse que ela levaria toda a culpa se pudesse.

A voz de Becca se aproximou:

— Monty, você veio aqui?

Ravi fechou os olhos.

— Você sabe que não pode entrar neste quarto.

Pip escondeu o rosto no ombro dele.

240

Becca estava no quarto também. Podiam ouvir sua respiração, o estalar de sua língua dentro da boca. Mais passos abafados pelo carpete grosso. Então o som da porta do quarto de Andie se fechando.

As próximas palavras de Becca ficaram abafadas:

— Tchau, Monty.

Ravi abriu os olhos devagar, apertando a mão de Pip, com a respiração disparada ondulando pelo cabelo dela.

A porta da frente bateu outra vez.

PIPPA FITZ-AMOBI
QPE 09/10/2017
DIÁRIO DE PRODUÇÃO — 25ª ENTRADA

Bom, achei que precisaria de uns seis cafés para continuar acordada pelo resto do dia. Acabou que aquele encontro por um triz com Becca foi mais do que suficiente. Ravi ainda não tinha voltado ao normal quando teve que sair para trabalhar. Mal consigo acreditar no quão perto ficamos de ser pegos. E que o celular descartável não estava lá... Mas talvez a invasão tenha sido útil mesmo assim.

Enviei as fotos da agenda de Andie para mim mesma por e-mail, para vê-las maiores na tela do notebook. Analisei cada uma dezenas de vezes e acho que algumas coisas dão o que pensar.

Há muito a ser observado só na página da semana depois do feriado de Páscoa, quando Andie desapareceu. Não consigo ignorar o placar *Gorda da Silva 0 x 3 Andie*. Isso foi logo após Andie ter postado o vídeo de Nat na internet. E sei pela Nat que ela só voltou a ir para a escola na quarta-feira, 18 de abril, e Andie a chamou de vadia no corredor, levando à ameaça de morte enfiada no armário dela.

Mas, julgando o placar por si só, parece que Andie estava satisfeita pelas três vitórias que teve contra Nat nos jogos doentios do ensino médio. E se o vídeo de Nat seminua corresponder a um desses pontos, e a chantagem de Andie para Nat para sair de *As bruxas de Salém* corresponder a outro? Então qual foi a terceira coisa que Andie fez contra Nat da Silva para estar se gabando aqui? Isso teria feito Nat explodir e se tornar uma assassina?

Outra anotação relevante nessa página está na quarta-feira, 18 de abril. Andie escreveu: *EE às 7h30.*

2012

JAN FEV MAR (ABR) MAI JUN JUL AGO SET OUT NOV DEZ

SEGUNDA 16

Francês — tradução de trecho para sexta
Teatro — fazer anotações do Ato 1 cena 4
~~////////////////////~~
Compras com a Chlo Chlo depois da aula

TERÇA 17

Fazer tradução hoje!!!
↑ Ou pegar de Sal
Ensaio com Jamie e Lex no almoço

QUARTA 18

[Gorda da Silva 0 x 3 Andie]
Geo — ler e resumir capítulo sobre rios
→ EE às 7h30

QUINTA 19

– pegar tradução de Chris Parks
• Teatro — mandar Lex conseguir cigarros de menti-
ra (preguiça)
• Períodos 5 e 6 livres — ir p/ casa da Em

SEXTA 20

Começar revisão de francês logo

SÁBADO/DOMINGO 21/22

CALENDÁRIO

CONTATOS

TAREFAS

ANOTAÇÕES

AVULSOS

Se Ravi estiver certo e esta for uma anotação em código, acho que acabei de decifrá-la. É tão simples.

EE = estacionamento da estação. Ou seja, o estacionamento da estação de trem. Acho que Andie fez um lembrete de que tinha um encontro com Howie no estacionamento naquela noite. Sei que ela *foi mesmo* encontrar Howie naquela noite porque Sal anotou a placa do carro de Howie no celular às 19h42 da mesma quarta-feira.

Há muitas outras ocorrências de EE junto com horários nas fotos que tiramos. Acho que posso afirmar com segurança que se referem ao tráfico de drogas de Andie com Howie e que ela estava seguindo as instruções de Howie para usar códigos e esconder suas atividades de quaisquer olhos curiosos. Mas, como qualquer adolescente, Andie era propensa a esquecer coisas — especialmente seus compromissos —, então anotava o horário dos encontros na agenda que veria pelo menos uma vez a cada aula. A forma perfeita de refrescar a memória.

Então, agora que acho que decifrei o código de Andie, há algumas outras anotações com iniciais e horas para analisar.

Durante uma semana em meados de março, Andie escreveu na quinta-feira, dia 15: *IV às 8h*.

Essa anotação me deixou perplexa. Se seguir o mesmo padrão de código, então IV = I... V...

Se, assim como EE, IV se referir a um lugar, não faço a menor ideia do que seja. Não consigo pensar em nenhum lugar em Kilton que comece com essas iniciais. Mas e se IV se referir ao nome de alguém? Só aparece três vezes nas páginas que fotografamos.

Há uma anotação similar que aparece com muito mais frequência: *CH às 6h*. Mas em 17 de março, Andie também escreveu "antes da apoc" logo abaixo. "Apoc" provavelmente quer dizer "festa do apocalipse". Então talvez CH signifique só "casa do Howie", e Andie fosse pegar drogas para levar à festa.

2012

JAN FEV **MAR** ABR MAI JUN JUL AGO SET OUT NOV DEZ

SEGUNDA 12

Ler cap. 9 do encore tricolore
Teatro — ler A tragédia do vingador
→ EE às 6h

TERÇA 13

Ler A tragédia do vingador

QUARTA 14

Ler a droga da tragédia
— comprar presentes para EH + LB

QUINTA 15

• Pesquisar na Wikipédia a trama de A tragédia
do vingador
• Exercícios de francês
→ IV às 8h

SEXTA 16

!!! Simulado da prova de Geografia !!!

SÁBADO/DOMINGO 17/18

Sáb: LH às 6h
∧ antes da apoc

2012

JAN FEV (MAR) ABR MAI JUN JUL AGO SET OUT NOV DEZ

SEGUNDA 5

- Escolher entre A tragédia do vingador ou Macbeth para prova de teatro
- ir pro Sal mais tarde ~~tarde~~

TERÇA 6

- Ver Macbeth no youtube
- Cap 6 da apostila de francês

QUARTA 7

~~████████████~~

Geografia — esboço do trabalho para sexta
→ EE às 6h30

QUINTA 8   ~~0770090047b~~

- Começar a ler A tragédia do vingador para o teatro

SEXTA 9

- 3º período livre — almoçar fora com as manassss
- Exercícios de francês

SÁBADO/DOMINGO 10/11

Carro na vistoria
affeeeeeeeeee

Outra semana de março também chamou minha atenção. Os números escritos e riscados na quinta-feira, dia 8, formam um número de telefone. Onze dígitos começando com 07; só pode ser. Pensando alto aqui: por que Andie escreveria um número de telefone na agenda escolar? Óbvio que a agenda estaria com ela na maior parte do tempo, tanto na escola quanto fora, assim como eu fico com a minha o tempo todo na bolsa. Mas se ela estava anotando um número novo, por que não salvou direto no celular? A menos que, talvez, não quisesse salvar o número no celular *de verdade*. Talvez tenha escrito na agenda porque não estava com o celular descartável na hora, e era lá onde queria que o número ficasse salvo. Será que é o telefone do Cara Mais Velho Secreto? Ou talvez um número novo de Howie? Ou um novo cliente querendo comprar drogas? Depois que Andie salvou o número no celular descartável, deve ter riscado na agenda para escondê-lo.

Fiquei encarando o rabisco por uma boa meia hora. Parece que os primeiros oito dígitos são: 07700900. É possível que os últimos dois números sejam, na verdade, 88, mas acho que é apenas uma impressão causada pela rasura. Já nos últimos três dígitos a situação fica um pouco complicada. O primeiro deles parece ser um 7 ou um 9 por causa da perninha e da linha em forma de gancho em cima. O próximo dígito, estou muito confiante de que seja um 7 ou um 1, a julgar pela linha reta na parte de cima. E por fim, o último dígito tem uma curva, então só pode ser um 6, um 0 ou um 8.

Isso nos deixa com as seguintes possíveis combinações:

07700900776	07700900976	07700900716	07700900916
07700900770	07700900970	07700900710	07700900910
07700900778	07700900978	07700900718	07700900918

Tentei ligar para a primeira coluna. Obtive a mesma resposta robótica em todas as ligações: *Desculpe, este número de telefone não foi reconhecido. Por favor, desligue e tente novamente.*

Da segunda coluna, em um número falei com uma senhora idosa de Manchester, que nunca tinha ouvido falar de Little Kilton; o outro *não foi reconhecido*; e o último estava *fora de serviço*. A terceira coluna acumulou dois que deram *não foi reconhecido* e uma caixa postal genérica de operadora. Nos três números finais, caí na caixa postal de um engenheiro de caldeiras chamado Garrett Smith que tinha um forte sotaque de Newcastle, outro está *fora de serviço* e o último foi direto para uma caixa postal genérica.

Correr atrás desse número de telefone é outro beco sem saída. Mal consigo identificar os últimos três dígitos e já faz pelo menos uns cinco anos que Andie anotou, então provavelmente está fora de uso. Vou continuar tentando os números que caíram em caixas postais genéricas, só por via das dúvidas. Mas realmente preciso de a) uma boa noite de sono e b) terminar minha inscrição para Cambridge.

LISTA DE SUSPEITOS
Jason Bell
Naomi Ward
Cara Mais Velho Secreto
Nat da Silva
Daniel da Silva
Max Hastings
Howie Bowers

PIPPA FITZ-AMOBI
QPE 11/10/2017
DIÁRIO DE PRODUÇÃO — 26ª ENTRADA

Enviei a inscrição para a Universidade de Cambridge hoje de manhã. E a escola me inscreveu para o ELAT — o teste de admissão pré-entrevista em literatura inglesa —, que vai acontecer no dia 2 de novembro. Hoje, nos meus períodos livres, comecei a olhar minhas redações antigas para enviar para as admissões. Gosto da que fiz sobre Toni Morrison, mas nenhuma outra é boa o suficiente. Preciso escrever uma nova, acho que sobre Margaret Atwood.

Realmente deveria fazer isso agora, mas fiquei presa de novo no mundo de Andie Bell, revisitando o documento da QPE quando deveria estar trabalhando em uma página em branco. Li a agenda de Andie tantas vezes que quase consigo recitar as anotações de fevereiro a abril de cor.

Uma coisa é bastante nítida: Andie Bell era uma procrastinadora de dever de casa.

Duas outras coisas são meio nítidas também, se valendo de algumas suposições: EE se refere aos encontros de Andie com Howie no estacionamento da estação e CH se refere aos encontros na casa dele.

Ainda não consegui desvendar o significado de IV. O código aparece apenas três vezes: na quinta-feira, 15 de março, às 20h; na sexta-feira, 23 de março, às 21h; e na quinta-feira, 29 de março, às 21h.

Ao contrário dos EE ou CH, que aparecem com horários diferentes, IV é uma vez às oito da noite e duas vezes às nove.

Ravi também está trabalhando nisso. Acabou de me enviar um e-mail com uma lista de nomes de pessoas/lugares que ele acha que podem ser ıv. Estendeu a pesquisa para além de Kilton, considerando também as cidades e vilarejos vizinhos. Eu deveria ter pensado nisso.

A LISTA DELE:

Boate Imperial Vault, em Amersham
Hotel Ivy House, em Little Chalfont
Ida Vaughan, noventa anos, mora em Chesham
Cafeteria Os Quatro em Wendover (ıv = quatro em numeral romano)

Certo, vamos para o Google.

O site do Imperial Vault diz que a boate foi inaugurada em 2010. Pela localização no mapa, parece ser no meio do nada, uma boate com laje de concreto e estacionamento em uma onda de grama verde pixelada. Tem noite dos estudantes toda quarta e sexta-feira e eventos regulares do tipo "A noite das garotas". Pertence a um homem chamado Rob Hewitt. Talvez Andie estivesse frequentando o lugar para vender drogas. Podemos ir até lá e pedir para falar com o proprietário.

O Hotel Ivy House não tem site próprio, mas tem uma página no TripAdvisor com apenas duas estrelas e meia de nota. É uma pequena pousada familiar com quatro quartos disponíveis, próxima à estação Chalfont. Pelas poucas fotos, aparenta ser um lugar pitoresco e aconchegante, mas, de acordo com Carmel672, fica em "uma estrada movimentada e barulhenta que não deixa você dormir". Trevor59 também não ficou nem um pouco satisfeito com o serviço; reservaram o mesmo quarto para ele e outra pessoa por engano, e ele precisou encontrar outra acomodação. T9Jones disse que "a família é simpática", mas o banheiro era "desgastado e imundo — com manchas nojentas na banheira". Até postou algumas fotos para reforçar os argumentos.

CARAMBA.

Ai, meu deus, ai, meu deus, ai, meu deus. Já faz trinta segundos que estou dizendo "ai, meu deus" sem parar, mas não é o bastante; preciso digitar também. Ai, Meu Deus.

E Ravi não está atendendo a droga do celular!

Meus dedos não conseguem acompanhar meu cérebro. T9Jones postou duas fotos da banheira em ângulos diferentes. Então tirou uma foto à distância que mostra o banheiro todo. Ao lado da banheira, há um espelho de corpo inteiro na parede; dá para ver T9Jones e o flash do celular refletidos. Dá para ver o restante do banheiro também, do teto creme com luzes embutidas redondas até o chão azulejado. *Um piso de ladrilhos vermelhos e brancos.*

Prometo comer meu chapéu fofinho com cabeça de raposa se estiver errada, MAS tenho quase certeza de que é o mesmo chão de azulejos da foto escondida atrás do pôster de *Cães de Aluguel* no quarto de Max Hastings. Andie estava nua, exceto pela calcinha preta, fazendo beicinho para um espelho, este espelho... no Hotel Ivy House, em Little Chalfont.

Se eu estiver certa, então Andie foi àquele hotel pelo menos três vezes em um período de três semanas. Para se encontrar com quem? Com Max? Com o Cara Mais Velho Secreto?

Pelo jeito, vou para Little Chalfont depois da escola amanhã.

vinte e quatro

O trem soltou alguns guinchos abafados ao arrancar e ganhar velocidade. O impacto balançou a caneta de Pip, provocando um risco na página que continha a introdução de sua redação. Ela suspirou, arrancou a folha do bloco e fez uma bolinha. Não estava bom, de qualquer forma. Enfiou a bola de papel na mochila e preparou a caneta para escrever de novo.

Estava no trem para Little Chalfont. Ravi a encontraria lá, pois iria direto do trabalho, então ela pensou em usar os onze minutos de trajeto para fazer algo útil, o primeiro rascunho de sua redação sobre Margaret Atwood. Mas, relendo o que já tinha escrito, nada parecia certo. Pip sabia o que queria dizer, mas as palavras se perdiam no caminho do cérebro para os dedos. Sua mente esbarrava numa distração chamada Andie Bell.

A voz gravada nos alto-falantes anunciou que Chalfont era a próxima parada, e Pip, agradecida, desviou o olhar do fino bloco A4 e o enfiou de volta na mochila. O trem diminuiu a velocidade e parou com um suspiro mecânico agudo. Ela saltou para a plataforma e inseriu a passagem na catraca.

Ravi estava esperando do lado de fora.

— Sargento — cumprimentou ele, tirando o cabelo escuro dos olhos. — Estava compondo nossa música tema de combate ao crime. Até agora, pensei em violinos assustadores e uma flauta pan quando for eu, e daí você entra com alguns trompetes mais pesados, no estilo Darth Vader.

— Por que eu fico com os trompetes?

— Porque você pisa forte quando anda. Desculpe por ter que ser a pessoa a dizer isso.

Pip pegou o celular e digitou o endereço do Hotel Ivy House no aplicativo de mapas. Uma linha apareceu na tela, e eles seguiram o trajeto de três minutos a pé, com o círculo azul deslizando ao longo da rota.

Pip olhou para cima quando o círculo azul da sua localização colidiu com o pino vermelho que indicava o destino. Havia um pequeno letreiro de madeira na entrada que dizia *Hotel Ivy House* em letras esculpidas desbotadas. O caminho era inclinado e de cascalho, levando a uma casa de tijolos vermelhos quase coberta por hera rasteira. A trepadeira estava tão densa de folhas verdes que a própria casa parecia tremer com o vento suave.

Os passos dos dois esmagavam as pedras enquanto se dirigiam à porta da frente. Pip observou o carro estacionado, o que indicava que deveria ter alguém lá dentro. Com sorte, seriam os proprietários, e não hóspedes.

Ela enfiou o dedo na campainha de metal e deixou tocar uma longa nota.

Ouviram uma vozinha vindo de dentro, alguns passos lentos e arrastados, e então a porta se abriu, gerando um tremor na trepadeira. Uma senhora de cabelo grisalho e fofinho, óculos de lentes grossas e um suéter com estampa de Natal fora de época sorriu para eles.

— Olá, queridos. Não sabia que estávamos esperando hóspedes. A reserva foi feita no nome de quem? — perguntou, conduzindo Pip e Ravi para dentro da casa e fechando a porta.

Eles entraram em um cômodo mal-iluminado, com um sofá e uma mesa de centro à esquerda, e uma escada branca percorrendo a parede oposta.

— Ah, desculpe — disse Pip, voltando-se para a mulher —, na verdade a gente não fez uma reserva.

— Entendi, bom, para a sorte de vocês, não estamos lotados, então...

— Desculpe — interrompeu a garota, olhando sem jeito para Ravi. — Quer dizer, não viemos para ficar. Estamos procurando... Temos algumas perguntas para os proprietários do hotel. A senhora...?

— Sim, sou eu. — A senhora sorriu, encarando de forma inquietante um lugar à esquerda do rosto de Pip. — Gerenciei o hotel por vinte anos com meu David; mas ele ficava encarregado da maioria das coisas. Tem sido difícil desde que meu David faleceu, há uns anos. Mas meus netos estão sempre por aqui, me ajudando e me levando para os lugares. Meu neto Henry está lá em cima, limpando os quartos.

— Então, cinco anos atrás, a senhora e seu marido cuidavam do hotel? — perguntou Ravi.

A mulher assentiu, voltando o olhar para ele.

— Que rapaz lindo! — comentou baixinho, e então disse para Pip: — Garota de sorte.

— Não, nós não somos... — explicou Pip, olhando para Ravi. Desejou não ter olhado.

Fora do campo de visão vagueante da senhora, ele balançou os ombros com entusiasmo e apontou para o próprio rosto, enunciando em silêncio as palavras "rapaz lindo" para Pip.

— Gostariam de se sentar? — ofereceu a senhora, apontando para um sofá de veludo verde sob uma janela. — Porque eu gostaria.

Ela se arrastou até uma poltrona de couro de frente para o sofá.

Pip se aproximou, pisando no pé de Ravi de propósito ao passar por ele, e se sentou com os joelhos apontados para a mulher. Ravi se acomodou ao seu lado, ainda com aquele sorriso idiota no rosto.

— Onde está o meu…? — começou a senhora, dando tapinhas no suéter e nos bolsos da calça, com um olhar vazio tomando sua expressão.

— Hum, então… — Pip tentou chamar a atenção da mulher de volta para ela. — A senhora mantém um registro das pessoas que ficaram aqui?

— É tudo feito no, hum… aquele, hum… computador agora, né? — respondeu a senhora. — Às vezes pelo telefone. David sempre marcou todas as reservas. Hoje em dia, Henry faz isso para mim.

— Então como a senhora acompanhava as reservas antes? — questionou Pip, já imaginando que não haveria uma resposta.

— Meu David cuidava disso. Ele imprimia uma planilha por semana.

A mulher deu de ombros, encarando a janela.

— A senhora ainda teria as planilhas de cinco anos atrás? — perguntou Ravi.

— Não, não. Senão esse lugar ficaria inundado de papel.

— Mas a senhora tem os documentos salvos no computador? — quis saber Pip.

— Ah, não. Jogamos o computador do David fora depois que ele se foi. Era uma coisinha muito lenta, como eu. Meu Henry cuida de todas as reservas para mim agora.

— Posso perguntar uma coisa? — pediu Pip, abrindo o zíper da mochila e tirando um papel dobrado. Abriu a folha e entregou-a à senhora. — Reconhece esta garota? Ela já se hospedou aqui?

A senhora olhou para a foto de Andie que tinha sido usada na maioria das reportagens de jornal. Ergueu o papel bem na frente do rosto, então segurou-o com o braço estendido, depois o trouxe para perto outra vez.

— Sim. — Ela assentiu, olhando de Pip para Ravi, depois para Andie. — Eu a reconheço. Ela já ficou aqui.

Pip se arrepiou com uma euforia nervosa.

— A senhora lembra que esta garota se hospedou aqui cinco anos atrás? Lembra alguma coisa sobre o homem com quem ela estava? Como ele era?

O rosto da senhora ficou confuso, e ela encarou Pip, com os olhos disparando da direita para a esquerda, cada piscada em uma direção.

— Não — disse com a voz trêmula. — Não, não foi há cinco anos. Eu vi essa garota. Ela esteve aqui.

— Em 2012? — insistiu Pip.

— Não, não. — Os olhos da senhora se fixaram na orelha de Pip. — Foi algumas semanas atrás. Ela esteve aqui, eu me lembro.

O coração de Pip afundou algumas centenas de metros, uma torre caindo em seu peito.

— Não é possível. Esta garota morreu há cinco anos.

— Mas eu… — A senhora balançou a cabeça, as rugas ao redor dos olhos se acentuando. — Mas eu me lembro. Ela esteve aqui. Ela já veio aqui.

— Há cinco anos? — incitou Ravi.

— Não — repetiu a senhora, com uma pontada de raiva na voz. — Eu me lembro, não lembro? Eu não…

— Vovó? — Uma voz masculina veio do andar de cima.

Um par de botas pesadas trovejou escada abaixo, e um homem loiro apareceu.

— Oi? — cumprimentou ele, olhando para Pip e Ravi. Depois se aproximou e estendeu a mão. — Sou Henry Hill.

Ravi se levantou e apertou sua mão.

256

— Eu sou Ravi, e essa é Pip.

— Podemos ajudar com alguma coisa? — perguntou ele, lançando um olhar preocupado em direção à avó.

— Só estamos fazendo algumas perguntas para sua avó sobre uma pessoa que ficou aqui há cinco anos — explicou Ravi.

Pip olhou para a senhora e notou que ela estava chorando. Lágrimas serpenteavam por sua pele fina como papel, caindo de seu queixo em cima da foto impressa de Andie.

O neto também deve ter percebido. Foi até ela, apertou seu ombro e pegou o pedaço de papel de suas mãos trêmulas.

— Vovó, por que a senhora não coloca a chaleira no fogo e faz um pouco de chá para a gente? Vou ajudar estas pessoas, não se preocupe.

Ele a apoiou para que se levantasse da cadeira e a conduziu em direção à porta esquerda do corredor, entregando a foto de Andie para Pip ao passarem por ela. Ravi e Pip trocaram olhares interrogativos, até que Henry voltou alguns segundos depois e fechou a porta da cozinha para abafar o som da chaleira fervendo.

— Desculpe — disse ele com um sorriso triste. — Ela fica triste quando se confunde. O Alzheimer... está começando a piorar. Na verdade, estou apenas limpando o hotel para colocá-lo à venda. Ela vive se esquecendo disso.

— Sinto muito — respondeu Pip. — Deveríamos ter percebido. Não quisemos chateá-la.

— Não, eu sei, claro que não. Posso ajudar com alguma coisa?

— Estávamos perguntando sobre esta garota. — Pip levantou o papel. — Se ela se hospedou aqui há cinco anos.

— E o que minha avó disse?

— Pensou que a tinha visto recentemente, há algumas semanas. — Pip engoliu em seco. — Mas esta garota morreu em 2012.

— Ela faz isso com certa frequência agora — disse o neto, olhando de um para o outro. — Fica confusa em relação às datas e sobre quando alguma coisa aconteceu. Às vezes ainda acha que meu avô está vivo. Provavelmente só reconheceu essa garota de cinco anos atrás, se é nessa data que vocês acham que ela esteve por aqui.

— É — falou Pip. — Acho que sim.

— Desculpe não poder ajudar mais. Não consigo dizer quem esteve aqui há cinco anos porque não mantemos os registros antigos. Mas se minha avó a reconheceu, acho que já é uma resposta, certo?

Pip assentiu.

— É, sim. Desculpe por chateá-la.

— Ela vai ficar bem? — perguntou Ravi.

— Vai, sim — disse Henry, gentil. — Uma xícara de chá resolve qualquer coisa.

Quando saíram da estação Kilton, o sol se punha a oeste e a cidade escurecia ao soar das seis horas.

A mente de Pip era uma centrífuga, girando sobre as peças intercambiáveis de Andie, separando-as e unindo-as em diferentes combinações.

— Pensando bem, acho que podemos confirmar que Andie ficou no Hotel Ivy House.

Pensou que os azulejos do banheiro e o fato de a senhora tê-la reconhecido, apesar da confusão com as datas, eram provas suficientes. Mas essa certeza afrouxou outras peças e as tirou do lugar.

Viraram à direita no estacionamento, rumo ao carro de Pip na extremidade oposta, conversando em "se..." e "então..." harmonizados.

— Se Andie ia para aquele hotel — disse Ravi —, devia ser para encontrar o Cara Mais Velho Secreto lá, e os dois não queriam ser vistos.

Pip assentiu.

— Então — ponderou ela — isso significa que o Cara Mais Velho Secreto, fosse quem fosse, não podia levar Andie para a casa dele. E o motivo mais provável seria que ele morava com a família ou com a esposa.

Isso mudava as coisas.

Pip continuou:

— Daniel da Silva era recém-casado e morava com a esposa em 2012, e Max Hastings morava com os pais, que conheciam Sal muito bem. Os dois teriam precisado sair de casa para ter um relacionamento secreto com Andie. E, não podemos esquecer, Max tem uma foto de Andie nua que foi tirada dentro do Hotel Ivy House, uma foto que ele supostamente "encontrou" — concluiu ela, fazendo aspas com os dedos.

— É, mas Howie Bowers morava sozinho na época. Se ele fosse o cara com quem Andie estava saindo em segredo, não precisariam ficar em um hotel.

— Eu estava pensando a mesma coisa. O que significa que agora a gente pode descartar Howie como candidato a Cara Mais Velho Secreto. Embora não signifique que ele possa ser descartado como possível assassino.

— Verdade — concordou Ravi —, mas pelo menos a situação está começando a ficar mais clara. Não era com Howie que Andie estava se relacionando pelas costas do Sal em março, e não foi a vida dele que ela ameaçou arruinar.

Haviam pensado e deduzido até chegar ao carro. Pip procurou a chave no bolso e o destrancou. Abriu a porta do motorista e empurrou a mochila, que Ravi, sentado no banco do passageiro, pegou e colocou no colo. Mas, enquanto entrava, ela olhou para a frente e notou um homem encostado na cerca mais distante, a uns vinte metros de distância, vestindo um casaco militar verde com um forro laranja chamativo. Howie Bowers, com o capuz felpudo obscurecendo o rosto, assentiu para o homem que estava ao seu lado.

Um homem cujas mãos gesticulavam descontroladamente enquanto ele murmurava palavras raivosas. Um homem com um casaco de lã elegante e cabelo loiro desgrenhado.

Max Hastings.

Pip empalideceu e caiu no banco.

— O que foi, sargento?

Ela apontou na direção da janela do passageiro, para a cerca onde os dois homens estavam.

— Olhe.

Max Hastings, que havia mentido para ela mais uma vez, dizendo que nunca comprara drogas em Kilton depois do desaparecimento de Andie e que não fazia ideia de quem traficava para a garota. Lá estava ele, gritando com o traficante, as palavras perdidas na distância.

— Ah — soltou Ravi.

Pip ligou o motor e arrancou, dirigindo para longe antes que Max ou Howie os vissem, antes que suas mãos começassem a tremer demais.

Max e Howie se conheciam.

Mais um movimento tectônico no mundo de Andie Bell.

PIPPA FITZ-AMOBI
QPE 12/10/2017
DIÁRIO DE PRODUÇÃO — 27ª ENTRADA

Max Hastings. Se alguém merece entrar na lista de suspeitos em negrito, é ele. Jason Bell foi rebaixado da posição de principal suspeito, e Max conquistou o título. Já mentiu duas vezes em assuntos relacionados à Andie. Ninguém mente a menos que tenha algo a esconder.

Vamos recapitular: ele é um cara mais velho, tem uma foto de Andie nua tirada em um hotel onde podia muito bem estar encontrando a garota em março de 2012, era próximo tanto de Sal quanto de Andie, comprava flunitrazepam de Andie com certa regularidade e conhece Howie Bowers muito bem, pelo que parece.

Isso também abre a possibilidade de outra dupla ter conspirado para o assassinato de Andie: Max e Howie.

Acho que é hora de seguir a trilha do flunitrazepam. Quer dizer, não é normal um jovem de dezenove anos comprar Boa noite, Cinderela em festas escolares, né? Mas é isso que liga esse triângulo confuso formado por Max/Howie/Andie.

Vou mandar mensagem para alguns alunos do Colégio Kilton em 2012 e ver se consigo uma luz sobre o que acontecia nas festas do apocalipse. E se minhas suspeitas forem confirmadas, seriam Max e o flunitrazepam peças-chave no que aconteceu com Andie naquela noite? Como as cartas que faltam no tabuleiro de *Detetive*?

LISTA DE SUSPEITOS

Jason Bell

Naomi Ward

Cara Mais Velho Secreto

Nat da Silva
Daniel da Silva
Max Hastings
Howie Bowers

PIPPA FITZ-AMOBI
QPE 13/10/2017
DIÁRIO DE PRODUÇÃO — 28ª ENTRADA

Emma Hutton respondeu o seguinte enquanto eu estava na escola:

> É, talvez. Eu me lembro de meninas dizendo que achavam que as bebidas delas tinham sido batizadas. Mas, sinceramente, todo mundo ficava mto mto bêbado nessas festas, então é provável que só não soubessem os próprios limites ou quisessem chamar atenção. As minhas nunca foram batizadas.

Chloe Burch respondeu quarenta minutos atrás, quando eu estava vendo *A Sociedade do Anel* com Josh:

> Não, acho que não. Nunca ouvi nenhum boato desse tipo. Mas as meninas às vezes dizem isso quando bebem demais, né?

Na noite passada, escrevi para algumas pessoas que foram marcadas em fotos com Naomi nas festas do apocalipse de 2012 e, felizmente, os e-mails estavam nos perfis. Menti um pouco, disse que era uma repórter da BBC chamada Poppy porque achei que isso as encorajaria a falar comigo. Se tivessem algo a dizer, óbvio. Uma acabou de responder.

12 de outubro (há 1 dia)
De: pfa20@gmail.com
Para: handslauraj116@yahoo.com

Cara Laura Hands,

Sou repórter e estou trabalhando em uma notícia independente para a BBC sobre festas caseiras e uso de drogas por menores de idade.

Pela minha pesquisa, pude ver que você costumava participar das "festas do apocalipse" na região de Kilton, em 2012. Queria saber se ouviu algum boato ou testemunhou algum caso de garotas tendo suas bebidas batizadas nesses eventos.

Ficaria extremamente grata se pudesse providenciar qualquer informação sobre o assunto, e, por favor, saiba que qualquer comentário que você fizer será tratado com discrição e terá o anonimato garantido.

Agradeço desde já.

Atenciosamente,

21:22 (há 2 minutos)
De: handslauraj116@yahoo.com
Para: pfa20@gmail.com

Oi, Poppy,

Não precisa se preocupar, fico feliz em contribuir.

Na verdade, me lembro de falarem, sim, que estavam colocando alguma coisa nas bebidas. É claro que todo mundo costumava beber demais nessas festas, então era meio complicado saber ao certo.

Mas eu tinha uma amiga chamada Natalie da Silva que achou que a bebida dela tinha sido batizada em uma dessas festas. Disse que não conseguia se lembrar de nada e que só tinha tomado uma bebida. Foi no começo de 2012, se não me engano.

Acho que ainda tenho o celular dela, se quiser entrar em contato.

Boa sorte com a sua reportagem. Pode me avisar quando sair? Gostaria de ler.

Abraços,

Laura

PIPPA FITZ-AMOBI
QPE 14/10/2017
DIÁRIO DE PRODUÇÃO — 29ª ENTRADA

Chegaram mais duas respostas hoje de manhã enquanto eu estava assistindo à partida de futebol de Josh. A primeira pessoa disse que não sabia de nada sobre o assunto e que não gostaria de comentar.

A segunda enviou isto:

> Pedido de informação para uma notícia independente da BBC
> 12 de outubro (há 2 dias)
> pfa20@gmail.com
>
> Cara Joanna Riddell, sou repórter e estou trabalhando em uma notícia independente para...

> 00:44 (há 57 minutos)
> Joanna95Riddell@aol.com
> Para: pfa20@gmail.com
>
> Cara Poppy Firth-Adams,
>
> Obrigada por enviar o e-mail. Concordo que se trata de um tópico muito importante e que precisa de mais atenção na grande mídia.
>
> Sendo sincera, conheço dois casos de bebidas batizadas que aconteceram nessas festas. No começo, presumi que fossem apenas boatos criados por pessoas que beberam demais e queriam pôr a culpa em outra coisa. Mas depois, em uma festa, em meados de fevereiro de 2012, uma das minhas amigas (que não vou nomear) ficou completamente fora de si. Não conseguia falar e mal conseguia se mexer. Tive que pedir para algumas pessoas me ajudarem a carregá-la até o carro do pai dela. No dia seguinte, ela nem se lembrava de ter ido à festa.

Uns dias depois, ela me pediu para acompanhá-la à delegacia de Kilton para fazer um boletim de ocorrência do incidente. Falou com um policial jovem, não consigo lembrar o nome dele. Não sei o que aconteceu depois. Mas sempre prestei mais atenção nas minhas bebidas após tudo isso.

Então, sim, acho que estavam colocando alguma coisa nas bebidas das garotas nessas festas (o quê, eu não sei). Espero que isso ajude na sua reportagem e fico à disposição para um futuro contato se tiver mais perguntas.

Atenciosamente,

Jo Riddell

A trama se torna cada vez mais complexa.

Acho que é seguro presumir que as bebidas estavam sendo batizadas nas festas do apocalipse, em 2012, embora o fato não fosse amplamente conhecido pelos convidados. Então, Max comprava flunitrazepam de Andie e as bebidas das garotas estavam sendo batizadas nas festas que ele inaugurou. Não precisa ser um gênio para juntar as peças.

Além disso, Nat da Silva pode ter sido uma das vítimas. Será que isso é relevante para o assassinato de Andie? Aconteceu alguma coisa com Nat na noite em que foi drogada? Não posso perguntar para ela: Nat é o que eu chamaria de *testemunha excepcionalmente hostil*.

E, por último, a cereja do bolo, Joanna Riddell disse que sua amiga achou que a bebida tinha sido batizada e fez uma denúncia para a polícia de Kilton. Para um "jovem" policial do sexo masculino. Bem, pesquisei e o único policial jovem do sexo masculino em 2012 era (sim, PLIM PLIM PLIM) Daniel da Silva. O segundo mais jovem dentre os policiais em 2012 tinha quarenta e um anos. Joanna disse que não aconteceu nada depois do B.O. Foi porque a garota não identificada só fez o relato depois da droga ter saído de seu organismo? Ou será que Daniel estava envolvido de alguma forma? Queria encobrir alguma coisa? E por quê?

Acho que acabei de encontrar outra ligação entre os nomes da lista de suspeitos: Max Hastings e os dois Da Silva. Vou ligar para Ravi mais tarde para especularmos sobre o significado desse possível triângulo. Mas meu foco precisa ficar em Max. Ele já mentiu vezes demais, e agora tenho bons motivos para acreditar que estava batizando as bebidas das meninas nas festas e se encontrando com Andie pelas costas de Sal no Hotel Ivy House.

Se eu tivesse que interromper o projeto neste exato momento e acusar alguém, meu dedo estaria apontando para Max. Ele é o principal suspeito.

Mas não tenho como apenas ir falar com ele sobre o assunto: Max é outra testemunha hostil e possivelmente com histórico de agressão. Não vai falar sem ser chantageado. Então preciso encontrar material de chantagem usando meu maior talento: stalkeamento cibernético.

Preciso encontrar uma forma de acessar seu perfil no Facebook e analisar cada postagem e foto, em busca de qualquer pista que o conecte à Andy, ou ao Hotel Ivy House, ou a drogar garotas. Algo que eu possa usar para fazê-lo falar ou, melhor ainda, algo que eu possa levar direto para a polícia.

Preciso burlar as configurações de privacidade do perfil de Nancy Peitaria (ou seja, Max).

vinte e cinco

Pip pousou a faca e o garfo ao lado do prato com uma precisão exagerada.

— *Agora* posso deixar a mesa?

Ela olhou para a mãe, que estava carrancuda.

— Não entendo a pressa.

— Estou bem no meio da minha QPE e quero bater minha meta antes de dormir.

— Tudo bem, pode ir lá, picles — disse o pai com tranquilidade, sorrindo e estendendo a mão para colocar as sobras da filha em seu próprio prato.

— Vic!

A mãe se virou com um olhar raivoso para ele, que se enterrou na cadeira enquanto Pip se levantava.

— Ah, querida, algumas pessoas precisam se preocupar com seus filhos querendo sair logo da mesa de jantar para injetar heroína nos olhos. Agradeça por ser só lição de casa.

— O que é heroína? — perguntou a vozinha de Josh.

Mas Pip já estava subindo dois degraus de cada vez e deixando Barney, sua sombra, aos pés da escada, com a cabeça inclinada em confusão enquanto a observava ir para o lugar proibido para cães.

Ela tivera tempo para pensar sobre Nancy Peitaria durante o jantar, e tinha uma ideia.

Pip fechou a porta do quarto, pegou o celular e discou.

— Olá, *muchacha* — cumprimentou Cara, do outro lado da linha.

— Ei — respondeu Pip —, você está ocupada maratonando *Downton Abbey* ou tem alguns minutos para me ajudar a ser xereta?

— Estou sempre disponível para xeretar. Do que você precisa?

— Naomi está em casa?

— Não, foi para Londres. *Por quê?*

A suspeita surgiu na voz de Cara.

— Você jura guardar segredo?

— Sempre. O que aconteceu?

— Ouvi boatos sobre as antigas festas do apocalipse que podem me dar uma pista para a minha QPE. Mas preciso encontrar provas, e é aí que entra a xeretagem — explicou Pip.

Ela torcia para que tivesse pedido ajuda da maneira certa, omitindo o nome de Max e minimizando a importância das provas para que Cara não se preocupasse com a irmã, mas deixando lacunas o bastante para intrigá-la.

— Uuuh, que boatos? — perguntou a amiga.

Pip a conhecia tão bem.

— Nada muito substancial ainda. Mas preciso ver fotos antigas das festas do apocalipse. É com isso que preciso de ajuda.

— Tudo bem, manda.

— O perfil do Facebook de Max Hastings é um chamariz, você sabe, para empresas e universidades. Na verdade, ele tem um perfil com nome falso e configurações de privacidade muito restritas. Só consigo ver as coisas em que Naomi também está marcada.

— E você quer logar como Naomi para ver as fotos antigas do Max?

— Bingo — disse Pip, sentando-se na cama e puxando o notebook para perto.

— Dá para fazer. — A voz de Cara vibrou de animação. — Tecnicamente, a gente não está espiando a vida da Naomi, como na vez em que eu *precisava* descobrir se o cara ruivo parecido com Benedict Cumberbatch era o novo namorado dela. Então, tecnicamente não vamos quebrar nenhuma regra, *pai*. Além disso, Nai deveria mudar a senha de vez em quando. Ela usa a mesma para tudo.

— Você consegue entrar no notebook dela?

— Estou abrindo agora.

Houve uma pausa cheia de digitação de senhas e cliques no touchpad. Pip conseguia imaginar Cara com aquele coque ridiculamente grande no topo da cabeça, que sempre usava quando estava de pijamas. O que, no caso da amiga, era o máximo que fosse fisicamente possível.

— Certo, ela ainda está logada aqui. Entrei.

— Consegue clicar nas configurações de segurança? — pediu Pip.

— Aham.

— Desmarque a caixa ao lado dos alertas de acesso para ela não saber que estou fazendo login de outro aparelho.

— Pronto.

— Certo, era só essa técnica de hack que eu precisava de você.

— Que pena, foi muito mais emocionante do que minha pesquisa da QPE.

— Bem, você não deveria ter escolhido fazer a sua sobre *mofo*.

Cara falou o endereço de e-mail de Naomi e Pip o digitou na página de login do Facebook.

— A senha dela é Isobel0610 — disse Cara.

— Excelente. — Pip digitou. — Muito obrigada, parceira. Descansar.

— Pode deixar. Mas, se Naomi descobrir, vou entregar você na mesma hora.

— Entendido.

— Então está bem, Pipinha, meu pai está gritando aqui. Me conta se descobrir algo interessante.

— Combinado — disse Pip, embora soubesse que não poderia.

Ela largou o telefone e, inclinando-se sobre o computador, clicou no botão de login.

Olhando rapidamente para o feed de Naomi, percebeu que, como o dela, estava cheio de gatos fazendo coisas bobas, vídeos de receitas rápidas e postagens com frases motivacionais com erros gramaticais sobre fotos de pores do sol.

Pip digitou *Nancy Peitaria* na barra de pesquisa e clicou no perfil de Max. O círculo de carregamento desapareceu e a página surgiu, uma linha do tempo cheia de cores brilhantes e rostos sorridentes.

Não demorou muito para Pip entender por que Max tinha dois perfis. De jeito nenhum iria querer que seus pais vissem o que fazia fora de casa. Havia muitas fotos dele em baladas e bares, com o cabelo loiro grudado na testa suada, a mandíbula tensa e os olhos vacilantes e desfocados. Posando com os braços ao redor de garotas, mostrando a língua esbranquiçada para a câmera, manchas de bebidas em sua camisa. E aqueles eram apenas os registros mais recentes.

Pip clicou nas fotos de Max e começou a rolar a tela até chegar em 2012. A cada oitenta fotos, mais ou menos, precisava esperar a barra de carregamento para mergulhar mais fundo no passado de Nancy Peitaria. Era tudo muito parecido: baladas, bares e olhos confusos. Houve uma breve pausa nas atividades noturnas de Max em uma série de fotos de uma viagem de ski, com ele no meio da neve vestindo apenas um maiô igual ao do Borat.

A rolagem demorou tanto que Pip pegou o celular e apertou o play no episódio do podcast sobre crimes reais que já estava na metade. Finalmente chegou ao ano de 2012 e, depois de rolar até janeiro, começou a olhar as fotos com calma, estudando uma a uma.

A maioria era de Max com outras pessoas sorrindo em primeiro plano, ou de uma multidão rindo enquanto Max fazia algo idiota. Naomi, Jake, Millie e Sal eram as principais coestrelas. Pip ficou um bom tempo olhando para uma foto de Sal exibindo seu sorriso brilhante para a câmera enquanto Max lambia sua bochecha. O olhar de Pip transitava entre os dois garotos felizes e bêbados e procurava por qualquer rastro pixelado de possíveis segredos trágicos.

Ela prestou atenção em especial nas fotos de multidão, procurando pelo rosto de Andie ao fundo, por qualquer coisa suspeita nas mãos de Max, por ele à espreita da bebida de qualquer garota. Clicou para a frente e para trás em tantas fotos de festa do apocalipse que seus olhos cansados e secos devido à luz branca do notebook as transformaram nas imagens em movimento de um folioscópio. Até que Pip encontrou fotos *daquela* noite, e tudo se tornou nítido e estático outra vez.

Inclinou-se para a frente.

Max tinha postado dez fotos da noite em que Andie desapareceu. Pip reconheceu imediatamente as roupas de todos e os sofás da casa de Max. Somadas às três de Naomi e às seis de Millie, totalizavam dezenove fotos daquela noite — dezenove imagens das horas que coexistiram com as últimas horas de vida de Andie Bell.

Pip estremeceu e puxou o edredom para cobrir os pés. As fotos eram similares às que Millie e Naomi tinham tirado: Max e Jake segurando os controles do videogame e olhando para algo fora da câmera, Millie e Max posando com filtros engraçadinhos em seus rostos, Naomi ao fundo olhando para o celular sem perceber a foto em grupo que estavam tirando às suas costas. Quatro melhores amigos sem o quinto. Sal supostamente matando alguém em vez de estar ali se divertindo com eles.

Foi então que Pip percebeu. Quando observava apenas as fotos de Millie e Naomi, parecia mera coincidência, mas agora que também estava olhando as de Max, um padrão surgiu. Os três postaram as fotos *daquela* noite na segunda-feira, dia 23, entre 21h30 e 22h. Não é meio estranho que, no meio do desaparecimento de Andie, os três tenham decidido fazer isso quase no mesmo horário? E por que postar essas fotos, afinal? Naomi disse que ela e os outros combinaram, na segunda-feira à noite, de contar para a polícia a verdade sobre o álibi de Sal. Postar essas fotos foi o primeiro passo? Parar de esconder a ausência de Sal?

Pip fez algumas anotações sobre essa coincidência de horários nas postagens, então clicou em salvar e fechou o notebook. Ela se preparou para dormir, voltando do banheiro com a escova de dentes na boca, cantarolando enquanto escrevia a lista de tarefas do dia seguinte. Sublinhou *Terminar a redação sobre Margaret Atwood* três vezes.

Enfurnada na cama, leu três parágrafos do livro atual antes de o cansaço começar a tornar as palavras estranhas e desconhecidas. Mal conseguiu apagar a luz antes de pegar no sono.

Com uma fungada e um movimento brusco de perna, Pip acordou e se endireitou na cama. Encostou-se na cabeceira e esfregou os olhos enquanto sua mente despertava devagar. Apertou o botão para acender a tela do celular, que a cegou. Eram 4h47 da manhã.

O que a acordou? Foi uma raposa guinchando do lado de fora? Um sonho?

Havia algo na ponta de sua língua, despontando em seu cérebro. Um pensamento vago: suave, pontiagudo e metamorfoseante demais para ser verbalizado, fora do alcance da compreensão que se tem logo depois de acordar. Mas ela sabia para onde a estava levando.

Pip deslizou para fora da cama. A atmosfera fria do quarto atingiu sua pele exposta, tornando sua respiração ofegante. Ela pegou o notebook da mesa e o levou de volta para a cama, enrolando--se no edredom para se aquecer. Quando abriu o computador, foi cegada novamente pela luz da tela. Olhando de soslaio, abriu o Facebook, ainda logada como Naomi, e navegou de volta para a página de Nancy Peitaria e para as fotos *daquela* noite.

Passou por cada uma e depois outra vez, mais devagar ainda. Parou na penúltima foto, com todos os quatro amigos. Naomi estava sentada de costas para a câmera, olhando para baixo. Embora estivesse em segundo plano, dava para ver o celular em sua mão, a tela de bloqueio acesa com os pequenos números brancos. O foco principal da foto eram Max, Millie e Jake, os três parados ao lado do sofá, sorrindo enquanto Millie descansava os braços sobre os ombros dos garotos. Max ainda segurava o controle na mão oposta à Millie, e a de Jake desaparecia do enquadramento, à direita.

Pip tremeu, mas não por causa do frio.

A câmera devia estar a pelo menos um metro e meio à frente dos amigos sorridentes para ter aparecido tanta coisa na imagem.

No silêncio mortal da noite, Pip sussurrou:

— Quem tirou a foto?

vinte e seis

Foi Sal.

Tinha que ter sido ele.

Apesar do frio, o corpo de Pip era uma corrente de sangue fervendo, martelando em seu coração.

Ela se movia no automático, com a mente à deriva, levada por ondas de pensamentos gritando palavras ininteligíveis, uma em cima da outra. Mas suas mãos sabiam o que fazer. Alguns minutos depois, ela tinha baixado a versão teste do Photoshop. Salvou a foto de Max e abriu o arquivo no programa. Seguindo um tutorial feito por um homem com sotaque irlandês, ampliou a foto e depois a tornou mais nítida.

Sua pele fria ficou quente.

Ela se recostou e arfou.

Não havia dúvidas. Os pequenos números no celular de Naomi marcavam 00h09.

Disseram que Sal tinha saído às 22h30, mas ali estavam, os quatro amigos à 00h09, imortalizados na imagem, e não tinha como terem tirado aquela foto sozinhos.

Sempre disseram que, naquela noite, os pais de Max estavam fora e não havia mais ninguém na casa. Eram apenas os cinco, até que Sal saiu, às 22h30, para matar a namorada.

E diante dos olhos de Pip estava a prova de que aquilo era mentira. Havia uma quinta pessoa na casa de Max à meia-noite. E quem poderia ser além de Sal?

Pip rolou até a parte superior da foto ampliada. Atrás do sofá, na parede oposta, havia uma janela. No painel central, estava refletido o flash de uma câmera de celular. Não dava para distinguir a figura segurando o celular contra a escuridão. Contudo, ao redor do feixe de luz branca, havia uma aura azul refletida. Era a única coisa visível contra o preto lá fora. O mesmo azul da camisa que Sal usara naquela noite, e que Ravi ainda usava de vez em quando. Pip sentiu um embrulho no estômago ao pensar no nome dele, imaginando seu rosto quando visse a foto.

Ela extraiu a imagem ampliada para um documento e cortou para mostrar apenas o celular de Naomi em uma página e o flash na janela em outra. Junto com a foto original, enviou as três páginas para a impressora sem fio em sua mesa. Da cama, assistiu ao aparelho estalar a cada folha, fazendo o barulho de trem a vapor de sempre. Pip fechou os olhos por um momento, prestando atenção no som suave da impressão.

— Pipinha, posso entrar para aspirar?

Seus olhos se abriram. Ela se levantou da postura torta, com todo o lado direito de seu corpo doendo, do quadril ao pescoço.

— Você ainda está na cama? — perguntou a mãe, abrindo a porta. — É 13h30, preguiçosa. Pensei que você já tinha levantado.

— Não... eu... — começou Pip, a garganta seca e arranhando. — Estava cansada, não me senti muito bem. Pode aspirar o quarto do Josh primeiro?

A mãe a encarou com os olhos calorosos preocupados.

— Você não está se sobrecarregando, né, Pip? Já conversamos sobre isso.

— Não, prometo.

A mãe fechou a porta, e Pip saiu da cama, quase derrubando o notebook. Ela se arrumou, vestindo o macacão sobre um moletom verde-escuro e lutando para passar uma escova no cabelo. Pegou as três fotos impressas, colocou-as em uma pasta de plástico e enfiou tudo na mochila. Em seguida, rolou até a lista de chamadas recentes do celular e discou.

— Ravi!

— E aí, sargento?

— Me encontre na frente da sua casa em dez minutos. Vou de carro.

— Ok. O que temos no cardápio de hoje, mais chantagem? Como acompanhamento, invasão domiciliar e...

— É sério. Esteja pronto em dez minutos.

Sentado no banco do passageiro, com a cabeça quase tocando o teto do carro, Ravi olhava de boca aberta para as fotos em suas mãos.

Demorou muito até que dissesse alguma coisa. Os dois ficaram sentados em silêncio, Pip observando Ravi traçar o dedo sobre o reflexo azul difuso na janela dos fundos.

— Sal não mentiu para a polícia — disse ele, finalmente.

— Não, não mentiu. Acho que saiu do Max à 00h15, como tinha dito. Foram os amigos dele que mentiram. Não sei por quê, mas naquela terça-feira mentiram e tiraram o álibi do Sal.

— Quer dizer que ele é inocente, Pip.

Ravi fixou seus grandes olhos redondos nos dela.

— É o que estamos prestes a verificar. Vamos lá.

Ela abriu a porta e saiu do carro. Havia buscado Ravi e ido direto para ali, estacionando na grama ao lado da estrada Wyvil, com o pisca-alerta ligado. Ravi fechou a porta do carro e a seguiu enquanto Pip subia a estrada.

— Como vamos verificar?

— Precisamos ter certeza, Ravi, antes de tomar como verdade — explicou ela, deixando seus passos se alinharem com os dele. — E a única forma de ter certeza é reencenando o assassinato de Andie Bell. Para a gente ver, com o novo horário de saída de Sal da casa de Max, se ele teria tido tempo o suficiente para matá-la ou não.

Eles viraram à esquerda na rua Tudor e percorreram todo o caminho até a ampla casa de Max Hastings, onde tudo começou há cinco anos e meio.

Pip pegou o celular.

— A gente tem que dar à promotoria imaginária o benefício da dúvida — disse ela. — Digamos que Sal saiu da casa do Max assim que a foto foi tirada, dez minutos depois da meia-noite. A que horas seu pai disse que Sal chegou em casa?

— Por volta de 00h50.

— Certo. Vamos supor que houve alguns equívocos e que foi cinco minutos depois. O que quer dizer que Sal teve quarenta e cinco minutos para ir de uma casa à outra. Precisamos correr, Ravi, e gastar o mínimo de tempo possível para matá-la e enterrar o corpo.

— Adolescentes normais ficam em casa e veem televisão aos domingos.

— Tudo bem, vou iniciar o cronômetro... agora.

Pip deu meia-volta e marchou pela estrada por onde vieram, com Ravi ao lado. Seus passos eram algo entre uma caminhada rápida e uma corrida lenta. Oito minutos e quarenta e sete segundos depois, alcançaram o carro, e o coração de Pip já estava batendo acelerado. Era o ponto de intercepção.

— Certo. — Ela girou a chave na ignição e voltou para a estrada. — Então este é o carro de Andie e ela intercepta Sal. Digamos que está dirigindo perto do limite de velocidade. Agora vamos para o primeiro local isolado onde o assassinato teoricamente poderia ter acontecido.

Ela não dirigiu muito antes de Ravi apontar.

— Ali — indicou ele —, é quieto e isolado. Pare ali.

Pip encostou o carro em uma pequena estrada de terra rodeada por cercas vivas altas. Uma placa dizia que a estrada sinuosa levava a uma fazenda. Pip estacionou onde uma passagem larga havia sido cortada na cerca viva.

— Agora saia do carro. Eles não encontraram nenhum sangue na parte da frente, só no porta-malas.

Pip olhou para o cronômetro enquanto Ravi cruzava o capô para encontrá-la do outro lado do carro: 15:29, 15:30...

— Beleza — disse ela. — Agora vamos supor que eles começam a discutir. Pode ter sido sobre o tráfico de drogas ou sobre o Cara Mais Velho Secreto. A briga esquenta. Sal está chateado, Andie está gritando de volta. — Pip cantarolou desafinadamente, girando as mãos para preencher o tempo da cena imaginária. — E mais ou menos nesse momento, digamos que Sal encontra uma pedra na estrada ou algo pesado no carro de Andie. Talvez ele nem tenha usado uma arma. Vamos dar a ele pelo menos quarenta segundos para matá-la.

Eles esperaram.

— Então agora Andie está morta. — Pip apontou para o chão da estrada de cascalho. — Ele abre o porta-malas. — Pip abriu o porta-malas. — E a pega. — Ela se abaixa e estende os braços, levando tempo o suficiente para carregar um corpo invisível. — Coloca Andie aqui dentro, onde o sangue foi encontrado.

Pip abaixa os braços no chão acarpetado do porta-malas e recua para fechá-lo.

— Agora, de volta ao carro — anunciou Ravi.

Pip conferiu o cronômetro: 20:02, 20:03... Deu ré e voltou para a estrada principal.

— Agora Sal está dirigindo. Suas digitais estão no volante e no painel. Ele estaria pensando em como se livrar do corpo. A área meio florestal mais próxima é o bosque Lodge. Então talvez ele tenha saído da estrada Wyvil por aqui — sugeriu ela, pegando a saída da rua, com a floresta surgindo à esquerda.

— Mas ele teria que encontrar um lugar para entrar com o carro até bem perto da floresta — observou Ravi.

Seguiram por diversos minutos procurando por uma entrada do tipo, até que a estrada escureceu sob um túnel de árvores pressionando os dois lados da via.

Eles avistaram um lugar juntos.

— Ali.

Pip ligou a seta e parou no gramado que delimitava a floresta.

— Tenho certeza de que a polícia fez buscas aqui um milhão de vezes, já que é a floresta mais próxima da casa do Max — disse ela. — Mas digamos que Sal conseguiu esconder o corpo aqui.

Pip e Ravi saíram do carro mais uma vez.

26:18.

— Então ele abre o porta-malas e a puxa para fora.

Pip recriou a ação, notando Ravi contrair e relaxar os músculos da mandíbula. Ele devia ter tido pesadelos com essa cena — seu irmão mais velho carregando um corpo ensanguentado por entre as árvores. Mas talvez, depois de hoje, não precisasse imaginar isso nunca mais.

— Sal precisaria ter levado ela mais para dentro, para longe da estrada — continuou Pip.

A garota imitou o movimento de arrastar o corpo, com as costas dobradas, cambaleando devagar para trás.

— Aqui em cima é bem escondido da estrada — disse Ravi, quando Pip adentrou cerca de sessenta metros na floresta.

— É — concordou, deixando a Andie imaginária cair.

29:48.

— Tudo bem, então o buraco sempre foi o problema: como ele poderia ter tido tempo de cavar fundo o bastante? Mas, agora que estamos aqui... — Ela olhou ao redor das árvores salpicadas de sol. — Tem várias árvores caídas nesta floresta. Talvez não precisasse cavar muito. Talvez tenha encontrado um fosso raso pronto. Como aquele.

Pip apontou para um grande declive cheio de musgos no solo, com um emaranhado de velhas raízes secas ainda presas a uma árvore caída há muito tempo.

— Ele precisaria cavar mais fundo — opinou Ravi. — Ela nunca foi encontrada. Vamos estimar uns três ou quatro minutos para cavar.

— Concordo.

Quando deu o tempo, Pip arrastou o corpo de Andie para o buraco.

— Então ele teria que cobrir com terra e detritos.

— Vamos fazer isso, então — disse Ravi, com uma expressão determinada.

Ele enfiou a ponta da bota no solo e chutou um pouco de terra para dentro do buraco.

Pip fez o mesmo, chutando lama, folhas e galhos para preencher o pequeno buraco. Ravi estava de joelhos, varrendo braçadas cheias de terra para cima de Andie.

— Pronto — anunciou Pip quando terminaram, olhando o buraco que não estava mais visível no chão da floresta. — Então agora o corpo dela está enterrado, e Sal voltaria para casa.

37:59.

Correram de volta para o carro, espalhando lama por todo canto. Pip girou o carro na estrada, xingando quando um 4x4 que tentava passar buzinou. Os ouvidos dela continuaram zumbindo por todo o caminho.

Quando voltaram para a estrada Wyvil, ela disse:

— Certo, agora Sal estaria dirigindo em direção à Romer Close, onde Howie Bowers mora, para abandonar o carro de Andie.

Alguns minutos depois, Pip estacionou fora da vista da casa de Howie e deu um sinal para o carro atrás deles.

— E agora vamos caminhar para minha casa — disse Ravi, quase correndo para acompanhar o ritmo de Pip.

Estavam concentrados demais para conversar, com os olhos fixos nos pés, seguindo os *supostos* passos de Sal anos atrás.

Chegaram à porta da casa dos Singh sem fôlego e com o corpo quente. Gotas de suor faziam cócegas no lábio superior de Pip, que enxugou o buço na manga da blusa e pegou o celular.

Ela pressionou o botão de parar o cronômetro. Os números atingiram sua barriga, onde se transformaram em ansiedade. Pip encarou Ravi.

— E aí? — perguntou ele, com os olhos arregalados.

— Então — começou Pip —, demos a Sal um limite máximo de quarenta e cinco minutos. Nossa reencenação usou os lugares mais próximos e tudo foi feito de um jeito quase inconcebivelmente eficiente.

— Sim, foi o assassinato mais rápido de todos. E aí?

Pip estendeu o celular para ele e mostrou o cronômetro.

— Cinquenta e oito minutos e dezenove segundos — leu Ravi em voz alta.

— Ravi. — O nome borbulhou nos lábios de Pip, e ela abriu um sorriso. — Sal não poderia ter feito isso. Ele é inocente, e a foto é a prova.

— Merda. — Ele deu um passo para trás e cobriu a boca, balançando a cabeça. — Ele não fez isso. Sal é inocente.

Então ele produziu um som grave e estranho, que cresceu em sua garganta. O barulho saiu em uma explosão, uma gargalhada rápida com uma respiração ofegante de descrença. O sorriso se abriu tão devagar em seu rosto, que era como se Ravi estivesse movendo músculo por músculo. Ele riu mais uma vez, um som puro e quente, e as bochechas de Pip coraram com seu calor.

Então, sorrindo, Ravi olhou para cima, sentiu o sol em seu rosto, e o riso se tornou um grito. Ele rugiu para o céu, com o pescoço tenso e os olhos bem fechados.

Pessoas o encararam do outro lado da rua e cortinas balançaram nas janelas das casas, mas Pip sabia que ele não se importava. E ela também não, observando-o naquele momento vulnerável e confuso de felicidade e luto.

Ravi olhou para ela, e o rugido se transformou em uma risada outra vez. Ele ergueu Pip do chão e uma sensação brilhante a atravessou. Ela riu, com lágrimas nos olhos, enquanto ele a girava sem parar.

— Conseguimos! — exclamou ele, colocando-a no chão de forma tão desajeitada que Pip quase caiu. Ravi se afastou, de repente parecendo envergonhado e enxugando os olhos. — A gente realmente conseguiu. É o suficiente? Podemos ir para a delegacia com essa foto?

— Não sei — respondeu Pip. Não queria tirar isso dele, mas não sabia mesmo. — Talvez seja o suficiente para convencê-los a reabrir o caso, talvez não. Mas, antes, precisamos de respostas. Precisamos saber por que os amigos de Sal mentiram. Por que tiraram o álibi dele. Vamos nessa.

Ravi deu um passo, então hesitou.

— Você quer dizer perguntar à Naomi?

Pip assentiu, e ele recuou.

— É melhor você ir sozinha — disse Ravi. — Naomi não vai falar se eu estiver lá. Ela fisicamente não conseguiria falar. Esbarrei com ela ano passado, e ela começou a chorar só de olhar para mim.

— Tem certeza? — perguntou Pip. — Mas você, de todas as pessoas, merece saber o motivo.

— Tem que ser assim, confie em mim. Tome cuidado, sargento.

— Está bem. Ligo para você assim que acabar.

Pip não sabia ao certo como se despedir. Tocou o braço dele e se afastou, carregando consigo a expressão no rosto de Ravi.

vinte e sete

Pip andou de volta para o carro estacionado na Romer Close com os passos muito mais leves. Porque agora tinha certeza. E podia dizer em sua mente: Sal Singh não matou Andie Bell. Um mantra que embalava seus passos.

Discou o número de Cara.

— Ora, ora. Oi, docinho — atendeu Cara.

— O que você está fazendo? — perguntou Pip.

— Na verdade, estou fazendo dever de casa com Naomi e Max. Eles estão preenchendo uns formulários para empregos, e eu estou trabalhando na minha QPE. Você sabe que não consigo me concentrar sozinha.

Pip sentiu o peito se contrair.

— Max *e* Naomi estão aí agora?

— Aham.

— Seu pai está?

— Nem. Ele foi passar a tarde na tia Lila.

— Está bem, estou a caminho. Chego em dez minutos.

— Maravilha. Vou roubar um pouco do seu foco.

Pip se despediu e desligou. Sentiu uma pontada de culpa por Cara estar lá, pois acabaria envolvida no que quer que estivesse prestes a acontecer. Porque Pip não estava levando foco para a sessão de dever de casa em grupo. Estava levando uma emboscada.

Cara abriu a porta da frente, vestindo um pijama de pinguim e pantufas com garras de urso.

— *Chica* — cumprimentou, esfregando o cabelo já bagunçado de Pip. — Feliz domingo. *Mi club de lição de casa es su club de lição de casa.*

Pip fechou a porta e seguiu Cara até a cozinha.

— Conversas estão proibidas — disse a amiga, segurando a porta para ela passar. — E nada de digitar batendo nas teclas com força, igual ao Max.

Pip entrou na cozinha. Max e Naomi estavam sentados um ao lado do outro, com os notebooks e papéis espalhados na mesa à sua frente. Seguravam canecas fumegantes de chás recém-preparados. Cara estava do outro lado, com uma bagunça de papéis, cadernos e canetas espalhada por seu teclado.

— Ei, Pip — disse Naomi, sorrindo. — Como você está?

— Bem, obrigada — respondeu Pip, com a voz de repente rouca.

Quando se voltou para Max, ele desviou o olhar na mesma hora e encarou a superfície de seu chá acinzentado.

— *Oi*, Max — cumprimentou ela incisivamente.

Ele deu um sorrisinho de boca fechada, que poderia até ter parecido um cumprimento para Cara e Naomi, mas Pip sabia que era uma careta de desgosto.

Pip colocou a mochila na mesa, bem na frente de Max. A bolsa bateu na superfície, fazendo as telas dos três notebooks balançarem nas dobradiças.

— Pip ama lição de casa — explicou Cara para Max. — Chega a ser doentio.

Cara deslizou de volta para sua cadeira e mexeu no touchpad para trazer seu computador de volta à vida.

— Bem, pode se sentar — convidou, usando o pé para puxar uma cadeira de debaixo da mesa.

O móvel guinchou contra o chão.

— E aí, Pip? — perguntou Naomi. — Quer chá?

— O que você está olhando? — interrompeu Max.

— Max!

Naomi bateu com força no braço do amigo com um bloco de papel.

Pelo canto do olho, Pip podia ver o rosto confuso de Cara. Mas não tirou os olhos de Naomi e Max. Pip sentia a raiva pulsando através de seu corpo, as narinas dilatadas pela tensão. Até ver o rosto deles, não sabia que se sentiria assim. Pensou que ficaria aliviada. Aliviada por tudo ter acabado, por ela e Ravi terem feito o que se propuseram a fazer. Mas ver o rosto dos dois a fez ferver. Porque não tinham sido pequenos enganos ou lapsos de memória inocentes. Tinha sido uma mentira calculada, capaz de mudar vidas. Uma traição memorável revelada pelos pixels. E Pip não desviaria o olhar nem se sentaria antes de saber o motivo.

— Vim primeiro aqui por cortesia — começou ela, com a voz trêmula. — Porque, Naomi, você foi como uma irmã para mim por quase toda a minha vida. Max, eu não devo nada a você.

— Pip, do que você está falando? — perguntou Cara, com uma pontada de preocupação na voz.

Pip abriu o zíper da mochila e tirou a pasta de plástico. Depois de abri-la, inclinou-se sobre a mesa e colocou as três páginas impressas entre Max e Naomi.

— Esta é a chance de vocês se explicarem antes de eu ir para a delegacia. O que você tem a dizer, Nancy Peitaria?

Ela encarou Max com raiva.

— Do que você está falando? — zombou ele.

— Esta foto é sua, Nancy. É da noite em que Andie Bell desapareceu, né?

— É — disse Naomi baixinho. — Mas, por quê...?

— A noite em que Sal saiu da casa de Max às 22h30 para matar Andie?

— Sim — respondeu Max, ríspido. — E o que você está insinuando?

— Se você parar de falar por um segundo e olhar para a foto, vai entender — retrucou Pip. — É óbvio que você não presta atenção nos detalhes, ou não teria postado esta foto. Então deixe-me explicar. Tanto você quanto Naomi, Millie e Jake aparecem na imagem.

— E daí?

— E daí, Nancy, quem tirou esta foto de vocês quatro?

Pip viu os olhos de Naomi se arregalarem, sua boca abrir enquanto ela encarava a foto.

— Certo, tudo bem — disse Max. — Pode ser que Sal tenha tirado essa foto. Não é como se tivéssemos dito que ele não esteve lá em casa. Deve ter tirado esta foto mais cedo naquela noite.

— Boa tentativa, a não ser por...

— Meu celular. — Naomi ficou abalada. Ela estendeu a mão para segurar a foto. — A hora está no meu celular.

Max ficou quieto, olhando para as impressões, tensionando o músculo da mandíbula.

— Bem, mal dá para ver os números. Você deve ter mexido na foto — acusou ele.

— Não, Max. Peguei do seu Facebook do jeito que está. Não se preocupe, eu pesquisei: a polícia consegue acessá-la mesmo se você excluir agora. Tenho certeza de que ficariam muito interessados nisso.

Naomi se virou para Max, com as bochechas cada vez mais vermelhas.

— Por que você não conferiu direito?

— Cale a boca — rebateu ele, baixo e firme.

—Vamos ter que contar para ela — soltou Naomi, empurrando a cadeira para trás, provocando um arranhão cujo som atravessou Pip.

— Cale a boca, Naomi — insistiu Max.

— Ai, meu Deus! — Naomi se levantou e começou a andar de um lado para outro. —Vamos ter que contar para ela...

— Fique quieta! — ordenou Max, levantando-se e agarrando Naomi pelos ombros. — Nem mais um pio.

— Ela vai falar com a polícia, Max. Não vai? — argumentou Naomi, com as lágrimas se acumulando nos sulcos ao redor do nariz. — Precisamos contar para ela.

Max respirou fundo e, trêmulo, olhou de Naomi para Pip rapidamente.

— Porra! — gritou de repente, soltando Naomi e chutando a perna da mesa.

— Que merda está acontecendo? — quis saber Cara, puxando a manga da blusa de Pip.

— Pode falar, Naomi — disse Pip.

Max desabou na cadeira, com o cabelo loiro caindo em mechas murchas por seu rosto.

— Por que você fez isso? — Ele encarou Pip. — Por que não deixou para lá?

Pip o ignorou.

— Naomi, pode falar. Sal não saiu da casa do Max às 22h30 naquela noite, né? Saiu à 00h15, exatamente como falou para a polícia. Nunca pediu para vocês mentirem sobre o álibi: ele realmente tinha um. Estava com vocês. Sal nunca mentiu para a polícia, mas vocês todos mentiram, na terça-feira. Mentiram para tirar o álibi dele.

Naomi semicerrou os olhos, que brilhavam com lágrimas. Olhou para Cara, então se virou devagar para Pip e assentiu.

Pip piscou.

— Por quê?

vinte e oito

— Por quê? — perguntou Pip outra vez, depois de Naomi ficar encarando os próprios pés por tempo demais.

— A gente foi obrigado. — Ela fungou. — Uma pessoa mandou a gente fazer isso.

— Como assim?

— Eu, Max, Jake e Millie recebemos uma mensagem de texto na segunda-feira à noite. De um número desconhecido. Dizia que nós precisávamos deletar todas as fotos que tiramos com Sal na noite em que Andie desapareceu e postar as outras normalmente. Dizia que, na escola, na terça-feira, devíamos pedir para o diretor ligar para a polícia para darmos um depoimento. E tínhamos que dizer que, na verdade, Sal tinha saído da casa do Max às 22h30 e tinha pedido para mentirmos antes.

— Mas por que vocês obedeceram a essa pessoa? — questionou Pip.

— Porque... — Naomi contraiu o rosto enquanto tentava segurar os soluços. — Porque essa pessoa sabia algo sobre nós. Uma coisa ruim que a gente tinha feito.

Ela não conseguiu mais se conter. Levou as mãos ao rosto e soltou gritos estrangulados contra os dedos. Cara se levantou da cadeira com um pulo e correu até a irmã, envolvendo sua cintura com os braços. Olhou para Pip enquanto abraçava uma Naomi trêmula e com o rosto pálido de medo.

— Max? — chamou Pip.

Ele pigarreou, com o olhar fixo nas mãos inquietas.

— A gente, hum... Aconteceu uma coisa na véspera do ano--novo, em 2011. Uma coisa ruim, uma coisa ruim que a gente fez.

— A gente? — balbuciou Naomi. — A gente, Max? Foi tudo culpa sua. Você nos colocou naquela situação, e foi você quem nos fez deixá-lo lá.

— É mentira. Todos nós concordamos na época.

— Eu estava em choque. Estava assustada.

— Naomi? — interveio Pip.

— A gente... hum, a gente foi naquela boate de merda, em Amersham — explicou a garota.

— O Imperial Vault?

— É. E todo mundo bebeu demais. Quando a boate fechou, foi impossível conseguir um táxi. Tinha umas setenta pessoas na nossa frente e estava congelando do lado fora. Então Max, que tinha nos levado até lá, disse que na verdade nem tinha bebido muito e que estava bem para dirigir. Convenceu Millie, Jake e eu a entrarmos no carro com ele. Foi tão idiota. Ai, meu Deus, se eu pudesse voltar no tempo e mudar uma coisa na minha vida, seria aquele momento...

Naomi parou.

— Sal não estava lá? — perguntou Pip.

— Não. Queria que ele tivesse ido, porque nunca teria nos deixado ser tão burros. Tinha ficado com o irmão mais novo naquela noite. Então Max, tão bêbado quanto o resto de nós, começou a acelerar na A413. Eram tipo quatro da manhã e não tinha nenhum outro carro na rodovia. E então... — As lágrimas voltaram. — E então...

— Um homem apareceu do nada — completou Max.

— Não, ele não apareceu do nada. Estava parado no acostamento, Max. Eu me lembro de você perder o controle do carro.

— Bom, então a gente se lembra de eventos bem diferentes — retrucou o garoto, agressivo. — A gente bateu nele, e o carro girou. Quando parou, estacionei na beira da estrada e fui ver o que tinha acontecido.

— Meu Deus, tinha tanto sangue — disse Naomi, chorando. — E as pernas dele estavam dobradas para o lado errado.

— Parecia morto, está bem? — retrucou Max. — Checamos para ver se ele estava respirando e achamos que não. Decidimos que era tarde demais para chamar uma ambulância. E, como todo mundo tinha bebido, sabíamos o tamanho do problema em que iríamos nos meter. Acusações criminais, prisão. Então a gente concordou em ir embora.

— Max nos obrigou — disse Naomi. — Você entrou na nossa mente e nos intimidou para nos fazer concordar, porque sabia que, na verdade, era você que teria problemas.

— *Todo mundo* concordou, Naomi, nós quatro! — gritou Max, com um rubor vermelho tomando conta de seu rosto. — Dirigimos de volta para a minha casa porque meus pais estavam em Dubai. Limpamos o carro e o batemos na árvore perto da minha garagem. Meus pais nunca suspeitaram de nada e me deram um carro novo umas semanas depois.

Cara também chorava, enxugando as lágrimas antes que Naomi pudesse vê-las.

— O homem morreu? — perguntou Pip.

Naomi balançou a cabeça.

— Ficou em coma por algumas semanas, mas sobreviveu. Mas… Mas… — O rosto de Naomi se contorceu em agonia. — Ele ficou paraplégico. Está em uma cadeira de rodas. A gente fez isso com ele. A gente nunca deveria ter abandonado ele ali.

Todos ficaram ouvindo Naomi chorar, lutando para respirar entre as lágrimas.

— De alguma forma — continuou Max após um momento —, alguém sabia o que a gente tinha feito. Disseram que se não fizéssemos tudo o que estavam mandando, iriam nos denunciar para a polícia. Então obedecemos. Deletamos as fotos e mentimos para os policiais.

— Mas como alguém poderia ter descoberto sobre o atropelamento? — indagou Pip.

— Não sabemos — respondeu Naomi. — Juramos nunca contar para ninguém. E eu nunca contei.

— Nem eu — acrescentou Max.

Naomi olhou para ele com uma cara zombeteira e chorosa.

— O quê? — fez ele, e a encarou de volta.

— Eu, Jake e Millie sempre achamos que foi você quem deixou escapar.

— Ah, jura? — retrucou ele, ríspido.

— Bem, você ficava completamente bêbado quase toda noite.

— Eu nunca contei para ninguém — insistiu ele, agora se voltando para Pip. — Não faço ideia de como alguém descobriu.

— Existe um padrão de você deixar informações escaparem — disse Pip. — Naomi, Max me contou sem querer que você sumiu por um tempo na noite em que Andie desapareceu. Onde você estava? Quero a verdade.

— Com Sal. Ele queria falar comigo no andar de cima, a sós. Sobre Andie. Estava bravo por alguma coisa que ela tinha feito, mas não falou o quê. Ele me contou que ela era uma pessoa diferente quando estavam só os dois, mas que não conseguia mais ignorar a forma como ela tratava as outras pessoas. Tinha decidido terminar com ela. E ele parecia... quase aliviado depois de ter tomado essa decisão.

— Então vamos ser objetivos — começou Pip. — Sal estava com vocês na casa do Max até 00h15 na noite em que Andie desapareceu. Na segunda-feira, alguém ameaçou vocês e mandou todo mundo dizer para a polícia que Sal tinha saído às 22h30 e deletar qualquer rastro dele daquela noite. No dia seguinte, Sal desapareceu e foi encontrado morto na floresta. Vocês sabem o que isso quer dizer, né?

Max olhou para baixo, cutucando a pele em volta dos polegares. Naomi cobriu o rosto outra vez.

— Sal era inocente.

— Não temos certeza disso — insistiu Max.

— Sal era inocente. Alguém matou Andie e depois matou Sal, após se certificar de que ele pareceria o culpado. O melhor amigo de vocês era inocente, e vocês sabem disso há cinco anos.

— Sinto muito — disse Naomi, com voz de choro. — Sinto muito, muito mesmo. A gente não sabia o que fazer. Estávamos comprometidos. Nunca pensamos que Sal acabaria morto. Pensamos que faríamos o que mandaram, a polícia pegaria quem machucou Andie, Sal seria inocentado e todo mundo ficaria bem. Na época, nos convencemos de que era só uma mentirinha. Mas agora a gente sabe o que fez.

— Sal morreu por causa da *mentirinha* de vocês — acusou Pip, sentindo o estômago se contorcer de raiva e tristeza.

— A gente não tem certeza disso — falou Max. — Talvez Sal estivesse envolvido no que aconteceu com Andie.

— Ele não teve tempo para isso — argumentou Pip.

— O que você vai fazer com a foto? — perguntou o garoto, baixinho.

Pip olhou para Naomi, seu rosto vermelho e inchado, tomado pela dor. Cara segurava a mão da irmã e encarava Pip com lágrimas escorrendo pelo rosto.

— Max — chamou Pip. — Você matou Andie?

— O quê? — Ele se levantou e tirou o cabelo bagunçado do rosto. — Não, eu fiquei em casa a noite toda.

— Você poderia ter saído depois que Naomi e Millie foram dormir.

— Mas eu não saí, está bem?

— Você sabe o que aconteceu com Andie?

— Não, não sei.

— Pip. — Foi a vez de Cara falar. — Por favor, não leve esta foto para a polícia. Por favor. Não posso ficar sem a minha irmã, igual fiquei sem minha mãe.

Cara franziu o rosto numa tentativa de conter os soluços, seu lábio inferior tremendo. Naomi colocou os braços ao redor da irmã.

Pip sentia um aperto na garganta, uma sensação de vazio e desamparo, assistindo às duas com tanta dor. O que deveria fazer? O que poderia fazer? Não sabia se a polícia aceitaria a foto como prova. Mas se aceitassem, Cara ficaria sozinha e a culpa seria de Pip. Ela não podia fazer isso com a amiga. Mas e Ravi? Sal era inocente, e ela não o abandonaria. Havia apenas uma maneira de seguir em frente.

— Não vou levar a foto para a polícia — afirmou.

Max soltou um suspiro. Pip olhou para ele, enjoada ao perceber que o garoto tentava esconder um sorrisinho.

— Não por você, Max. Por Naomi. E por tudo o que seus erros fizeram com ela. Duvido que você se sinta minimamente culpado, mas espero que pague de alguma forma.

— Eu errei também — sussurrou Naomi. — Também menti.

Cara se aproximou de Pip e a abraçou de lado, encharcando o moletom da amiga com suas lágrimas.

Max foi embora em silêncio. Guardou o notebook e as anotações, colocou a mochila no ombro e disparou pela porta.

A cozinha permaneceu em silêncio enquanto Cara molhava o rosto na pia e enchia um copo de água para a irmã. Naomi foi a primeira a falar.

— Sinto muito.

— Eu sei — respondeu Pip. — Sei que sente. Não vou levar a foto à delegacia. Seria muito mais fácil, mas não preciso do álibi de Sal para provar que ele é inocente. Vou encontrar outro jeito.

— Como assim? — perguntou Naomi, fungando.

—Você está me pedindo para encobrir o que você fez. E eu vou. Mas não vou encobrir a verdade sobre Sal. — Pip engoliu em seco, e o movimento arranhou sua garganta. — Vou descobrir o verdadeiro culpado, a pessoa que matou Andie e Sal. É a única forma de limpar o nome do Sal e proteger você ao mesmo tempo.

Naomi a abraçou, enterrando o rosto coberto de lágrimas no ombro de Pip.

— Por favor, faça isso — pediu ela, baixinho. — Ele é inocente, e isso está me destruindo desde aquela época.

Pip acariciou o cabelo de Naomi e olhou para Cara, sua melhor amiga, sua irmã. Pip sentiu um fardo se acomodar em seus ombros. O mundo parecia mais pesado do que nunca.

parte três

PIPPA FITZ-AMOBI
QPE 16/10/2017
DIÁRIO DE PRODUÇÃO — 31ª ENTRADA

Ele é inocente.

Durante o dia inteiro na escola, essas três palavras ficaram martelando em minha cabeça. Este projeto não é mais a conjectura esperançosa de quando começou a ganhar vida. Não é mais eu cedendo à intuição porque Sal foi legal comigo quando eu era mais nova e precisava de ajuda. Não é mais Ravi se agarrando à esperança de que realmente conhecia o irmão que amava. É real, não sobrou nenhum *talvez/supostamente/é possível que*. Sal Singh não matou Andie Bell. E não se matou.

Uma vida inocente foi tirada, e todo mundo nesta cidade distorceu o acontecimento em algo impensável, transformou Sal no vilão. Mas se um vilão pode ser feito, ele também pode ser desfeito. Há cinco anos e meio, dois adolescentes foram assassinados em Little Kilton. E temos pistas para encontrar o assassino: eu, Ravi e este documento do Word em constante expansão.

Depois da aula, fui encontrar Ravi e só cheguei em casa agora. Fomos ao parque e conversamos por mais de três horas, até escurecer. Ele ficou bravo quando contei por que tiraram o álibi de Sal. Um tipo de raiva silenciosa. Disse que não era justo que Naomi e Max Hastings pudessem se safar de tudo sem qualquer tipo de punição quando Sal, que nunca machucou ninguém, foi morto e rotulado de assassino. É óbvio que não é justo: nada nessa história é justo. Mas Naomi nunca quis machucar Sal. Isso está estampado em seu rosto, na forma amuada que viveu desde então. Agiu por medo, e eu consigo entender isso. Ravi também, apesar de não ter certeza de se consegue perdoá-la.

Ele ficou de cara no chão quando eu disse que não sabia se a foto seria o suficiente para a polícia reabrir o caso e que tinha blefado para fazer Max e Naomi falarem. A polícia pode achar que alterei a imagem e se recusar a solicitar um mandato para conferir o perfil de Max. Ele já deletou a foto, é óbvio. Ravi acha que eu teria mais credibilidade com a polícia do que ele, mas não tenho tanta certeza: seria só uma adolescente tagarelando sobre ângulos e pequenos números brancos em uma tela de celular, ainda mais quando as provas contra Sal são tão sólidas. Sem mencionar que Daniel da Silva é da polícia, o que acaba fechando as portas para mim.

E outra coisa: Ravi demorou um tempão para entender por que protegi Naomi. Expliquei que elas são praticamente da família, que Cara e Naomi são como irmãs para mim e que, embora Naomi possa ser, em parte, culpada pelo que aconteceu, Cara é inocente. Fazê-la perder a irmã, depois de já ter perdido a mãe, iria me destruir. Prometi para Ravi que isso não seria um revés, que não precisamos do álibi de Sal para provar sua inocência; só precisamos encontrar o verdadeiro assassino. Então chegamos a um acordo: a gente vai se dar mais três semanas. Três semanas para encontrar o assassino ou uma prova concreta contra um suspeito. E se não tivermos nada depois desse prazo, Ravi e eu vamos levar a foto para a polícia e ver se aceitam reabrir o caso.

Então é isso. Agora tenho apenas três semanas para encontrar o assassino ou as vidas de Naomi e Cara vão desmoronar. Será que foi errado pedir para Ravi continuar esperando, sendo que ele já esperou por tanto tempo? Estou dividida entre os Ward, os Singh e o que é certo. A esta altura do campeonato, nem sei mais o que é certo — tudo está tão complicado. Não tenho mais certeza de que sou a boa garota que sempre achei que fosse. Eu a perdi no meio do caminho.

Mas não posso perder tempo pensando nisso. Então, tenho cinco nomes na lista de suspeitos. Tirei o de Naomi. Minhas razões para suspeitar dela foram explicadas: o sumiço na noite do desaparecimento e o comportamento estranho ao responder perguntas sobre Sal.

Um diagrama para recapitular todos os suspeitos:

MENTIU SOBRE CONHECER ELE. AINDA COMPRA?

MAX HASTINGS

HOWIE BOWERS

JASON BELL

- Fornecia drogas para Andie vender
- Possível relação sexual?
- Morava sozinho = não tem álibi
- O carro da Andie foi encontrado na rua dele (Romer Close) com o sangue dela no porta-malas
- Sabia a localização do esconderijo de Andie para o celular descartável e as drogas, e essas provas sumiram

- Candidato a Cara Mais Velho Secreto: Andie poderia ter **acabado** com a amizade dele com Sal & cia.
- Tem um nude de Andie tirado no Hotel Ivy House
- Comprava drogas de Andie e, com frequência, flunitrazepam
- As bebidas das garotas estavam sendo batizadas nas festas do apocalipse
- Sabia sobre o atropelamento

- Estava tendo um caso e sabia que Andie tinha descoberto
- Abusava emocionalmente da família?
- Interrogado pela polícia em um depoimento formal
- Saiu do jantar por um tempo na noite em que Andie desapareceu
- Usou o verbo no passado para falar sobre a filha em uma entrevista coletiva do início do caso

ANDIE BELL

PODE TER DROGADO NAT NA FESTA

NAT DA SILVA

IRMÃO + IRMÃ

DANIEL DA SILVA

- Sofria bullying da Andie: chantagem da peça, vídeo sem sutiã e uma terceira vitória misteriosa que Andie teve sobre ela
- Mostrou-se violenta (socou uma garota na faculdade e ficou um tempo presa por infligir lesão corporal grave)
- Deixou uma ameaça de morte no armário de Andie na escola
- Afirma ter um álibi, mas foi dormir às onze e poderia ter saído de fininho mais tarde

- Candidato a Cara Mais Velho Secreto (Hotel Ivy House)
- Andie disse que eles transaram quando ela tinha quinze anos e usou a alegação de estupro para chantagear Nat
- Andie poderia ter **acabado com a vida dele** o denunciando por abuso de menor ou destruindo seu casamento
- Registrou uma denúncia de bebidas batizadas (pelo Max?) que não deu em nada
- Policial: pode ter tido acesso à casa de Andie nas buscas e removido as provas que levavam até ele (celular descartável)

BEBIDAS BATIZADAS?

Junto com o bilhete e a mensagem de texto que recebi, agora tenho mais uma pista para me conduzir ao assassino: o fato de que ele sabia sobre o atropelamento. O suspeito mais óbvio nesse quesito é Max, que sabia porque estava ao volante. Ele poderia ter fingido receber a ameaça junto com os outros amigos para colocar a culpa pelo assassinato de Andie em Sal.

Mas, como Naomi disse, Max sempre foi muito festeiro. Bebe e usa drogas. Ele poderia ter deixado o atropelamento escapar para alguém enquanto estava nesse estado. Para alguém que ele conhecia, como Nat da Silva ou Howie Bowers. Ou até mesmo para Andie Bell, que, por sua vez, podia ter contado para qualquer um dos nomes anteriores. Daniel da Silva era um policial que respondia a acidentes de trânsito; talvez tenha deduzido tudo? Ou talvez algum deles estivesse na mesma rodovia naquela noite e tenha visto tudo acontecer? É possível, portanto, que qualquer um dos cinco soubesse sobre o acidente e tenha usado essa informação a seu favor. Mas Max continua sendo a opção mais provável.

Sei que Max tecnicamente tem um álibi para a maior parte do intervalo de tempo do desaparecimento de Andie, mas não confio nele. Poderia ter saído depois que Naomi e Millie foram dormir. Contanto que interceptasse Andie antes da 00h45, quando ela deveria estar buscando os pais no jantar, ainda é possível. Ou talvez ele tenha ido ajudar a terminar o que Howie começou? Disse que não saiu de casa, mas não acredito no que ele diz. Acho que sacou meu blefe. Acho que sabia que era muito improvável eu entregar Naomi à polícia, então não foi sincero comigo. Estou de mãos atadas: não consigo proteger Naomi sem, ao mesmo tempo, proteger Max.

A outra pista que essa nova informação me dá é que o assassino tinha acesso aos números de celular de Max, Naomi, Millie e Jake (assim como ao meu). Mas, de novo, isso não restringe a lista de suspeitos. É óbvio que Max tinha os números, e Howie poderia tê-los conseguido através de Max. Nat da Silva devia ter todos, especialmente se era amiga de Naomi. Daniel poderia ter conseguido os números com a irmã. Jason Bell pode parecer a ovelha negra neste caso, MAS se matou Andie e pegou o celular dela, os números provavelmente estavam salvos nos contatos.

Aff. Não reduzi em nada a lista de suspeitos e estou ficando sem tempo. Preciso correr atrás de cada pista em aberto e encontrar as pontas soltas que, quando puxadas, podem desfazer esse novelo de lã embaraçado. E... terminar a droga da redação sobre Margaret Atwood!!!

vinte e nove

Pip destrancou a porta de casa. Barney veio correndo pelo corredor e a escoltou enquanto ela ia em direção às vozes familiares.

— Olá, picles — disse Victor quando Pip colocou a cabeça para dentro da sala de estar. — Chegamos agora há pouco. Vou fazer o jantar para mim e sua mãe. Joshua comeu na casa do Sam. Você comeu na Cara?

— Comi, sim.

Elas tinham comido, mas não conversaram muito. Cara estava quieta a semana toda na escola. Pip entendia: seu projeto tinha abalado os alicerces da família Ward, e a vida dela e da irmã dependiam de Pip descobrir a verdade. Ela e Naomi tinham perguntado no domingo, depois que Max fora embora, quem Pip achava que era o culpado. Ela não disse nada, apenas avisou Naomi para ficar longe de Max. Não podia arriscar compartilhar os segredos de Andie com elas, caso viessem junto com ameaças de assassinato. Era um fardo que ela precisava carregar sozinha.

— E como foi a reunião de pais? — perguntou Pip.

— Foi boa — respondeu Leanne, acariciando a cabeça de Josh. — Está melhorando em ciências e matemática, né, Josh?

O garoto assentiu, encaixando as peças de Lego de um jeito atrapalhado na mesinha de centro.

— Embora a srta. Speller tenha dito que você tem uma tendência a ser o palhaço da turma — acrescentou Victor, lançando um olhar brincalhão para o filho.

— Eu me pergunto a quem ele puxou — disse Pip, lançando o mesmo olhar para o pai.

Victor soltou uma vaia e bateu nos joelhos.

— Não me desrespeite, garota.

— Não tenho tempo para isso. Vou trabalhar por algumas horas antes de dormir.

Pip foi para a escada.

— Ah, querida. — Sua mãe suspirou. — Você se esforça demais.

— Não mesmo — disse Pip, acenando dos degraus.

Ao chegar no andar de cima, parou em frente ao seu quarto e ficou encarando. A porta estava entreaberta, e isso lhe trouxe uma memória daquela manhã. Joshua tinha pegado dois frascos de loção pós-barba de Victor e, com um em cada mão e usando um chapéu de vaqueiro, trotado pelo andar de cima, esguichando loção e dizendo "eu sou o tchau-preguiça-tchau-sujeira-adeus- -cheirinho-de-suor, e esta casa não é grande o suficiente para nós dois, Pippo". Pip havia fugido para a escola, fechando a porta do quarto para que não ficasse com o cheiro enjoativo da mistura das loções Brave e Pour Homme. Ou talvez tivesse sido outro dia de manhã? Ela não estava dormindo bem naquela semana, e os dias se misturavam.

— Alguém entrou no meu quarto? — gritou em direção à escada.

— Não, acabamos de chegar em casa — respondeu a mãe.

Pip entrou e jogou a mochila na cama. Foi até a mesa e, só de bater o olho, soube que tinha alguma coisa errada. Seu notebook estava aberto com a tela inclinada para trás. Pip sempre, sempre, o fechava quando saía. Ela o ligou e, quando a tela acendeu, Pip percebeu que a pilha de impressões na mesa havia sido espalhada. Um papel tinha sido colocado no topo.

Era *a* foto. A prova do álibi de Sal. E não estava onde ela tinha deixado.

O notebook tocou duas notas de boas-vindas e carregou a tela inicial. Estava exatamente como ela tinha deixado: o documento do Word da entrada mais recente de seu diário de produção na barra de tarefas, ao lado de uma guia do Chrome minimizada. Ela clicou no diário, que abriu na página abaixo do diagrama de suspeitos.

Pip se engasgou.

Abaixo de suas últimas palavras, alguém tinha digitado: *VOCÊ PRECISA PARAR COM ISSO, PIPPA.*

Várias e várias vezes. Centenas de vezes. Tantas que preencheu quatro folhas A4 inteiras.

O coração de Pip martelava sob a pele. Ela tirou as mãos do teclado e encarou as letras. O assassino tinha estado ali, em seu quarto. Tocado em suas coisas. Lido sua pesquisa. Pressionado as teclas de seu notebook.

Dentro de sua casa.

Ela se afastou da mesa e desceu as escadas.

— Hum, mãe... — começou, tentando manter o tom normal mesmo com o terror ofegante em sua voz —, alguém veio aqui em casa hoje?

— Não sei, fiquei o dia todo no trabalho e fui direto para a reunião de pais do Josh. Por quê?

— Ah, nada de mais — respondeu Pip, improvisando. — Encomendei um livro e achei que seria entregue. Hum... Na verdade, tem mais uma coisa. Estava rolando uma história na escola hoje. Estão invadindo a casa de algumas pessoas, e acham que estão usando as chaves reserva para entrar. Talvez a gente não devesse deixar a nossa lá fora até os invasores serem pegos, né?

— Ah, jura? — disse Leanne, levantando o olhar para Pip. — É, acho que a chave não deveria ficar lá fora, então.

—Vou pegar — anunciou Pip, tentando não derrapar enquanto corria até a porta da frente.

Assim que a abriu, uma lufada de ar frio da noite fez seu rosto em chamas formigar. Pip se ajoelhou e levantou um canto do capacho externo. O metal refletiu a luz do corredor. A chave não estava dentro da sua marca na terra, mas ao lado. Pip estendeu a mão e a agarrou, sentindo o metal frio em seus dedos.

Ela se enfiou debaixo do edredom, o corpo reto como uma flecha e tremendo. Fechou os olhos e se concentrou na audição. Escutou um som de raspagem em algum lugar da casa. Era alguém tentando entrar? Ou só o salgueiro que às vezes batia na janela de seus pais?

Um baque vindo da frente. Pip pulou. A porta do carro do vizinho batendo ou alguém tentando invadir a casa?

Saiu da cama pela décima sexta vez e foi até a janela. Moveu um canto da cortina e espiou. Estava escuro. Os carros na garagem estavam polvilhados com listras prateadas do reflexo da lua, mas o rubor azul-escuro da noite escondia todo o resto. Havia alguém lá fora, na escuridão? Observando-a? Pip encarou a rua na expectativa de algum movimento, de alguma ondulação na escuridão que tomasse a forma de uma pessoa.

Ela deixou a cortina cair e voltou para a cama. O edredom a havia traído e perdido todo o calor corporal que ela deixara. Pip estremeceu de novo, observando o relógio do celular passar das três horas da manhã.

Quando o vento uivou e sacudiu a janela, Pip sentiu o coração pular para a garganta. Afastou o edredom e se levantou novamente. Mas, dessa vez, atravessou o corredor na ponta dos pés e abriu a porta do quarto de Josh. Ele estava dormindo, com o rosto tranquilo iluminado pelas estrelas azuis projetadas no teto.

Pip foi até o pé da cama e se juntou a ele. Rastejou até a ponta do travesseiro, evitando encostar no irmão. Ele não acordou, mas resmungou um pouco quando ela se cobriu com o edredom. Estava tão quentinho. E Josh estaria a salvo com ela ali para protegê-lo.

Ficou deitada, ouvindo a respiração profunda do irmão e deixando o calor dele derretê-la. Sentiu os olhos se cansarem, enquanto olhava para cima, fascinada pela luz suave das estrelas giratórias.

trinta

— Naomi está meio nervosa desde que... você sabe — contou Cara, acompanhando Pip pelo corredor da escola até seu armário.

Ainda havia um desconforto entre elas, como se fosse algo sólido que começava a derreter pelas bordas, apesar de as duas fingirem não perceber.

Pip não sabia o que dizer.

— Bem, ela sempre foi meio nervosa, mas piorou agora — continuou Cara. — Ontem, meu pai chamou ela de outro quarto e Naomi tomou um susto tão grande que jogou o celular do outro lado da cozinha. Ficou completamente destruído. Ela levou para o conserto hoje de manhã.

— Ah — fez Pip, abrindo o armário e empilhando os livros lá dentro. — Hum, ela precisa de um celular reserva? Minha mãe acabou de trocar o dela e ainda tem o antigo.

— Não, está tudo bem. Ela encontrou um velho de anos atrás. O chip atual não coube, mas encontramos um chip pré-pago antigo com uns créditos sobrando. Vai servir por enquanto.

— Ela está bem?

— Não sei — respondeu Cara. — Acho que não está bem faz um tempo. Desde que a mamãe morreu, na verdade. E sempre suspeitei que tinha acontecido mais alguma coisa.

Pip fechou o armário e seguiu a amiga. Torcia para que Cara não notasse suas olheiras cobertas por maquiagem nem seus olhos injetados, cujas veias pareciam patas de aranha. Dormir não era mais possível. Pip havia enviado suas redações para a inscrição em Cambridge e começado a estudar para o teste de admissão, o ELAT. Mas o prazo para manter Naomi e Cara fora da investigação estava acabando, e cada segundo contava. Nos poucos momentos em que Pip conseguia dormir, um vulto aparecia em seus sonhos, observando-a de fora de seu campo de visão.

— Vai dar tudo certo — assegurou Pip. — Prometo.

Cara apertou a mão da amiga antes de seguirem por caminhos diferentes no corredor.

Mas, algumas portas antes da sala de literatura, Pip parou tão bruscamente que seus sapatos fizeram barulho no chão. Alguém marchava pelo corredor em sua direção. Alguém com cabelo branco bem curto e olhos delineados em preto.

— Nat? — chamou Pip, com um pequeno aceno.

Nat da Silva diminuiu o passo e parou na sua frente. Não sorriu nem acenou. Mal olhou para ela.

— O que você está fazendo aqui? — perguntou Pip.

A tornozeleira eletrônica de Nat estava coberta pela meia, formando uma protuberância acima de seu tênis.

— Tinha esquecido que todos os detalhes da minha vida eram da sua conta, Penny.

— É Pippa.

— Não me importo — retrucou, ríspida, abrindo um sorriso de escárnio. — Se quer saber, por causa do seu projetinho perverso, eu cheguei ao fundo do poço. Meus pais disseram que não vão mais me sustentar e ninguém quer me contratar. Acabei de implorar para aquele babaca do diretor me dar o antigo emprego de zelador do meu irmão. Mas, aparentemente, não podem contratar criminosos violentos. Aí está um efeito pós-Andie para você analisar. Ela realmente me ferrou a longo prazo.

— Sinto muito — disse Pip.

— Não. — Nat retomou a marcha pelo corredor, e a rajada de ar de sua saída repentina bagunçou o cabelo de Pip. — Você não sente.

Depois do almoço, Pip voltou ao armário para pegar a apostila sobre a Rússia para a dobradinha de aulas de história. Assim que abriu a porta, encontrou algo em cima da sua pilha de livros. Um papel dobrado, que devia ter sido empurrado pela frestinha de cima do armário.

Um calafrio a percorreu.

Pip olhou por cima do ombro e, após se assegurar de que ninguém a observava, pegou o bilhete.

Este é o último aviso, Pippa. Desista.

Ela leu as letras impressas apenas uma vez, então dobrou o papel e o guardou dentro da apostila de história. Pegou o livro pesado com as duas mãos e se afastou.

Era óbvio que alguém queria que ela soubesse que estava vulnerável em casa e na escola. Queria assustá-la. E Pip estava assustada: o terror tirara seu sono, e ela ficara observando a escuridão da janela nas últimas duas noites. Mas, durante o dia, Pip era mais racional. Se essa pessoa estivesse mesmo disposta a machucar a ela ou a sua família, já não teria feito isso? Pip não podia desistir de Sal nem de Ravi, de Cara nem de Naomi. Estava envolvida no caso até o pescoço, e só restava ir mais fundo.

Havia um assassino à solta em Little Kilton. Seja lá quem fosse, tinha lido a última entrada do diário de produção e estava reagindo. O que indicava que Pip estava no caminho certo. Era apenas um aviso. Ela precisava acreditar nisso, precisava repetir essas palavras para si mesma quando não conseguia dormir. E, por mais que o Desconhecido estivesse se aproximando dela, Pip também estava se aproximando dele.

Usando a lombada da apostila, a garota empurrou a porta da sala de aula com mais força do que pretendia.

— Ai! — exclamou Elliot ao ser atingido no cotovelo.

Com o impacto, a porta veio de encontro a Pip, que tropeçou, deixando a apostila cair com um baque.

— Desculpe, El... sr. Ward. Não vi você aí.

— Sem problemas — respondeu, sorrindo. — Vou considerar isso um sinal do seu entusiasmo para aprender, não uma tentativa de assassinato.

— Bom, estaria de acordo com a Rússia dos anos 1930.

— Ah, entendi — brincou ele, abaixando-se para pegar a apostila. — Então isso foi uma demonstração prática?

O bilhete escorregou das páginas e caiu no chão, parcialmente aberto. Pip pegou o papel depressa e o amassou.

— Pip?

Ela sentia que Elliot tentava estabelecer contato visual, mas desviou o olhar.

— Pip, você está bem?

Ela assentiu, sorrindo de boca fechada e reprimindo a sensação estranha que se tem quando alguém pergunta se você está bem e você está tudo, menos bem.

— Sim, tudo certo.

— Olhe — continuou ele, em tom gentil —, se você estiver sofrendo bullying, a pior coisa que pode fazer é guardar isso para si mesma.

— Não estou sofrendo bullying — respondeu Pip, virando-se para ele. — Sério, está tudo bem.

— Pip?

— Estou ótima, sr. Ward — repetiu, no momento em que o primeiro grupo de alunos tagarelas entrava na sala.

Ela pegou a apostila das mãos de Elliot e, sabendo que o olhar do professor a seguia, foi até seu lugar.

— Pip — chamou Connor ao largar sua mochila no lugar ao lado dela. — Você sumiu depois do almoço. — Então sussurrou: — Por que você e Cara estão se dando gelo? Vocês brigaram?

— Não. Estamos bem. Está tudo bem.

PIPPA FITZ-AMOBI
QPE 21/10/2017
DIÁRIO DE PRODUÇÃO — 33ª ENTRADA

Não posso ignorar o fato de que vi Nat da Silva na escola poucas horas antes de encontrar o bilhete no meu armário. Ainda mais considerando o histórico dela de colocar ameaças de morte em armários. E, apesar de seu nome ter subido para o topo da lista de suspeitos, não é nada definitivo. Em uma cidadezinha como Kilton, às vezes coisas que parecem conectadas são apenas coincidências, e vice-versa. Esbarrar em alguém no único colégio da cidade não torna essa pessoa um assassino.

Quase todos os suspeitos têm alguma conexão com a escola. Tanto Max Hastings quanto Nat da Silva estudaram lá, Daniel da Silva trabalhava lá como zelador, as duas filhas de Jason Bell estudaram lá. Não sei se Howie Bowers frequentou o Colégio Kilton; não consegui encontrar essa informação na internet. Mas todos esses suspeitos sabem que estudo lá. Poderiam ter me seguido e me observado na sexta-feira de manhã quando eu estava na frente do meu armário com Cara. Não é como se houvesse seguranças na escola. Qualquer um pode entrar lá.

Então talvez tenha sido Nat, mas talvez tenham sido as outras pessoas. E eu acabei de voltar à estaca zero. Quem é o assassino? O tempo está passando, e ainda não estou nem perto de poder apontar o dedo para alguém.

De tudo o que Ravi e eu descobrimos, ainda considero o celular descartável de Andie a pista mais importante. O aparelho desapareceu, mas se a gente conseguir encontrá-lo ou a pessoa que o pegou, nossa missão estará cumprida. O celular é uma prova concreta. Exatamente o que precisamos para fazer a polícia reabrir o caso. Os oficiais podem zombar de uma foto impressa com detalhes pixelados, mas ninguém pode ignorar o celular secreto da vítima.

É, antes eu achava que o celular descartável estava com Andie quando ela morreu e tinha desaparecido para sempre com seu corpo. Mas vamos fingir que não estava com ela. Digamos que Andie foi interceptada enquanto dirigia. Digamos que ela foi morta e se livraram do corpo. E depois o assassino pensou: "Minha nossa, o celular descartável pode levar a polícia até mim, e se for encontrado durante a busca?"

Então teve que pegá-lo. Há duas pessoas na lista de suspeitos que confirmei que sabiam sobre o celular descartável: Max e Howie. Se Daniel da Silva for o Cara Mais Velho Secreto, então com certeza saberia também. Howie sabia inclusive onde estava escondido.

E se um deles foi até a casa dos Bell e pegou o celular depois de matar Andie, antes que pudesse ser encontrado pela polícia? Tenho mais algumas perguntas para Becca Bell. Não sei se ela vai responder, mas preciso tentar.

trinta e um

Pip sentia o nervosismo como farpas cravadas em seu intestino enquanto se aproximava do prédio. Era um minúsculo edifício comercial espelhado com uma pequena placa metálica com *Kilton Mail* escrito ao lado da porta principal. E, embora fosse segunda--feira de manhã, o lugar parecia abandonado. Não havia nenhum sinal de vida ou movimento nas janelas mais baixas.

Pip apertou o botão na parede ao lado da porta. Um lamento metálico arranhou seus ouvidos. Ela soltou o botão e, segundos depois, uma voz robótica abafada saiu do alto-falante.

— Olá?

— Hum, oi — disse Pip. — Gostaria de falar com Becca Bell.

— Ok — respondeu a voz. — Pode entrar. Dê um bom empurrão na porta, porque está meio emperrada.

Um apito forte soou. Pip usou o quadril para empurrar a porta, que abriu para dentro com um estalo. Ao entrar, ela se viu em uma sala pequena e fria. Havia três sofás e algumas mesas de centro, mas nenhum ser humano.

— Olá? — chamou ela.

Uma porta se abriu e um homem apareceu, ajustando a gola de seu longo sobretudo bege. Tinha cabelos escuros e lisos penteados para o lado e pele acinzentada. Era Stanley Forbes.

— Ah. — Ele parou assim que viu Pip. — Estou de saída. Eu...
quem é você?

Ele a encarou com os olhos semicerrados e o maxilar projetado
para a frente, e Pip sentiu um arrepio no pescoço. Estava frio ali
dentro.

— Vim para ver Becca — explicou.

— Ah, certo. — Ele sorriu sem mostrar os dentes. — Todo
mundo está trabalhando na sala dos fundos hoje. O aquecedor es-
tourou na parte da frente. É por ali.

Ele apontou para a porta pela qual tinha acabado de sair.

— Obrigada — disse Pip, mas Stanley já estava com metade do
corpo para fora do prédio e não ouviu.

A porta se fechou, abafando o "aaa" de seu agradecimento.

Pip foi até a outra porta e a empurrou. Um corredor curto dava
em uma sala maior, com quatro escrivaninhas abarrotadas de papéis encostadas em cada parede. Havia três mulheres digitando
em seus respectivos computadores, e o som das teclas preenchia
o ambiente. Graças ao barulho, ninguém percebeu sua presença.

Pip se aproximou de Becca Bell, cujos cabelos loiros curtos estavam presos em um rabo de cavalo, e pigarreou.

— Oi, Becca — cumprimentou.

Becca girou na cadeira, e as outras duas mulheres olharam
para Pip.

— Ah. É você que veio me ver? Não deveria estar na escola?

— Sim, desculpe. Hoje é meio período — respondeu Pip, in-
quieta diante do olhar de Becca, pensando no quão perto ela e
Ravi estiveram de serem pegos na casa dos Bell.

Pip olhou por cima do ombro de Becca para o computador
cheio de palavras digitadas.

Becca seguiu o olhar de Pip e se virou para minimizar o documento.

— Desculpe. É o primeiro artigo que estou escrevendo para o jornal, e o rascunho está um desastre. Não quero que ninguém veja.

Ela sorriu.

— É sobre o quê? — perguntou Pip.

— Ah, hum, é sobre uma antiga casa de fazenda que está inabitada há uns onze anos, no final da estrada Sycamore. Parece que nunca conseguiram vender. Alguns vizinhos estão pensando em se juntar para comprar e solicitar uma mudança de uso, para transformá-la em um pub. Estou escrevendo sobre como isso é uma péssima ideia.

— Meu irmão mora nos arredores e não acha uma má ideia. Cerveja perto de casa. Ele está em êxtase! — interrompeu uma das mulheres do outro lado da sala, soltando uma risada cortante e olhando para a outra colega.

Becca encolheu os ombros, encarando as próprias mãos, que brincavam com a manga do suéter.

— Só acho que a casa merece voltar a ser um lar para uma família algum dia — explicou ela. — Meu pai quase a comprou e restaurou há alguns anos, antes de tudo acontecer. Depois, acabou mudando de ideia, mas sempre me perguntei como as coisas seriam se tivesse seguido em frente.

Os outros dois teclados silenciaram.

— Ah, Becca, querida — começou a mesma mulher de antes. — Não fazia ideia de que esse era o motivo. Bom, agora me sinto péssima. — Ela bateu de leve na própria testa. — Vou ficar encarregada pelo chá até o final do dia.

— Não se preocupe — respondeu Becca, abrindo um sorrisinho para ela.

Com isso, as duas colegas se voltaram para seus respectivos computadores.

— Pippa, né? — falou Becca baixinho. — Como posso ajudar? Se é sobre aquilo que a gente conversou antes, você sabe que eu não quero me envolver.

— Confie em mim, Becca — sussurrou Pip. — É importante. Importante mesmo. Por favor.

Os grandes olhos azuis de Becca a encararam.

— Está bem. — Ela se levantou. — Vamos para a sala da frente.

O cômodo parecia mais gelado desta vez. Becca se sentou no sofá mais próximo e cruzou as pernas. Pip se acomodou na outra extremidade e se virou para encará-la.

— Hum... então...

Pip deixou sua voz sumir aos poucos, sem saber ao certo como formular seu pedido nem o quanto revelar. Encarou o rosto de Becca, que era muito parecido com o de Andie.

— O que foi? — perguntou Becca.

Pip encontrou as palavras.

— Então, nas minhas pesquisas, descobri que Andie traficava drogas e vendia em festas do apocalipse.

Becca baixou suas sobrancelhas elegantes e lançou um olhar desconfiado para Pip.

— Não, de jeito nenhum.

— Sinto muito, mas eu confirmei com várias fontes — reiterou Pip.

— Ela não pode ter feito isso.

— O fornecedor de Andie deu um celular descartável para ela usar enquanto traficava — continuou Pip, ignorando os protestos de Becca. — Ele disse que Andie escondia o celular junto com o estoque de drogas no guarda-roupa.

— Sinto muito, mas acho que alguém está pregando uma peça em você — insistiu Becca, balançando a cabeça. — De jeito nenhum minha irmã estava vendendo drogas.

— Entendo que isso deve ser difícil de ouvir, mas estou desco-brindo que Andie guardava muitos segredos. Esse era um deles. A polícia não encontrou o celular descartável no quarto dela, então queria saber quem pode ter tido acesso ao quarto depois que ela desapareceu.

— Quem... mas... — balbuciou Becca, ainda balançando a ca-beça. — Ninguém entrou lá. A casa foi isolada.

— Estou falando de antes de a polícia chegar. Depois que Andie saiu de casa e antes de seus pais descobrirem que ela tinha desa-parecido. Seria possível alguém ter invadido a casa sem você per-ceber? Você já tinha ido dormir?

— Eu... eu... — A voz de Becca falhou. — Não, não sei. Não tinha ido dormir, estava no andar de baixo assistindo à televisão. Mas...

— Você conhece Max Hastings? — interrompeu Pip, antes que Becca pudesse protestar outra vez.

A garota a encarou com um olhar confuso.

— Hum... É, ele era amigo do Sal, não era? O cara loiro.

— Você o notou andando perto da sua casa depois do desapa-recimento da Andie?

— Não — respondeu ela, de imediato. — Não, mas por quê...?

— E Daniel da Silva? Você o conhece? — disparou Pip, espe-rando que a metralhadora de questionamentos fizesse Becca res-ponder antes que pudesse pensar melhor.

— Daniel? É, conheço. Ele era amigo do meu pai.

Pip semicerrou os olhos.

— Daniel da Silva era amigo do seu pai?

— É. — Becca fungou. — Ele trabalhou para o meu pai por um tempo, depois de pedir demissão do emprego de zelador na es-cola. Meu pai tem uma empresa de limpeza. Mas ele se encantou com Daniel e o promoveu a um cargo no escritório. Foi ele quem convenceu Daniel a fazer a inscrição para ser policial, e o apoiou durante o treinamento. É. Não sei se ainda são próximos, já que não falo mais com meu pai.

— Então você via o Daniel com frequência? — perguntou Pip.

— Sim. Ele sempre aparecia lá em casa, às vezes ficava para jantar. O que isso tem a ver com a minha irmã?

— Daniel era policial quando sua irmã desapareceu. Estava envolvido no caso de alguma forma?

— Bem, estava. Ele foi um dos primeiros policiais a aparecer quando meu pai relatou o caso.

Pip se inclinou para a frente, apoiando as mãos na almofada do sofá para se aproximar das palavras de Becca.

— Ele fez uma busca na sua casa?

— Fez — revelou Becca. — Ele e uma outra policial pegaram nossos depoimentos e fizeram uma busca.

— Daniel pode ter feito a busca no quarto da Andie?

— É, talvez. — Becca deu de ombros. — Sério, não entendo aonde quer chegar com isso. Acho que alguém enganou você, de verdade. Andie não estava envolvida com drogas.

— Daniel da Silva foi o primeiro a ter acesso ao quarto da Andie — falou Pip, mais para si mesma do que para Becca.

— Por que isso importa? — perguntou Becca, com uma pontada de irritação na voz. — A gente sabe o que aconteceu naquela noite. Sal a matou, independentemente do que Andie ou qualquer outra pessoa estivesse fazendo.

— Não tenho tanta certeza — rebateu Pip, arregalando os olhos de uma forma que esperava ser significativa. — Não tenho certeza de que Sal é o culpado. E acho que estou perto de provar.

PIPPA FITZ-AMOBI
QPE 23/10/2017
DIÁRIO DE PRODUÇÃO — 34ª ENTRADA

Becca Bell não gostou quando sugeri que Sal talvez fosse inocente. Acho que ela pedir para eu me retirar deixou isso claro. Mas era de se esperar. Becca passou cinco anos e meio acreditando com toda certeza que Sal matou Andie, cinco anos e meio sentindo o luto pela irmã. E do nada eu chego, jogando a merda no ventilador e dizendo que Becca está errada.

Mas, em breve, ela e o restante de Little Kilton vão ter que acreditar, quando Ravi e eu descobrirmos o verdadeiro assassino de Andie e de Sal.

Depois dessa conversa com Becca, acho que o principal suspeito mudou de novo. Descobri uma forte conexão entre dois nomes (outra possível dupla de assassinos: Daniel da Silva e Jason Bell?) e ainda confirmei minhas suspeitas a respeito de Daniel. Ele não só teve acesso ao quarto de Andie depois que ela desapareceu, como deve ter sido a primeira pessoa a fazer a busca lá! Seria a oportunidade perfeita para pegar o celular descartável e apagar qualquer traço dele na vida de Andie.

Pesquisas na internet não revelam nada de útil sobre Daniel. Mas acabei de ver isto na página local da Polícia do Vale do Tâmisa:

REUNIÃO "USE SUA VOZ"

Encontre os policiais de sua vizinhança e use sua voz a respeito das prioridades do policiamento em sua área.

Próximos eventos:
Tipo: Reunião "Use sua voz"

Data: terça-feira, 24 de outubro de 2017
Horário: 12h-13h
Local: Biblioteca, Little Kilton

Kilton tem apenas cinco agentes da polícia e dois policiais de apoio à comunidade. A probabilidade de Daniel estar lá é alta. Mas a probabilidade de ele não me dizer nada também.

trinta e dois

— E ainda tem muitos jovens vadiando no parque à noite — resmungou uma senhorinha, com o braço levantado.

— A gente falou sobre isso em reuniões passadas, sra. Faversham — disse uma policial de cabelos cacheados. — Eles não estão engajados em nenhum comportamento suspeito. Só jogam futebol depois da escola.

Pip estava sentada em uma cadeira de plástico amarela em meio ao público de apenas doze pessoas.

A biblioteca era escura e abafada, e o ar enchia suas narinas com o cheiro maravilhoso de livros antigos e o odor de mofo de gente idosa.

Durante a reunião lenta e enfadonha, Pip estava alerta e com a visão aguçada. Daniel da Silva era um dos três policiais presentes, vestindo uniforme preto. Ele era mais alto do que Pip esperava. Seu cabelo era castanho-claro e ondulado, penteado para trás. Não tinha barba, seu nariz era estreito e arrebitado, e seus lábios, salientes e arredondados. Pip tentou não encará-lo demais para não levantar suspeitas.

Havia outro conhecido presente, um homem sentado a apenas três cadeiras de Pip. Ele se levantou de repente, mostrando a palma da mão aberta para os policiais.

— Stanley Forbes, *Kilton Mail*. Muitos dos nossos leitores reclamaram que as pessoas ainda estão dirigindo rápido demais na High Street. Como vocês pretendem resolver isso?

Daniel deu um passo à frente, acenando com a cabeça para Stanley se sentar.

— Obrigado, Stan. Esta avenida já tem várias medidas para reduzir a velocidade. Já consideramos a implementação de mais radares de velocidade, e, se é uma preocupação, ficarei feliz em retomar o assunto com meus superiores.

A sra. Faversham fez mais duas longas reclamações, e então a reunião finalmente acabou.

— Caso tenham qualquer outra preocupação a respeito do policiamento — disse a terceira policial, evitando contato visual com a sra. Faversham —, por favor, preencham um dos questionários ali atrás. — Ela gesticulou. — E se preferirem falar com um de nós a sós, ficaremos por aqui mais dez minutos.

Pip esperou um tempo para não parecer muito ansiosa. Quando Daniel terminou de falar com um dos voluntários da biblioteca, ela se aproximou.

— Oi — cumprimentou.

— Olá. — Ele sorriu. — Você parece algumas décadas jovem demais para uma reunião como esta.

Pip deu de ombros.

— Tenho interesse em legislação e crimes.

— Não tem nada de muito interessante em Kilton, apenas crianças vadiando e carros um pouco acima do limite de velocidade.

Ah, quem dera.

— Então você nunca prendeu ninguém por manipulação suspeita de salmão? — perguntou Pip, rindo de nervoso.

Daniel a encarou, sem entender.

— Ah, então... Essa é uma lei de verdade aqui na Grã-Bretanha. — Ela sentiu as bochechas ficarem vermelhas. Por que não brincava com o cabelo ou ficava se mexendo quando estava nervosa, como pessoas normais? — A Lei do Salmão de 1986 tornou ilegal... Ah, deixa para lá. — Pip balançou a cabeça. — Queria fazer algumas perguntas para você.

— Pode mandar, contanto que não sejam sobre salmão.

— Não são. — Ela tossiu de leve e olhou para Daniel. — Você se lembra de relatos feitos, cerca de cinco ou seis anos atrás, sobre uso de drogas e bebidas batizadas em festas dadas por alunos do Colégio Kilton?

Ele enrijeceu o queixo e crispou a boca em uma carranca pensativa.

— Não. Não me lembro disso. Você está querendo reportar um crime?

Pip balançou a cabeça.

— Não. Você conhece Max Hastings?

Daniel deu de ombros.

— Conheço um pouco a família Hastings. Foram meu primeiro chamado sozinho depois que terminei o treinamento.

— Pelo quê?

— Ah, nada de mais. O filho tinha batido o carro em uma árvore na frente de casa. Precisavam registrar um boletim de ocorrência para o seguro. Por quê?

— Nada, não — disse ela, falsamente despreocupada. Percebeu os pés de Daniel começando a se afastar. — Mas estou interessada em saber mais uma coisinha.

— Sim?

— Você foi um dos primeiros policiais a atender o chamado quando Andie Bell foi dada como desaparecida e conduziu a busca na residência dos Bell?

Daniel assentiu, rugas se formando ao redor dos olhos.

— Não houve um conflito de interesses, visto que você era tão próximo do pai dela?

— Não, não houve. Sou profissional quando estou de uniforme. E preciso dizer que não estou gostando do rumo desta conversa. Com licença.

Quando Daniel tinha se afastado alguns centímetros, uma mulher apareceu e parou ao lado dele e de Pip. Tinha cabelos longos e claros, um nariz sardento e uma barriga gigante projetando-se no vestido. Deveria estar grávida de pelo menos sete meses.

— Ora, ora, oi — cumprimentou ela, em um tom simpático forçado. — Sou a esposa do Dan. Que surpresa encontrar ele falando com uma garota da sua idade. Mas preciso dizer que você não faz o tipo dele.

— Kim — interrompeu Daniel, apoiando o braço nas costas dela —, por favor.

— Quem é ela?

— Só uma garota que veio para a reunião. Eu não sei.

Ele levou a esposa para o outro lado da biblioteca.

Ao sair, Pip olhou por cima do ombro. Daniel estava ao lado da esposa, evitando olhar para ela e conversando com a sra. Faversham. Pip empurrou a porta e se aconchegou ainda mais no casaco cáqui quando o ar frio a envolveu. Ravi estava esperando por ela do outro lado da rua, na altura da cafeteria.

— Você fez bem em ficar aqui fora — comentou ela quando o alcançou. — Ele foi bem hostil só comigo. E Stanley Forbes também estava lá.

— Um amor de pessoa — disse Ravi, sarcástico, afundando as mãos nos bolsos para protegê-las do vento cortante. — Então você não descobriu nada?

— Ah, eu não diria isso — respondeu Pip, aproximando-se de Ravi para se proteger do vento. — Ele deixou uma informação escapar, nem sei se percebeu.

— Pare de fazer pausas dramáticas.

— Desculpe. Daniel disse que conhecia os Hastings, que foi ele quem fez o boletim de ocorrência quando Max bateu o carro na árvore na frente de casa.

— Ah. — Os lábios de Ravi se abriram. — Então... talvez ele soubesse do atropelamento?

— Talvez.

As mãos de Pip estavam tão geladas que seus dedos começaram a se curvar em garras. Ela estava prestes a sugerir voltarem para casa quando Ravi enrijeceu. Seu olhar estava fixo em algo atrás dela.

Pip se virou.

Daniel da Silva e Stanley Forbes tinham acabado de sair da biblioteca. Estavam tendo uma conversa sussurrada. Daniel explicava algo e gesticulava. Stanley virou a cabeça em um meio giro, como uma coruja verificando os arredores, e foi aí que avistou Pip e Ravi.

Stanley lançou um olhar que fez uma rajada de vento frio passar pelos dois. Daniel virou e os encarou, mas seus olhos estavam apenas em Pip, afiados e aborrecidos.

Ravi segurou sua mão e disse:

— Vamos embora.

trinta e três

— Pronto, capucchorro — disse Pip para Barney, abaixando-se para soltar a guia da coleira xadrez. — Pode ir.

Ele a encarou com seus olhos inclinados e sorridentes. Quando ela se ergueu, Barney disparou pela trilha lamacenta e serpenteou por entre as árvores, parecendo um eterno filhote.

A mãe de Pip tinha avisado que estava um pouco tarde para um passeio. A floresta já escurecia, o céu em um cinza agitado espiava pelas brechas entre as árvores salpicadas de outono. Já eram 17h45, e o aplicativo de previsão do tempo dizia que o pôr do sol aconteceria em dois minutos. Ela não ficaria fora por muito tempo; só precisava dar um passeio rápido para se afastar do local de estudos. Precisava de ar fresco. Precisava de espaço.

Pip tinha passado o dia inteiro alternando entre estudar para a prova da próxima semana e encarar os nomes da lista de suspeitos. Fez isso por tanto tempo que seus olhos arderam, e linhas imaginárias e espinhosas brotaram das pontas das letras de um nome para envolver os outros até que a lista se transformou em uma bagunça de nomes emaranhados.

Não sabia o que fazer. Talvez devesse tentar falar com a esposa de Daniel da Silva; havia uma tensão inegável entre o casal. Mas por quê? E quais segredos poderiam ter causado isso? Ou talvez devesse voltar a focar no celular descartável e considerar a possibilidade de invadir a casa dos suspeitos que sabiam sobre o aparelho e procurá-lo?

Não.

Pip tinha ido passear para esquecer Andie Bell e esvaziar a mente. Enfiou a mão no bolso e desenrolou os fones de ouvido. Após posicioná-los, apertou o play no celular, retomando o episódio do podcast de crimes reais que estava ouvindo. Teve que aumentar o volume para escutar o podcast sobre o barulho que as galochas faziam ao pisar nas folhas caídas.

Prestando atenção na voz em seus ouvidos, que contava a história de uma garota assassinada, Pip tentou esquecer sua investigação.

Tomou um caminho curto pela floresta, observando as sombras dos galhos irregulares, sombras que ficavam mais claras à medida que o mundo ao redor ficava mais escuro. Quando o crepúsculo se transformou em escuridão, Pip saiu da trilha e avançou por entre as árvores para voltar à estrada mais rápido. Quando enxergou o portão para a estrada cerca de dez metros à sua frente, chamou Barney.

Ao alcançar o portão, pausou o podcast e enrolou os fones de ouvido ao redor do celular.

— Barney, vamos! — chamou outra vez, guardando o celular no bolso.

Um carro passou voando na estrada, com a luz dos faróis cegando Pip.

— Catioro! — chamou, mais alto. — Barney, vem!

As árvores estavam escuras, e não havia sinal dele.

Pip molhou os lábios e assoviou.

— Barney! Aqui, garoto!

Nenhum som de patas esmagando folhas secas. Nenhum vislumbre dourado entre as árvores. Nada.

Pip sentiu um medo cortante subir por seus dedos dos pés e descer pelos dedos das mãos.

— Barney! — gritou, e sua voz falhou.

Ela correu de volta para o meio das árvores escuras.

— Barney! — gritou, percorrendo o caminho de antes.

A guia do cachorro balançava em grandes arcos vazios em sua mão.

trinta e quatro

— Mãe, pai!

Pip empurrou a porta da frente, tropeçando no capacho e caindo de joelhos. As lágrimas ardiam e se acumulavam entre seus lábios.

— Pai!

Victor apareceu na porta da cozinha.

— Picles? — respondeu ele, e então a viu. — Pippa, o que foi? O que aconteceu?

Ele correu até a filha enquanto ela se levantava.

— Barney sumiu. Não veio quando eu chamei. Procurei pela floresta inteira, mas ele sumiu. Não sei o que fazer. Eu perdi o Barney, pai.

Sua mãe e Josh apareceram no corredor também, observando-a em silêncio.

Victor esfregou o braço da filha.

— Está tudo bem, picles — assegurou, com a voz calorosa. — Vamos encontrá-lo, não se preocupe.

O pai pegou um casaco acolchoado grosso no armário embaixo da escada e duas lanternas.

Fez Pip colocar um par de luvas antes de entregar uma das lanternas para ela.

Quando voltaram para a floresta, a noite estava escura e pesada. Pip mostrou ao pai o caminho que havia feito. Os dois feixes de luz branca cortavam a escuridão.

— Barney! — chamou o pai.

Sua voz estrondosa ecoava pelas árvores.

Duas horas mais tarde, estava um tanto mais frio e Victor decidiu que seria melhor voltarem para casa.

— Não podemos voltar sem ele! — Pip fungou.

— Olha... — Ele se virou para a filha, com a luz da lanterna iluminando-o de baixo para cima. — Já está escuro demais. Vamos encontrá-lo de manhã. Barney se perdeu em algum lugar, mas vai ficar bem por uma noite.

Depois do jantar tardio e silencioso, Pip foi direto para a cama. Seus pais passaram no quarto e se sentaram na colcha a seu lado. A mãe acariciou seus cabelos enquanto Pip tentava segurar o choro.

— Desculpe — disse ela. — Desculpe.

— Não é culpa sua, querida — reconfortou Leanne. — Não se preocupe. Ele vai encontrar o caminho de volta para casa. Agora tente dormir.

Mas Pip não conseguiu. Não muito, pelo menos. Um pensamento penetrou em sua cabeça e se enterrou ali: e se fosse realmente culpa dela? E se fosse porque tinha ignorado o último aviso? E se Barney não tivesse apenas se perdido, mas sido sequestrado? Por que ela não ficou de olho nele?

Todos se sentaram na cozinha bem cedo para tomar café da manhã, apesar de estarem sem apetite. Victor, que parecia não ter dormido muito também, já tinha ligado para o trabalho e avisado que tiraria o dia de folga. Explicou seu plano de ação enquanto mastigava o cereal: ele e Pip voltariam para a floresta, depois ampliariam a área de busca e começariam a bater nas portas dos vizinhos, perguntando por Barney. Leanne e Josh ficariam responsáveis por fazer pôsteres de desaparecido, colocá-los na High Street e distribuí-los. Quando terminassem, todos se encontrariam e vasculhariam as outras áreas de floresta perto da cidade.

Quando ouviram latidos na floresta, o coração de Pip disparou, mas era apenas uma família passeando com dois beagles e um labradoodle. Disseram que não tinham visto nenhum golden retriever sozinho por aí, mas que ficariam de olho.

Quando começaram a percorrer a floresta pela segunda vez, Pip já estava rouca. Bateram na casa dos vizinhos em Martinsend Way, mas ninguém havia visto um cachorro perdido.

No início da tarde, o apito de trem do celular de Pip soou na floresta silenciosa.

— É a mamãe? — perguntou Victor.

— Não — disse Pip, lendo a mensagem.

Era Ravi. Dizia: *Ei, acabei de ver os pôsteres do Barney pela cidade. Você está bem? Precisa de ajuda?*

Seus dedos estavam duros por causa do frio, então não digitou uma resposta.

Ela e o pai pararam um pouco para comer sanduíches, e então seguiram com a busca. Sua mãe e Josh se juntaram a eles, perambulando por entre árvores e terras agrícolas particulares. Os gritos de "Barney" em coro eram levados pelo vento.

Mas o planeta girou e a escuridão retornou.

De volta em casa, esgotada e quieta, Pip ficou remexendo a comida tailandesa que Victor havia comprado na cidade. Sua mãe tinha colocado um filme da Disney no fundo para aliviar o clima, mas Pip apenas encarava o macarrão enrolado como minhocas em volta do garfo.

Largou o talher quando um apito de trem soou, acompanhado de uma vibração em seu bolso.

Colocou o prato na mesa de centro e pegou o celular. A tela se iluminou.

Pip fez o possível para esconder o terror em seus olhos e manter a boca fechada. Lutou para manter uma expressão neutra e colocou o telefone virado para baixo no sofá.

— Quem é? — perguntou a mãe.

— Só a Cara.

Mas não era. Era o Desconhecido: *Quer seu cachorro de volta?*

trinta e cinco

A mensagem seguinte só chegou às onze da manhã.

Victor estava trabalhando de casa. Às oito horas, tinha ido até o quarto de Pip e avisado que iriam fazer outra busca e estariam de volta para o almoço.

— Você deveria ficar em casa e estudar — disse ele. — Essa prova é muito importante. Deixe Barney com a gente.

Pip concordou. Ficou aliviada, de certa forma. Não achava que conseguiria andar ao lado da família, chamando por Barney, quando sabia que não iriam encontrá-lo. Porque não tinha se perdido, tinha sido sequestrado. Pelo assassino de Andie Bell.

Mas não havia tempo a perder odiando a si mesma, perguntando-se por que não tinha dado ouvidos às ameaças. Por que tinha sido burra o suficiente para se considerar intocável. Só precisava resgatar Barney.

Era tudo o que importava.

Sua família tinha saído há algumas horas quando seu celular apitou, fazendo-a estremecer e derramar café no edredom. Pip pegou o aparelho e leu a mensagem várias vezes.

Pegue seu computador e qualquer pendrive ou HD externo em que seu projeto esteja salvo. Leve-os para o estacionamento do clube de tênis e dê cem passos em direção às árvores do lado direito.

Não conte a ninguém e venha sozinha. Se seguir as instruções, terá seu cachorro de volta.

Pip deu um pulo, espirrando mais café na cama. Ela entrou em ação antes que o medo pudesse paralisá-la. Tirou os pijamas e vestiu um moletom e calça jeans. Agarrou a mochila, abriu o zíper e a virou para baixo, derrubando as apostilas e a agenda escolar no chão. Tirou o notebook da tomada e o colocou junto com o carregador na bolsa. Pegou os dois pendrives em que salvara o projeto na gaveta do meio de sua escrivaninha e os guardou também.

Correu escada abaixo, quase tropeçando ao colocar a mochila pesada nas costas. Calçou as botas de caminhada, vestiu o casaco e pegou as chaves do carro na mesinha da entrada. Não havia tempo para pensar. Se Pip parasse para pensar, hesitaria e perderia Barney para sempre.

Do lado de fora, o vento frio atingiu seu pescoço e seus dedos. Ela correu até o carro, e suas mãos estavam grudentas e trêmulas no volante ao sair da garagem.

Demorou cinco minutos para chegar ao local indicado. Tinha ficado presa atrás de um motorista lento, apesar de ter tentado se aproximar de sua traseira e deixado o farol alto para fazê-lo ir mais rápido.

Entrou no estacionamento ao lado das quadras de tênis e parou na vaga mais próxima. Pegou a mochila do assento do passageiro, saiu do carro e foi em direção às árvores.

Antes de sair do concreto e pisar na lama, Pip parou para olhar por cima do ombro. Havia um grupo infantil nas quadras de tênis, gritando e rebatendo bolas na cerca. Algumas mães com crianças pequenas barulhentas conversavam paradas ao lado de um carro. Não havia ninguém com os olhos fixos nela. Nenhum carro conhecido. Ninguém que ela já tivesse visto antes. Se Pip estava sendo observada, não dava para perceber.

Ela se voltou para as árvores e começou a andar. Contou mentalmente cada passo, em pânico com a possibilidade de serem muitos longos ou muito curtos e não a levarem para onde deveriam.

No passo trinta, seu coração batia tão forte que fazia sua respiração oscilar.

No sessenta e sete, a pele de seu peito e de suas axilas formigou enquanto o suor invadia a superfície.

No noventa e quatro, ela começou a murmurar "por favor, por favor, por favor" bem baixinho.

Então parou no passo cem, entre as árvores. E esperou.

Não havia nada ao redor além da sombra pontilhada das árvores e das folhas que iam de vermelho a amarelo-pálido, cobrindo a lama.

Um assovio longo e alto soou acima dela, arrastando-se em quatro estouros curtos. Ela olhou para cima e viu um milhafre-real voando, apenas um contorno nítido de asas largas contra o sol cinza. O pássaro saiu de seu campo de visão, e ela ficou sozinha outra vez.

Quase um minuto depois, seu celular apitou no bolso. Atrapalhada, ela o puxou e leu a nova mensagem.

Destrua tudo e deixe aí. Não diga o que você sabe a ninguém. Chega de perguntas sobre Andie. Isso acaba agora.

Os olhos de Pip pularam de uma palavra para a outra, para a frente e para trás. Ela forçou uma respiração profunda e guardou o celular. Sua pele queimava sob o olhar do assassino, observando-a de um lugar invisível.

De joelhos, pôs a mochila no chão, tirou o notebook, o carregador e os dois pendrives. Colocou-os sobre as folhas de outono e abriu a tela do notebook.

Ela se levantou e, enquanto seus olhos se enchiam de lágrimas e o mundo se tornava mais embaçado, pisou no primeiro pendrive com o salto da bota. Um lado da parte de plástico rachou e voou para longe. A parte do conector de metal amassou. Ela pisou de novo e depois virou a bota esquerda para o outro pendrive, pulando em cima do dispositivo enquanto suas partes quebravam e se despedaçavam.

Então se virou para o notebook, cuja tela refletia um feixe fino da luz fraca do sol. Assistiu ao reflexo da sua silhueta levantar a perna e chutar o computador. Sobre as folhas caídas junto ao teclado, a tela se achatou sobre a dobradiça, atravessada por uma grande rachadura.

A primeira lágrima escorreu pelo queixo de Pip enquanto ela dava outro chute, dessa vez no teclado. Várias letras saíram voando, espalhando-se na lama. Suas botas quebraram o vidro da tela, que saltou para fora da tampa de metal.

Pulou em cima do notebook de novo e de novo, com as lágrimas escorrendo uma atrás da outra e serpenteando por suas bochechas.

O metal ao redor do teclado agora estava rachado, expondo a placa mãe e a ventoinha. A placa de circuito verde se despedaçou sob seu calcanhar, e o pequeno ventilador se partiu e voou para longe. Quando Pip pulou outra vez, tropeçou na máquina destroçada e caiu de costas nas folhas macias.

Ela se deixou chorar por alguns instantes. Então se sentou e pegou o notebook, com a tela quebrada pendurada frouxamente por uma dobradiça, e o jogou contra o tronco da árvore mais próxima. Com outro baque, o computador caiu no chão, morto entre as raízes das árvores.

Pip permaneceu ali, tossindo e esperando o ar voltar aos pulmões. Seu rosto ardia com o sal das lágrimas.

Então esperou.

Não tinha certeza do que fazer em seguida. Havia obedecido ao que pediram: Barney estava prestes a ser liberado para ela ali? Ela esperaria para ver. Esperaria outra mensagem. Chamou o nome do cachorro e esperou.

Mais de meia hora se passou. E nada. Nada de mensagens. Nada de Barney. Nenhum som além dos gritos distantes das crianças na quadra de tênis.

Pip se levantou, sentindo as solas dos pés doloridas e encaroçadas dentro das botas. Pegou a mochila vazia e se afastou, dando uma última olhada no aparelho destruído.

—Aonde você foi? — perguntou o pai assim que ela entrou em casa.

Pip tinha passado um tempo sentada no estacionamento do clube de tênis, para os olhos ficarem menos vermelhos, antes de voltar para casa.

— Não estava conseguindo me concentrar aqui — disse ela, baixinho —, então fui estudar na cafeteria.

— Entendi. — Victor abriu um sorriso gentil. — Às vezes, uma mudança de ares é boa para a concentração.

— Mas, pai… — Pip odiava a mentira que estava prestes a sair de sua boca. — Uma coisa aconteceu. Não sei como. Fui ao banheiro e, quando voltei, meu notebook tinha desaparecido. Ninguém viu nada. Acho que foi roubado. — Ela olhou para as botas sujas. — Desculpe, eu não deveria ter deixado o computador largado.

Victor a silenciou e a envolveu em um abraço. Um abraço de que ela realmente precisava.

— Não seja boba. Coisas não são importantes. São substituíveis. O importante é que você está bem.

— Estou. Algum sinal do Barney hoje de manhã?

—Ainda não, mas Josh e a mamãe vão voltar lá mais tarde, e eu vou ligar para os abrigos próximos. A gente vai trazer ele de volta, picles.

Ela assentiu e saiu de seu abraço. Trariam Barney de volta. Pip havia feito tudo que mandaram. Era o combinado. Ela desejou poder explicar para a família e tirar um pouco a preocupação de seus rostos. Mas não tinha como. Era mais um daqueles segredos de Andie Bell que Pip descobrira e no qual estava presa.

Quanto a desistir de Andie, será que conseguiria mesmo fazer isso? Conseguiria deixar tudo para lá sabendo que Sal Singh não era culpado? Sabendo que um assassino andava pelas mesmas ruas de Kilton que ela? Mas era o que precisava fazer, não era? Pelo cachorro que amou por dez anos, e que a amou de volta ainda mais. Pela segurança de sua família. Por Ravi também. Como o convenceria a desistir? Ele tinha que desistir, senão poderia ser o próximo corpo encontrado na floresta. A investigação não poderia continuar, não era mais seguro. Não havia escolha. A decisão atingiu seu peito como um fragmento da tela quebrada do notebook, perfurando-a e abrindo-a a cada respiração.

Pip estava sentada à sua mesa, examinando os papéis de preparação do ELAT. O dia tinha escurecido, e ela havia acabado de acender a luminária em forma de cogumelo. Estava estudando com a trilha sonora de *Gladiador* tocando nos alto-falantes do celular, balançando a caneta no ritmo dos violinos. Quando alguém bateu na porta, ela pausou a música.

— Pode entrar — disse, girando na cadeira.

Victor entrou no quarto e fechou a porta.

— Trabalhando duro, picles?

Ela assentiu.

O pai se aproximou e apoiou as costas contra a mesa, cruzando as pernas à sua frente.

— Olha, Pip — começou ele, em um tom gentil. — Acabaram de encontrar o Barney.

Pip sentiu um nó na garganta.

— Por que você não parece feliz?

— Ele deve ter caído sem querer. Foi encontrado no rio. — Victor segurou a mão da filha. — Sinto muito, querida. Barney se afogou.

Pip arrastou a cadeira para longe do pai, balançando a cabeça.

— Não. Não pode ser. Isso não era o que… Não, não é possível…

— Sinto muito, picles — repetiu o pai, seu lábio inferior tremendo. — Barney morreu. Vamos enterrá-lo no jardim amanhã.

— Não, não é possível! — Pip se levantou, empurrando Victor quando ele tentou abraçá-la. — Não, Barney não pode ter morrido. Não é justo! — Lágrimas quentes e rápidas desciam até a covinha do queixo de Pip. — Ele não pode estar morto. Não é justo. Não é… não é…

Seus joelhos cederam, e Pip se sentou no chão, abraçando as pernas junto ao peito. Um abismo de dor indescritível se abriu em seu interior, uma escuridão imensa.

— É tudo culpa minha. — Sua boca pressionava o joelho, sufocando as palavras. — Desculpe. Desculpe.

O pai se sentou ao lado de Pip e a envolveu em seus braços.

— Pip, não quero que pense assim, nem por um segundo. Não é sua culpa que ele tenha se afastado.

— Não é justo, pai — resmungou ela em seu peito. — Por que isso aconteceu? Eu só quero ele de volta. Quero Barney de volta.

— Eu também — sussurrou ele.

Os dois ficaram sentados por um bom tempo no chão do quarto de Pip, chorando juntos. Ela nem ouviu quando a mãe e Josh entraram. Só percebeu quando os dois se encaixaram no abraço, Josh sentado no colo de Pip, com a cabeça em seu ombro.

— Não é justo.

trinta e seis

Eles o enterraram à tarde. Pip e Josh combinaram de plantar girassóis em cima do túmulo na primavera, porque eram dourados e felizes, como Barney.

Cara e Lauren foram para a casa de Pip, Cara carregada de cookies que tinha feito para eles. Pip não conseguia falar; cada palavra por pouco não se transformava em um choro ou em um grito de raiva. Cada palavra despertava aquele sentimento contraditório em seu interior: parecia que ela estava triste demais para sentir raiva, mas com raiva demais para ficar triste. As amigas não ficaram por muito tempo.

Já era noite e havia um zumbido em seus ouvidos. O dia tinha sedimentado seu luto, e Pip se sentia entorpecida e esgotada. Barney não voltaria, e ela não poderia contar o motivo a ninguém. O segredo e a culpa eram as sensações mais pesadas de todas.

Houve uma batida na porta do seu quarto. Pip largou a caneta na página em branco.

— Pode entrar — sussurrou, com a voz rouca.

A porta se abriu e Ravi apareceu.

— Oi — cumprimentou ele, afastando o cabelo escuro do rosto. — Como você está?

— Nada bem. O que você está fazendo aqui?

— Você não respondeu minhas mensagens, e fiquei preocupado. Vi que os pôsteres sumiram hoje de manhã. Seu pai acabou de me contar o que aconteceu. — Ravi fechou a porta e apoiou as costas nela. — Sinto muito, Pip. Sei que não ajuda dizer isso, é só algo que se diz. Mas eu sinto muito.

— Só tem uma pessoa que precisa sentir muito — retrucou a garota, olhando para a página em branco.

Ravi suspirou.

— É isso o que fazemos quando alguém querido morre. A gente se culpa. Eu também me culpei, Pip. E precisei de um bom tempo para entender que não era minha culpa. Às vezes, coisas ruins apenas acontecem. Fica mais fácil de entender isso com o tempo. Espero que você consiga entender logo.

Ela deu de ombros.

— Também queria dizer… — Ravi pigarreou. — Você não precisa se preocupar com essa coisa do Sal por um tempo. O prazo que estipulamos para levar a foto para a polícia não importa. Sei que é muito importante para você proteger Naomi e Cara. Pode tirar mais tempo. Você já se esforçou demais, e acho que precisa de um descanso, sabe, depois do que aconteceu. E seu teste de Cambridge está chegando. — Ele coçou a parte de trás da cabeça, e os cabelos compridos caíram de novo em seus olhos. — Sei que meu irmão é inocente, mesmo que ninguém saiba ainda. Já esperei mais de cinco anos, posso esperar um pouco mais. E, no meio-tempo, vou continuar investigando as pistas em aberto.

Pip sentiu o coração se apertar e ficar oco. Teria que machucá-lo. Era a única forma de fazê-lo desistir, de mantê-lo a salvo. Quem quer que tivesse matado Andie e Sal estava disposto a matar de novo. E ela não poderia deixar que Ravi morresse.

Mas não conseguia olhar para ele. Não conseguia olhar para seu rosto gentil-sem-nem-tentar, para o sorriso perfeito igual ao do irmão nem para os olhos tão castanhos e profundos que daria para mergulhar dentro deles. Então não olhou.

— Não vou continuar com o projeto — anunciou. — Cansei.

Ravi endireitou as costas.

— Como assim?

— Cansei do projeto. Mandei um e-mail para a minha supervisora dizendo que vou mudar de tema ou desistir. Acabou.

— Mas... não estou entendendo — disse ele, as primeiras feridas evidentes em sua voz. — Não é só um projeto, Pip. É sobre o meu irmão, sobre o que aconteceu com ele de verdade. Você não pode simplesmente parar. E Sal?

Era em Sal que ela estava pensando. Em como, acima de tudo, gostaria que o irmão mais novo não morresse na floresta como ele.

— Desculpe, mas cansei.

— Eu não... o que... olhe para mim.

Pip não olhou.

Ravi foi até a mesa e se abaixou na frente dela, encarando seu rosto.

— O que aconteceu? Tem algo errado. Você não faria isso se...

— Eu só cansei, Ravi — respondeu ela. Olhou para ele e imediatamente se arrependeu. Tudo ficou muito mais difícil. — Não posso mais fazer isso. Não sei quem matou Sal. Não consigo descobrir. Já chega.

— Mas a gente vai descobrir — retrucou ele, o desespero tomando conta de seu rosto. — A gente *vai* descobrir.

— Não consigo. Sou só uma menina qualquer, lembra?

— Quem disse isso para você é um idiota. Você é muito mais que isso. Você é Pippa Fitz-Amobi, caramba. — Ele sorriu, e foi a coisa mais triste que Pip já vira. — E não acho que exista outra pessoa no mundo como você. Quer dizer, você ri das minhas piadas, então deve haver algo errado com você. Estamos tão perto,

Pip. Sabemos que Sal é inocente; sabemos que alguém o incriminou pelo assassinato de Andie e então o matou. Você não pode parar. Você prometeu para mim. Você quer isso tanto quanto eu.

— Mudei de ideia — insistiu —, e você não vai me convencer a continuar. Cansei da Andie Bell. Cansei do Sal.

— Mas ele é inocente.

— Não é minha responsabilidade provar isso.

—Você assumiu essa responsabilidade! — Ravi pegou impulso com os joelhos para se levantar e pairou sobre ela, com o tom de voz aumentando. — Você invadiu minha vida oferecendo essa oportunidade que eu nunca tive antes. Não pode tirar isso de mim agora. Sabe que eu preciso de você. Não pode desistir. Você não é assim.

— Desculpe.

Um silêncio que durou doze batimentos cardíacos caiu entre eles. Pip manteve os olhos cravados no chão.

— Tudo bem — começou Ravi, friamente. — Não sei por que você está fazendo isso, mas tudo bem. Vou sozinho falar com a polícia e entregar a foto do álibi do Sal. Me envie o arquivo.

— Não dá — disse Pip. — Roubaram meu notebook.

Ravi se virou para a mesa. Correu até lá, espalhando a pilha de papéis e as anotações para a prova, com um olhar desesperado e penetrante.

— Cadê a foto impressa? — perguntou, voltando-se para Pip com as anotações na mão.

Era hora da mentira que iria quebrá-lo.

— Eu destruí.

O olhar que Ravi lançou ardia, e ela definhou.

— Por que você fez isso? Por que está fazendo isso?

Os papéis caíram de suas mãos, pairando até o chão como asas cortadas. Espalharam-se ao redor dos pés de Pip.

— Porque eu não quero mais fazer parte disso. Nunca deveria ter começado esse projeto.

— Não é justo! — Os tendões se projetaram em seu pescoço. — Meu irmão era inocente, e você acabou de se livrar da única prova que a gente tinha. Se você desistir agora, Pip, você é tão ruim quanto o resto de Kilton. Quanto as pessoas que pintaram as palavras *família imunda* na nossa casa, que quebraram nossas janelas. Que me atormentaram na escola. Que me olham daquele jeito. Não, você é pior. Pelo menos eles acreditam que Sal é culpado.

— Desculpe — disse ela, quase sem voz.

— Não, eu que peço desculpas — retrucou Ravi, com a voz falhando. Ele passou a manga da blusa sobre o rosto para secar as lágrimas de raiva e estendeu a mão para a porta. — Por ter achado que você era alguém que obviamente não é. Você é mesmo uma menina qualquer. Uma cruel, tipo Andie Bell.

Ele saiu do quarto em direção à escada, com as mãos nos olhos.

Pip o observou ir embora pela última vez.

Quando ouviu a porta da frente abrir e fechar, cerrou o punho e deu um soco na mesa. O porta-lápis estremeceu e caiu, espalhando canetas por toda a superfície.

Ela gritou nas mãos em concha até se esvaziar, prendendo o grito entre seus dedos.

Ravi a odiava, mas estaria seguro.

trinta e sete

No dia seguinte, Pip estava ensinando Josh a jogar xadrez na sala de estar. A primeira partida de treino ia chegando ao fim, e, apesar dos esforços da irmã para deixá-lo ganhar, Josh estava apenas com o rei e dois peões. Ou "pinhões", como ele chamava.

Alguém bateu na porta, e a ausência de Barney foi um soco no estômago. Não havia patas deslizando na madeira polida, correndo para ficar de pé e cumprimentar a visita.

A mãe atravessou o corredor e abriu a porta.

Sua voz flutuou até a sala de estar:

— Ah, olá, Ravi.

Pip sentiu um nó na garganta.

Confusa, ela colocou o cavalo de volta no tabuleiro e saiu da sala de estar, sua inquietação se transformando em pânico. Por que ele voltaria depois do que tinha acontecido no dia anterior? Como aguentaria olhar para ela? A menos que estivesse desesperado o suficiente para emboscar seus pais, revelar tudo o que sabia e tentar forçar Pip a ir à delegacia. Ela não iria. Quem mais morreria se fosse?

Quando a porta apareceu em seu campo de visão, ela viu Ravi abrir o zíper de uma grande mochila esportiva e enfiar as mãos lá dentro.

— Minha mãe enviou seus pêsames — explicou ele, pegando dois grandes potes de comida. — Ela fez curry de frango, sabe, para o caso de vocês não estarem com vontade de cozinhar.

— Ah — fez Leanne, pegando os potes. — É muito gentil. Obrigada. Entre, entre. Você precisa me dar o número dela para eu agradecer.

— Ravi? — chamou Pip.

— Olá, garota problema — cumprimentou ele, em um tom suave. — Posso falar com você?

Quando chegaram ao quarto de Pip, Ravi fechou a porta e largou a mochila no tapete.

— Hum... eu... — gaguejou Pip, tentando decifrar a expressão dele. — Não entendi por que você voltou.

Ravi deu um pequeno passo em sua direção.

— Pensei nisso a noite toda, literalmente. Estava claro quando eu finalmente peguei no sono. E só consegui pensar em um motivo, só uma coisa que faria sentido. Porque eu conheço você. Eu não estava errado sobre quem você é.

— Eu não...

— Alguém pegou o Barney, né? Alguém ameaçou você, sequestrou seu cachorro e o matou para você ficar quieta sobre Sal e Andie.

Um silêncio pesado tomou conta do quarto.

Pip assentiu, e seu rosto se rompeu em lágrimas.

— Não chore — disse Ravi, cruzando a distância entre eles com um passo largo. Ele a puxou para si, abraçando-a. — Estou aqui. Estou aqui.

Pip se apoiou nele, e tudo — toda a dor, todos os segredos que havia guardado a sete chaves — se libertou, irradiando como calor. Ela cravou as unhas na palma das mãos, tentando conter as lágrimas.

— Me conte o que aconteceu — pediu ele quando finalmente a soltou.

Mas as palavras se perderam e a língua de Pip se enrolou. Em vez disso, ela puxou o celular e abriu as mensagens do Desconhecido, entregando o aparelho para ele. Observou Ravi ler.

— Ah, Pip. — Ele a encarou com os olhos arregalados. — Isso é doentio.

— Era mentira. — Ela fungou. — Disseram que iam trazer Barney de volta e então o mataram.

— Essa não foi a primeira vez que entraram em contato com você — constatou, rolando para cima. — A primeira mensagem é de 8 de outubro.

— Não foi mesmo a primeira — corrigiu Pip, abrindo a última gaveta da escrivaninha. Entregou a Ravi duas folhas de papel impresso e apontou para a da esquerda. — Este bilhete apareceu no meu saco de dormir quando fui acampar na floresta com meus amigos no dia 1º de setembro. Vi alguém nos observando. — Ela apontou para o outro. — Encontrei este outro no meu armário da escola na sexta-feira. Ignorei e continuei investigando. É por isso que Barney está morto. Por causa da minha arrogância. Porque achei que era intocável e não sou. Temos que parar com isso. Ontem… Desculpe, não sabia de que outra forma convencer você a desistir, a não ser fazer você me odiar a ponto de ficar bem, bem longe do perigo.

— É impossível se livrar de mim — retrucou ele, levantando o olhar dos bilhetes. — E isso ainda não acabou.

— Acabou, sim. — Ela pegou os papéis de volta e os jogou na mesa. — Barney morreu, Ravi. E quem será o próximo? Você? Eu? O assassino esteve aqui, na minha casa, no meu quarto. Leu minha pesquisa e digitou um aviso no meu diário de produção. Aqui, Ravi, na mesma casa que o meu irmão de nove anos. Se a gente continuar, vai colocar pessoas demais em perigo. Seus pais podem perder o único filho que restou. — Ela fez uma pausa quando sua mente foi tomada pela imagem de Ravi morto sobre as folhas de outono, com Josh ao lado. — O assassino sabe de tudo o que sabemos. Ele está um passo à frente, e a gente tem coisas demais a perder. Sinto muito se isso significa abandonar Sal. Sinto muito mesmo.

— Por que você não me contou sobre as ameaças?

— No começo, achei que fosse só uma brincadeira — explicou ela, dando de ombros. — Mas não queria que você soubesse para não me obrigar a parar. E então eu fiquei presa nisso, guardando segredo. Achei que fossem ameaças vazias. Achei que podia ignorá-las. Fui tão burra, e agora tenho que pagar pelos meus erros.

— Você não é burra. Você estava certa sobre Sal desde o começo. Ele era inocente. A gente tem certeza disso agora, mas não é o bastante. Ele merece que todos saibam que ele foi bom e gentil até o fim. Meus pais merecem isso. E agora a gente nem tem mais a foto que prova isso.

— Eu ainda tenho a foto — disse Pip baixinho, pegando a impressão da última gaveta e a entregando a Ravi. — Óbvio que eu nunca destruiria. Mas isso não serve de nada agora.

— Por quê?

— O assassino está de olho em mim, Ravi. De olho em nós dois. Se levarmos a foto para a polícia e não acreditarem em nós, se acharem que eu photoshopei a imagem ou algo do tipo, vai ser tarde demais. Teríamos lançado nossa última cartada, e não seria forte o bastante. E aí, o que aconteceria? O assassino vai pegar Josh? Ou você? Pessoas poderiam morrer. — Ela se sentou na cama, arrancando as bolinhas de tecido da meia. — A gente não tem uma prova incontestável. A foto não basta, porque requer grandes saltos interpretativos e nem está mais na internet. Por que acreditariam em nós? No irmão do Sal e em uma garota de dezessete anos que ainda está na escola. *Eu* mal acredito em nós. Tudo o que a gente tem são histórias fantásticas sobre uma garota assassinada, e você sabe o que a polícia acha do Sal, assim como o resto de Kilton. A gente não pode arriscar a vida por causa de uma foto.

— Não — disse Ravi, deixando a foto na mesa e assentindo. — Você está certa. E um dos nossos principais suspeitos é um policial. Não é a melhor opção. Mesmo que a polícia, por algum motivo, acreditasse em nós e reabrisse o caso, ainda demoraria demais para encontrar o verdadeiro assassino. Um tempo que a gente não teria. — Ele girou a cadeira da escrivaninha para se sentar de frente para Pip, que estava na cama. — Então, acho que nossa única opção é encontrar o assassino sozinhos.

— Não podemos... — começou Pip.

— Você acha mesmo que deixar para lá é a melhor opção? Como se sentiria segura em Kilton sabendo que a pessoa que matou Andie, Sal e o seu cachorro está por aí? Sabendo que está de olho em você? Como você viveria desse jeito?

— É o que preciso fazer.

— Para uma pessoa tão inteligente, você está sendo uma verdadeira otária agora.

Ravi apoiou os cotovelos no encosto da cadeira, o queixo contra os nós dos dedos.

— Assassinaram meu cachorro.

— Assassinaram meu irmão. E o que a gente vai fazer? — disse ele, endireitando-se e com um brilho desafiador nos olhos escuros. — Vamos ignorar tudo isso e nos esconder? Passar o resto da vida sabendo que um assassino está à solta, nos observando? Ou vamos lutar? Encontrar o responsável e puni-lo pelo que fez com a gente? Colocá-lo atrás das grades para que não machuque mais ninguém?

— Ele vai saber que não paramos.

— Não vai, não. Não se formos cuidadosos. Chega de falar com os suspeitos, chega de falar com qualquer pessoa. A resposta deve estar em meio a todas as informações que a gente já descobriu. Você vai fingir que desistiu do projeto. Só nós dois vamos saber.

Pip ficou em silêncio.

— Se precisa de mais um empurrão — continuou Ravi, pegando sua mochila —, trouxe meu notebook para você. É seu até isso acabar.

Ele o tirou da mochila e o ergueu.

— Mas...

— É seu. Pode usá-lo para estudar para o seu teste e reescrever o que se lembrar do diário e das entrevistas. Eu mesmo fiz algumas anotações aí. Sei que você perdeu toda a pesquisa, mas...

— Eu não perdi minha pesquisa.

— Como assim?

— Sempre envio tudo para mim mesma por e-mail, para o caso de algo acontecer — explicou Pip, observando Ravi abrir um sorriso. — Você acha que eu sou o quê, uma desprevenida?

— Ah, não, sargento, eu sei que você é cuidadosa. Então isso é um sim ou eu preciso comprar muffins de suborno também?

Pip estendeu a mão para pegar o notebook.

— Vamos lá. Temos um duplo homicídio para resolver.

Imprimiram tudo: todas as entradas do diário de produção, todas as páginas da agenda de Andie, uma foto de cada suspeito, as fotos de Howie com Stanley Forbes, Jason Bell e sua nova esposa, o Hotel Ivy House, a casa de Max Hastings, a foto de Andie mais usada nos jornais, uma foto da família Bell vestida em traje fino, Sal piscando e acenando para a câmera, as mensagens de Pip fingindo ser Chloe para enganar Emma Hutton, os e-mails fingindo ser uma repórter da BBC investigando bebidas batizadas, uma lista dos efeitos de flunitrazepam, o Colégio Kilton, a foto de Daniel da Silva e outros policiais na casa dos Bell, um artigo da internet sobre celulares descartáveis, os artigos de Stanley Forbes sobre Sal, Nat da Silva ao lado da informação sobre *Agressão resultando em lesão corporal grave*, uma foto de um Peugeot 206 preto ao lado de um mapa da Romer Close e da casa de Howie, notícias de jornal sobre um atropelamento no ano-novo de 2011 na A413, capturas de tela das mensagens do Desconhecido e digitalizações dos bilhetes de ameaças com datas e locais.

Os dois encararam as quinhentas folhas de papel no tapete.

— Não é muito ecológico — disse Ravi —, mas sempre quis fazer um quadro do assassinato.

— Eu também — concordou Pip. — E estou preparada, em relação a artigos de papelaria.

Das gavetas da escrivaninha, ela tirou um pote de alfinetes coloridos e um rolo de barbante vermelho.

— Para que você tem barbante vermelho guardado?

— Tenho de todas as cores.

— Óbvio que tem.

Pip tirou o quadro de cortiça pendurado acima da mesa. Estava coberto com fotos dela e de seus amigos, Josh e Barney, seu calendário escolar e citações de Maya Angelou. Ela tirou tudo, e os dois começaram a montagem.

Trabalhando no chão, prenderam as páginas impressas no quadro com alfinetes prata, organizando cada página em torno da respectiva pessoa, em enormes órbitas de colisão. Os rostos de Andie e Sal estavam no meio. Pip e Ravi tinham começado a fazer as linhas de conexão com o barbante e as tachinhas coloridas quando o celular de Pip tocou. Era uma ligação de um número desconhecido.

Ela atendeu.

— Olá?

— Oi, Pip, é Naomi.

— Oi. Que estranho, seu número não está salvo no meu celular.

— Ah, é porque eu quebrei o meu — explicou Naomi. — Estou usando um temporário até consertarem.

— Ah, é, Cara me disse. O que foi?

— Eu passei o final de semana na casa de uma amiga, e Cara acabou de me contar sobre o Barney. Eu sinto muito, Pip. Espero que você esteja bem.

— Ainda não, mas vou ficar.

— Sei que talvez você não queira pensar sobre isso agora, mas descobri que o primo da minha amiga estudou Letras em Cambridge. Posso ver se ele topa enviar um e-mail para você sobre o teste e a entrevista, se quiser.

— Nossa, sim, por favor — respondeu Pip. — Isso seria ótimo. Estou um pouco atrasada nos estudos.

Ela olhou incisivamente para Ravi, debruçado sobre o quadro do assassinato.

— Está bem, vou pedir o contato dele. O teste é na próxima quinta-feira, certo?

— Aham.

— Bom, se eu não vir você até lá, boa sorte. Você vai arrasar.

— Certo, então — disse Ravi quando Pip desligou —, nossas pistas em aberto são o Hotel Ivy House, o número de telefone riscado da agenda da Andie… — Ele apontou para a página. — E o celular descartável. E também quem sabia sobre o atropelamento e quem tinha acesso aos números de celular dos amigos do Sal e ao seu. Pip, talvez a gente esteja complicando algo simples. — Ele olhou para ela. — Do meu ponto de vista, tudo aponta para uma pessoa.

— Max?

— Vamos apenas nos concentrar no que temos certeza. Nada de "se" ou "talvez". Ele é o único que tem conhecimento em primeira mão sobre o atropelamento.

— Verdade.

— Ele é o único suspeito que tinha os números de telefone da Naomi, da Millie e do Jake. E o seu.

— Nat e Howie também poderiam ter.

— É, "poderiam". Mas vamos focar no que temos certeza. — Ravi se arrastou até o lado de Max no quadro. — Ele disse que achou na escola, mas tem uma foto de Andie nua no Ivy House. Então provavelmente foi ele quem a encontrou no hotel. Comprou flunitrazepam da Andie, e as garotas estavam sendo drogadas nas festas do apocalipse. Ele deve ter cometido estupros. É óbvio que ele é problemático, Pip.

Ravi estava seguindo uma linha de raciocínio que ela já percorrera antes, e Pip sabia que ele estava prestes a dar de cara com a parede.

— Além disso — prosseguiu ele —, ele é o único suspeito que a gente tem certeza de que tem o seu celular.

— Na verdade, não. Nat tem de quando eu tentei entrevistá-la por telefone. Howie também: liguei para ele quando estava tentando identificá-lo e esqueci de ocultar meu número. Recebi a primeira mensagem do Desconhecido logo depois.

— Ah.

— E a gente sabe que Max estava na escola prestando depoimento à polícia quando Sal desapareceu.

Ravi caiu para trás.

— Estamos deixando passar alguma coisa.

— Vamos voltar às conexões.

Pip balançou o pote de alfinetes para ele. Ravi os pegou e cortou um pedaço de barbante vermelho.

— Certo — disse ele. — Os dois Da Silva estão obviamente conectados. E o Daniel com o pai da Andie. E também com Max, porque ele preencheu o boletim de ocorrência da batida de carro e talvez soubesse sobre o atropelamento.

— É — concordou Pip —, e talvez possa ter acobertado as bebidas batizadas.

— Faz sentido.

Ravi enrolou o barbante ao redor de um alfinete e o pressionou no quadro de cortiça. Sibilou ao furar o polegar sem querer, uma pequena bolha de sangue se formando na pele.

— Você pode parar de derramar sangue no quadro do assassinato, por favor? — pediu Pip.

Ravi fingiu jogar um alfinete nela.

— Então Max também conhece Howie, e os dois estavam envolvidos no tráfico de drogas da Andie — afirmou ele, traçando um círculo com o dedo nos três rostos.

— Aham. E Max conhecia Nat da escola — disse Pip, apontando para eles —, e tem um boato de que ele batizou a bebida dela também.

Linhas de barbante vermelho desfiado tomaram o quadro, entrelaçando-se e se entrecruzando.

— Então, basicamente... — Ravi olhou para ela. — ...todos eles estão indiretamente ligados, com Howie em uma ponta e Jason Bell na outra. Talvez tenham feito isso juntos, todos os cinco.

— Daqui a pouco você vai sugerir que um deles tem um gêmeo do mal.

trinta e oito

Seus amigos passaram o dia todo tratando Pip como se ela fosse despedaçar, sem mencionar Barney e evitando o assunto enquanto conversavam. Lauren deixou Pip comer seu último biscoito com cobertura de chocolate. Connor abriu mão de seu lugar no meio da mesa do refeitório para que Pip não se sentisse ignorada no canto. Cara ficou ao seu lado, sabendo exatamente quando falar com ela e quando ficar quieta. Ninguém riu alto demais, e todos a olhavam sempre que riam.

Pip passou a maior parte do dia estudando, quieta, para o teste do ELAT e tentando afastar todas as outras preocupações. Treinou, criando redações em sua mente enquanto fingia ouvir o sr. Ward na aula de história e a srta. Welsh na aula de política. A sra. Morgan a encurralou no corredor, com o rosto rechonchudo sério enquanto listava os motivos que tornavam impossível mudar o tema da QPE àquela altura. Pip murmurou apenas um "tudo bem" e se afastou, ouvindo a sra. Morgan resmungar baixinho:

— Adolescentes...

Assim que chegou em casa, foi direto para a escrivaninha e abriu o notebook de Ravi. Estudaria mais depois, após o jantar e de madrugada, embora suas olheiras já parecessem anéis planetários escuros. Sua mãe achava que ela não estava dormindo por causa de Barney. Mas ela não estava dormindo porque não tinha tempo.

Pip abriu o navegador e foi até a página do Hotel Ivy House no TripAdvisor. Foi a pista designada a ela, enquanto Ravi tentava desvendar o número de telefone rabiscado na agenda de Andie. Pip já tinha mandado mensagem para alguns clientes do Ivy House que postaram avaliações entre março e abril de 2012, perguntando se eles se lembravam de ver uma garota loira no hotel. Mas ainda não havia recebido nenhuma resposta.

Em seguida, entrou no site que processava as reservas do hotel. Na página de *Contato*, encontrou um número de telefone e a frase amigável: *Ligue a qualquer hora!* Talvez pudesse fingir ser parente da dona do hotel e ver se conseguia acessar as informações das reservas antigas. Provavelmente não daria certo, mas precisava tentar. A identidade do Cara Mais Velho Secreto poderia estar do outro lado da linha.

Pip desbloqueou o celular e abriu a lista de chamadas recentes. Começou a digitar o número da empresa, mas então seus polegares hesitaram e pararam. Pip encarou a tela, a cabeça zumbindo quando um pensamento veio à tona em sua consciência.

— Espere aí — disse em voz alta, voltando para a lista de chamadas recentes.

Ela olhou para o número no topo, de quando Naomi ligara no dia anterior. Do celular temporário.

Pip traçou os dígitos com o olhar, e uma sensação estranha e terrível surgiu em seu peito.

Ela se levantou tão rápido que a cadeira girou e bateu na mesa. Com o telefone em mãos, caiu de joelhos e puxou o quadro do assassinato de seu esconderijo debaixo da cama. Seu olhar foi direto para a seção de Andie e a trajetória de páginas impressas ao redor de seu rosto sorridente.

Pip encontrou o que estava procurando. A página da agenda escolar de Andie. O número de telefone riscado e a entrada do diário de produção ao lado. Estendeu o celular, comparando o número temporário de Naomi com o rabisco.

07700900476.

Não era uma das doze combinações que tinha previsto. Mas era muito parecido. Pip tinha pensado que o antepenúltimo dígito era um 7 ou um 9. Mas e se só estivesse meio torto? E se, na verdade, fosse um 4?

Ela se deitou no chão. Não tinha como ter certeza, não era possível desrabiscar o número e ver qual era. Mas seria uma coincidência tão improvável quanto porcos voadores ou o inferno congelar, se o chip antigo de Naomi tivesse um número tão parecido com o que Andie anotou na agenda. Tinha que ser o mesmo número.

E o que isso significava, se é que significava alguma coisa? Talvez a pista tivesse se tornado irrelevante, já que poderia ser apenas Andie anotando o número de celular da melhor amiga do namorado. O número não estava relacionado ao caso, e a pista poderia ser descartada.

Mas então por que Pip teve aquela sensação horrível?

Porque se Max era um bom suspeito, Naomi era melhor ainda. Naomi sabia sobre o atropelamento. Naomi tinha acesso aos números de Max, Millie e Jake. Naomi tinha o número de Pip. Naomi poderia ter saído da casa de Max quando Millie pegou no sono e interceptado Andie antes de 00h45. Naomi era muito próxima de Sal. Naomi sabia onde Pip e Cara foram acampar. Naomi sabia em qual floresta Pip passeava com Barney, a mesma onde Sal morreu.

Naomi já tinha muito a perder por causa de tudo que Pip descobrira. Mas e se houvesse ainda mais segredos? E se ela estivesse envolvida nas mortes de Andie e Sal?

Pip estava se precipitando. Seu cérebro cansado estava às voltas com diversas elucubrações e a garota estava com dificuldade de acompanhá-lo. Era apenas um número de celular que Andie anotou. Não ligava Naomi a nada. Mas Pip se deu conta de algo.

Desde que Naomi tinha sido tirada da lista de suspeitos, Pip recebera outro bilhete impresso do assassino, em seu armário na escola. No início do ano letivo, Pip havia configurado o notebook de Cara para registrar tudo o que fosse impresso na casa dos Ward.

Se Naomi estivesse envolvida, Pip tinha uma maneira de descobrir.

trinta e nove

Naomi estava com uma faca na mão, e Pip se afastou.

— Cuidado — alertou ela.

— Ah, não! — reclamou Naomi, balançando a cabeça. — Os olhos estão tortos!

Ela girou a abóbora para que Pip e Cara pudessem ver o rosto.

— Parece um pouco o Trump — disse Cara, gargalhando.

— Era para ser um gato malvado.

Naomi largou a faca ao lado da tigela de vísceras de abóbora.

— É melhor continuar no seu emprego atual — incentivou Cara, limpando a gosma de abóbora das mãos e indo até a despensa.

— Não tenho um emprego atual.

— Ah, pelo amor de Deus — resmungou Cara, olhando o armário na ponta dos pés. — Onde os dois pacotes de biscoito foram parar? Eu estava com o papai quando compramos, dois dias atrás.

— Não sei. Não fui eu que comi. — Naomi se aproximou para admirar a abóbora de Pip. — Isso era para ser o quê, Pip?

— O olho de Sauron — respondeu ela, baixinho.

— Ou uma vagina pegando fogo — disse Cara, pegando uma banana.

— Isso sim é assustador — brincou Naomi, rindo.

Não, *aquilo* era.

Naomi já tinha arrumado as abóboras e as facas para quando Cara e Pip chegassem da escola. Pip ainda não havia tido a chance de dar uma escapadinha.

— Naomi, obrigada por me ligar no outro dia. Recebi aquele e-mail do primo da sua amiga sobre o vestibular de Cambridge. Ajudou bastante.

— Ah, que bom! — Ela sorriu. — Disponha.

— Então, quando seu celular volta do conserto?

— A loja disse que amanhã. Está demorando pra caramba.

Pip assentiu, com uma expressão que ela esperava que demonstrasse solidariedade.

— Bem, pelo menos você tinha um celular antigo com um chip que ainda funciona. Sorte que você guardou.

— Na verdade, sorte que o meu pai tinha um microchip pré--pago. E de quebra dezoito libras de crédito. O chip do meu celular antigo já tinha expirado.

Pip quase deixou a faca cair. Um zumbido surgiu e foi aumentando em seus ouvidos.

— O chip é do seu pai?

— Isso — confirmou Naomi, passando a faca ao longo do rosto de sua abóbora, a língua para fora enquanto se concentrava. — Cara encontrou na mesa do escritório dele. No fundo de uma gaveta de bugigangas. Sabe, aquela gaveta que toda família tem, cheia de carregadores inúteis, moedas estrangeiras e coisas assim.

O zumbido se transformou em um barulho de sino, soando, soando e enchendo a cabeça de Pip. Ela sentiu enjoo, e sua garganta foi tomada por um gosto metálico.

O chip de Elliot.

O número antigo de Elliot rabiscado na agenda de Andie.

Andie chamando o sr. Ward de babaca para as amigas na semana em que desapareceu.

Elliot.

— Você está bem, Pip? — perguntou Cara, colocando uma vela acesa em sua abóbora e a fazendo ganhar vida.

— Aham. — Pip assentiu de forma exagerada. — Eu só, hum… estou com fome.

— Bem, eu ofereceria um biscoito, mas parece que eles desapareceram, como sempre. Torrada?

— Ééé… Não, obrigada.

— Eu te alimento porque te amo — disse Cara.

Pip sentiu a boca se encher de saliva pegajosa e com gosto enjoativo. Não, não podia ser o que ela estava pensando. Talvez Elliot tivesse apenas se oferecido para ser tutor de Andie, e foi por isso que ela anotou o número dele. Talvez. Não poderia ser ele. Pip precisava se acalmar e respirar. O chip não provava nada.

Mas ela tinha um jeito de encontrar provas.

— Acho que a gente podia colocar umas músicas assustadoras de Halloween — sugeriu Pip. — Cara, posso pegar seu notebook?

— Pode, está na minha cama.

Pip fechou a porta da cozinha ao sair.

Correu escada acima e entrou no quarto de Cara. Com o notebook debaixo do braço, desceu outra vez, o coração batendo forte, lutando para ser mais alto do que o zumbido em seus ouvidos.

Pip entrou no escritório de Elliot e fechou a porta com cuidado, encarando por um momento a impressora na mesa. As pessoas pintadas com as cores do arco-íris nos quadros de Isobel Ward a observaram colocar o notebook de Cara na cadeira de couro e levantar a tela, ajoelhando-se no chão.

Quando o aparelho ligou, Pip clicou no painel de controle e em *Dispositivos e impressoras*. Passando o mouse sobre *Freddie Prints Jr.*, clicou com o botão direito e, prendendo a respiração, clicou no item superior do menu: *Ver o que está sendo impresso*.

Uma pequena caixa de borda azul apareceu. Dentro, havia uma tabela com seis colunas: Nome do documento, Status, Proprietário, Páginas, Tamanho e Enviado.

Estava cheia de registros. Um de Cara do dia anterior chamado *Carta de apresentação segundo rascunho*. Outro de alguns dias antes: *Comp de Elliot: Receita de cookies sem glúten*. Várias em seguida de *Naomi: CV 2017, Inscrição para trabalho em ONG, Carta de apresentação 1* e *Carta de apresentação 2*.

O bilhete foi colocado no armário de Pip na sexta-feira, 20 de outubro. Com os olhos fixos na coluna *Enviados*, Pip rolou para baixo.

Levantou os dedos. Em 19 de outubro, às 23h40, *Comp de Elliot* tinha impresso *Microsoft Word — Documento 1*.

Um documento sem nome e não salvo.

Ela clicou com o botão direito no documento, e seus dedos deixaram rastros suados no touchpad. Outro pequeno menu apareceu. Com o coração na boca, ela mordeu a língua e clicou no botão de *Reiniciar*.

A impressora estalou às suas costas, e Pip se encolheu.

Girando na ponta dos pés, virou-se quando a máquina assoviou, sugando o papel de cima.

Endireitou-se quando começou a fazer *tuc-tuc-tuc* pela página.

Aproximou-se, dando um passo a cada *tuc*.

O papel começou a sair, um vislumbre de tinta preta fresca do lado de baixo da página.

A impressora terminou e cuspiu a folha.

Pip estendeu a mão para pegá-la.

Virou a página.

Este é o último aviso, Pippa. Desista.

quarenta

As palavras sumiram.

Ela encarou o papel e balançou a cabeça.

O sentimento que a dominou era primitivo e indescritível. Uma raiva entorpecida foi amargada com terror. E a traição a inundou por completo.

Ela deu um passo para trás e desviou o olhar, vendo a noite cair pela janela.

Elliot Ward era o Desconhecido.

Elliot era o assassino. O assassino de Andie. De Sal. De Barney.

Pip observou as árvores meio mortas balançarem ao vento. Em seu reflexo no vidro, recriou a cena. Ela esbarrando no sr. Ward na sala de aula de história, o bilhete caindo no chão. Aquele mesmo bilhete, o que ele havia deixado. Seu rosto traiçoeiro e gentil quando perguntou se ela estava sofrendo bullying. Cara levando os biscoitos que ela e Elliot tinham preparado para animar os Amobi após a perda do cachorro.

Mentira. Era tudo mentira. Elliot, o homem que ela sempre admirou como uma figura paterna. O homem que preparou caças ao tesouro elaboradas para elas no jardim. O homem que comprou pantufas de garras para Pip usar na casa dele. O homem que contava piadas bobas com uma risada fácil e aguda. Ele era o assassino. O lobo em camisas pastel e óculos de aros grossos de cordeiro.

Ela ouviu Cara chamar seu nome.

Dobrou o papel e o guardou no bolso do blazer.

—Você demorou séculos — reclamou Cara enquanto Pip abria a porta da cozinha.

— Banheiro — explicou, colocando o notebook na frente de Cara. — Olha, não estou me sentindo bem. E eu devia estar estudando para o meu teste, que é em dois dias. Acho que vou para casa.

— Ah. — Cara franziu o cenho. — Mas Lauren já vai chegar, e queria que a gente assistisse à *Bruxa de Blair*. Até o papai concordou, então todas nós vamos poder rir por ele ser um cagão com filmes de terror.

— Onde ele está? — perguntou Pip. — Dando aula particular?

— Você não frequenta esta casa? As aulas particulares são às segundas, quartas e quintas. Acho que ele teve que ficar até mais tarde na escola.

— Ah, é, foi mal, os dias estão se misturando. — Pip fez uma pausa para pensar. — Sempre me perguntei por que seu pai dá aulas particulares. É óbvio que não precisa do dinheiro.

— Só porque a minha família por parte de mãe é rica? — perguntou Cara.

— Exatamente.

— Acho que ele gosta — disse Naomi, colocando uma vela acesa na boca de sua abóbora. — Ele provavelmente estaria disposto a pagar os alunos para deixá-lo tagarelar sobre história.

— Não consigo lembrar quando ele começou a dar essas aulas — ponderou Pip.

— Hum... — Naomi olhou para cima, pensando. — Um pouco antes de eu ir para a faculdade, acho.

— Então faz pouco mais de cinco anos?

— Acho que sim — respondeu Naomi. — Por que você não pergunta para ele? O carro acabou de estacionar.

Pip ficou tensa, sentindo um milhão de caroços pipocando em sua pele.

— Bem, tenho que ir embora, de qualquer forma. Desculpe.

Ela pegou a mochila, observando pela janela os faróis se apagarem na escuridão.

— Pare de ser boba — disse Cara, com uma expressão preocupada. — Eu entendo. Talvez a gente possa refazer o Halloween quando você estiver menos ocupada?

— Aham.

Uma chave raspando. A porta de trás se abrindo. Passos cruzando a despensa.

Elliot apareceu no batente. As lentes de seus óculos embaçaram nas bordas quando ele entrou no cômodo quente, sorrindo para as três. Colocou a pasta e um saco plástico no balcão.

— Olá, todo mundo — cumprimentou ele. — Nossa, professores amam ouvir suas próprias vozes. Foi a reunião mais longa da minha vida.

Pip forçou uma risada.

— Uau, olhe só estas abóboras! — exclamou ele, passando o olhar por elas com um largo sorriso no rosto. — Pip, você vai ficar para o jantar? Acabei de comprar batatas de formatos assustadores para o Halloween.

Ele ergueu o pacote congelado e o balançou, soltando um uivo fantasmagórico e sombrio.

quarenta e um

Pip chegou em casa bem na hora em que seus pais acabavam de se preparar para levar um Josh vestido de Harry Potter para pedir doces na vizinhança.

— Venha com a gente, picles — convidou Victor, enquanto Leanne subia o zíper de sua fantasia do Homem de Marshmallow Stay Puft do filme *Os Caça-Fantasmas*.

— Eu tenho que ficar em casa e estudar — disse ela. — E receber as crianças pedindo doces ou travessuras.

— Não consegue tirar a noite de folga? — perguntou Leanne.

— Não consigo. Desculpe.

— Tudo bem, docinho. Os docinhos estão perto da porta.

Sua mãe deu uma risadinha da própria piada.

— Beleza. Até mais tarde.

Josh saiu balançando sua varinha e gritando "*Accio* doces".

Victor agarrou a cabeça de marshmallow de sua fantasia e o seguiu. Leanne parou para beijar o topo da cabeça de Pip e então fechou a porta. A garota os observou pela vidraça da porta da frente. Quando chegaram à rua, pegou o celular e mandou uma mensagem para Ravi: *VEM PARA A MINHA CASA AGORA!*

* * *

Ele olhou para a caneca em suas mãos.

— Sr. Ward… — Ravi balançou a cabeça. — Não pode ser.

— Na verdade, pode — insistiu Pip, batendo o joelho contra a parte de baixo da mesa. — Ele não tem um álibi para a noite em que a Andie desapareceu. Sei que não. Uma das filhas passou a noite na casa do Max, e a outra estava dormindo na minha.

Ravi suspirou, e o sopro ondulou a superfície de seu chá com leite. Já devia estar frio, como o dela.

— Ele também não tem álibi para a terça-feira em que Sal morreu — continuou. — Não foi para o trabalho porque estava doente naquele dia, ele mesmo me disse.

— Mas Sal amava o sr. Ward — sussurrou Ravi, com a voz mais fraca que Pip já tinha o ouvido usar.

— Eu sei.

De repente, a mesa parecia muito larga entre os dois.

— Então ele é o homem mais velho secreto com quem Andie se encontrava? — perguntou Ravi depois de um tempo. — O que foi com ela no Ivy House?

— Talvez. Andie falou que poderia acabar com a vida dessa pessoa. Elliot é um professor, ocupa uma posição de confiança. Teria tido muitos problemas se ela contasse para alguém sobre a relação dos dois. Acusações criminais, cadeia. — Pip olhou para o próprio chá intocado e viu o reflexo trêmulo de si mesma. — Andie chamou Elliot de babaca para as amigas dias antes de desaparecer. Elliot disse que foi porque descobriu que Andie estava fazendo bullying e contatou o pai dela sobre o vídeo de Nat seminua. Mas talvez não tenha sido por isso.

— Como ele descobriu sobre o atropelamento? Naomi contou?

— Acho que não. Ela disse que não contou para ninguém. Não sei como ele sabia.

— Ainda tem algumas lacunas.

— Eu sei. Mas foi ele quem me ameaçou e matou Barney. É ele, Ravi.

— Certo. — Ravi fixou seus olhos arregalados e exaustos nos dela. — Então, como podemos provar?

Pip afastou a caneca e se apoiou na mesa.

— Elliot dá aulas particulares três vezes por semana — disse ela. — Nunca achei isso estranho, até hoje à noite. Os Ward não precisam se preocupar com dinheiro: o seguro de vida da esposa dele pagou muito bem, e os pais da Isobel ainda estão vivos e são muito ricos. Além disso, Elliot é chefe de departamento na escola, então provavelmente ganha um salário muito bom. E faz pouco mais de cinco anos que começou a dar aulas particulares, em 2012.

— E daí?

— E se ele *não* dá aulas particulares três vezes por semana? E se ele... não sei, vai para o lugar onde enterrou Andie? Visita seu túmulo como um tipo de penitência?

Ravi fez uma careta, rugas de incredulidade surgindo em sua testa e nariz.

— Não três vezes por semana.

— Está bem — admitiu Pip. — Bem, e se ele visita... *ela*? — Pip cogitou essa possibilidade pela primeira vez quando as palavras se formaram em sua boca. — E se Andie ainda estiver viva e ele a estiver mantendo presa em algum lugar? E indo vê-la três vezes por semana?

Ravi fez a mesma careta de novo.

Uma série de memórias quase esquecidas invadiu a mente de Pip.

— Biscoitos desaparecendo — murmurou.

— Oi?

Os olhos dela dispararam da esquerda para a direita, acompanhando os pensamentos.

— Biscoitos desaparecendo — repetiu, dessa vez mais alto. — Cara vive falando que a comida desaparece na casa dela. Comida que ela viu o pai comprar. Ai, meu Deus. Ele está com Andie e leva comida para ela.

— Você está tirando conclusões um pouco precipitadas, sargento.

— Precisamos descobrir para onde ele vai — anunciou Pip, sentando-se mais reta e sentindo sua coluna pinicar. — Amanhã é quarta-feira, dia de aula particular.

— E se ele estiver mesmo dando aulas particulares?

— E se não estiver?

— Você acha que devemos segui-lo? — perguntou Ravi.

— Não — respondeu Pip, enquanto outra ideia despontava em sua mente. — Tenho um plano melhor. Me dê seu celular.

Em silêncio, Ravi tirou o celular do bolso e o deslizou sobre a mesa para ela.

— Senha? — pediu Pip.

— Um, um, dois, dois. O que você está fazendo?

— Vou ativar o Buscar Meus Amigos nos nossos celulares. — Ela clicou no aplicativo e enviou um convite para seu próprio celular, depois o pegou e aceitou. — Agora estamos compartilhando nossa localização. E, simples assim — disse ela, sacudindo o celular —, temos um dispositivo de rastreamento.

— Você me assusta um pouco.

— Amanhã, depois da escola, preciso dar um jeito de deixar meu celular no carro dele.

— Como?

— Vou pensar em alguma coisa.

— Não fique sozinha com ele, Pip. — Ravi se inclinou com um olhar decidido. — É sério.

De repente, alguém bateu à porta da frente.

Pip deu um pulo, e Ravi a seguiu pelo corredor. Ela pegou a tigela de doces e abriu a porta.

— Doces ou travessuras? — gritou um coro de vozes infantis.

— Ah, uau! — exclamou Pip, reconhecendo as duas crianças da família Yardley, que morava a três casas dali, vestidas de vampiros. — Vocês estão assustadores!

Ela abaixou a tigela, e as seis crianças se aglomeraram, estendendo as mãos para tentar agarrar os doces.

Pip sorriu para o grupo de adultos atrás delas, enquanto os filhos discutiam e escolhiam os doces a dedo. Então ela percebeu os olhares hostis, fixados um pouco acima de seu ombro, onde Ravi estava.

Duas mulheres se aproximaram uma da outra, olhando para ele enquanto murmuravam, com as mãos na boca, fazendo comentários que Pip e Ravi não conseguiam ouvir.

quarenta e dois

— O que você fez? — perguntou Cara.

— Não sei. Tropecei descendo as escadas depois da aula de política. Acho que torci o tornozelo. — Pip foi mancando de um jeito falso até ela, então acrescentou: — Vim a pé para a escola hoje. Estou sem o carro. Que merda. E a minha mãe vai mostrar uma casa mais tarde.

— Você pode pegar uma carona comigo e com o papai — ofereceu Cara, deslizando o braço sob o de Pip e ajudando-a a ir até o armário. Pegou a apostila da mão da amiga e a colocou na pilha lá dentro. — Não sei por que achou que seria uma boa ideia vir andando, sendo que você tem seu próprio carro. Eu nunca posso usar o meu agora que Naomi está em casa.

— Só queria dar um passeio. Não tenho mais Barney como desculpa.

Cara lhe lançou um olhar de pena e fechou a porta do armário.

— Vamos lá, então — disse ela. — Vamos mancar até o estacionamento. Sorte a sua que eu sou forte. Fiz nove flexões inteiras ontem.

— Nove flexões inteiras? — ecoou Pip, sorrindo.

— Pois é. Se você se comportar, talvez eu mostre meus músculos.

Cara flexionou os braços e rosnou.

Então o coração de Pip se partiu por ela. Torceu, pensando *por favor por favor por favor* várias vezes seguidas, para que Cara não perdesse seu jeito feliz e bobo depois de tudo que estava prestes a acontecer.

As duas cambalearam pelo corredor e saíram pela porta lateral.

O vento frio açoitou o nariz de Pip, que semicerrou os olhos. Elas avançaram devagar, dando a volta em direção ao estacionamento dos professores. Cara preencheu a jornada com detalhes da noite de filmes que faria no Halloween. Pip ficava tensa sempre que ela mencionava o pai.

Elliot estava esperando ao lado do carro.

— Finalmente! — disse, avistando Cara. — O que aconteceu?

— Pip torceu o tornozelo — explicou a amiga, abrindo a porta de trás. — E Leanne está trabalhando até tarde. Podemos dar uma carona para ela?

— Podemos, claro.

Elliot correu para segurar o braço de Pip e ajudá-la a entrar.

A pele dele encostou na dela.

Pip usou toda a sua força de vontade para não recuar.

Sentada com a mochila ao lado, ela observou Elliot fechar a porta e se dirigir ao banco do motorista. Quando Cara e Pip colocaram os cintos de segurança, ele ligou o motor.

— Então, o que aconteceu, Pip? — perguntou ele, enquanto esperava um grupo de crianças atravessar a rua antes de sair do estacionamento e pegar a estrada.

— Não sei. Acho que só pisei em falso.

— Você não quer que eu te leve ao pronto-socorro?

— Não. Tenho certeza de que vai melhorar em alguns dias.

Pip pegou o celular e se certificou de que estava no modo silencioso. Havia deixado o aparelho desligado a maior parte do dia, e a bateria estava quase cheia.

Elliot deu um tapinha na mão de Cara quando ela começou a trocar as estações de rádio.

— Meu carro, minha música brega. Pip?

Ela tomou um susto e quase derrubou o celular.

— Seu tornozelo está inchado? — perguntou Elliot.

— Hum...

Ela se inclinou para a frente e se abaixou para senti-lo. Fingindo massagear o tornozelo, girou o pulso e empurrou o celular para baixo do banco de trás. — Um pouquinho — disse, endireitando-se, com o rosto vermelho. — Nada de mais.

— Tudo bem, isso é bom — afirmou ele, serpenteando pelo tráfego na High Street. — Você deveria se sentar e colocar a perna para o alto hoje à noite.

— É, vou fazer isso — concordou Pip, trocando um olhar com ele pelo retrovisor. — Ah, acabei de lembrar que hoje é dia de aula particular. Não vou fazer você se atrasar, vou? Aonde você tem que ir?

— Não se preocupe — disse Elliot, ligando o pisca-alerta para a esquerda na rua de Pip. — Só tenho que ir até Velha Amersham. Você não atrapalhou nada.

— Ufa, ainda bem.

Cara estava perguntando o que teria para o jantar quando Elliot diminuiu a velocidade e parou em frente à casa de Pip.

— Ah, sua mãe *está* em casa — comentou ele, apontando para o carro de Leanne.

— Está? — Pip sentiu o coração bater com tanta força que ficou com medo de o ar vibrar ao redor. — A visita deve ter sido cancelada de última hora. Deveria ter confirmado com ela, desculpe.

— Não seja boba. — Elliot se virou para ela. — Precisa de ajuda para ir até a porta?

— Não — respondeu Pip rapidamente, pegando a mochila. — Não, obrigada, eu consigo.

Empurrou a porta do carro e começou a sair, arrastando os pés.

— Espere! — disse Cara de repente.

Pip congelou. *Por favor, que ela não tenha visto o celular. Por favor.*

— Vou ver você antes da sua prova amanhã?

— Ah. — Pip voltou a respirar. — Não, preciso passar na secretaria e depois ir direto para a sala.

— Nesse caso, boooooooa soooooooorte — disse Cara, prolongando as palavras como se fosse uma canção. — Você vai arrasar, tenho certeza. A gente se vê depois.

— É, boa sorte, Pip. — Elliot sorriu. — Eu diria para você arrebentar, mas acho que não é um bom momento para arrebentar mais nada, né?

Pip soltou uma risada tão vazia que quase ecoou.

— Obrigada, e obrigada pela carona.

Ela se inclinou e fechou a porta do carro.

Pip mancou até sua casa com os ouvidos aguçados, prestando atenção no som do carro de Elliot se afastando. Assim que abriu a porta, parou de mancar.

— Olá! — chamou Leanne da cozinha. — Você quer que eu esquente água?

— Hum, não, obrigada — respondeu Pip, vagando pelo corredor. — Ravi está vindo daqui a pouco para me ajudar a estudar para o teste.

A mãe lançou um olhar intenso para ela.

— O que foi?

— Não pense que eu não conheço minha própria filha — disse Leanne, lavando cogumelos na peneira. — Ela só estuda sozinha e tem um histórico de fazer os colegas chorarem em trabalhos em grupo. Estudando, sei. — Ela lançou outro olhar cínico para Pip. — Deixe a porta do quarto aberta.

— Está bem, vou deixar.

Assim que ela começou a subir as escadas, um borrão em forma de Ravi bateu à porta.

Pip o deixou entrar, e ele gritou um "olá" para a mãe dela enquanto a seguia para o quarto.

— Porta aberta — alertou Pip quando Ravi fez menção de fechá-la.

Ela se sentou de pernas cruzadas na cama, e Ravi puxou a cadeira da escrivaninha para se sentar à sua frente.

— Tudo certo? — perguntou ele.

— Aham, está debaixo do banco de trás.

— Beleza.

Ele desbloqueou o celular e abriu o aplicativo Buscar Meus Amigos. Pip se aproximou e, com as cabeças quase se tocando, eles olharam para o mapa na tela.

O pequeno avatar laranja de Pip estava estacionado em frente à casa dos Ward, em Hogg Hill. Ravi clicou em atualizar, mas o ícone continuou parado.

— Ele ainda não saiu — afirmou Pip.

Passos arrastados soaram pelo corredor. Pip ergueu os olhos e viu Josh parado na porta.

— Pippo — chamou ele, brincando com o cabelo crespo —, Ravi pode descer e jogar *Fifa* comigo?

Os dois se entreolharam.

— Hum, agora não, Josh — disse ela. — Estamos um pouco ocupados.

— Eu desço para jogar mais tarde, beleza, cara? — sugeriu Ravi.

— Tá bem.

Josh deixou o braço cair, em sinal de derrota, e foi embora.

— Está se mexendo — avisou Ravi, atualizando o mapa.

— Onde?

— Agora ele está descendo a Hogg Hill, antes da rotatória.

O avatar não se mexia em tempo real, então eles tinham que ficar atualizando e esperar o círculo laranja pular pela rota. O ícone parou na rotatória.

— Atualize — disse Pip, impaciente. — Se ele não virar à esquerda, então não está indo para Amersham.

O botão de atualização girou com linhas esmaecidas. Carregando. Carregando. Carregou, e o avatar laranja desapareceu.

— Cadê? — perguntou Pip.

Ravi rolou o mapa para ver para onde Elliot havia ido.

— Pare! — Pip encontrou. — Ali. Ele está indo para o norte, pela A413.

Eles se entreolharam.

— Ele não está indo para Amersham — disse Ravi.

— Não, não está.

Os olhos deles acompanharam o ícone pelos próximos onze minutos enquanto Elliot dirigia pela estrada, pulando cada vez que Ravi pressionava o polegar na seta de atualização.

— Ele está perto de Wendover — comentou Ravi. Quando viu a expressão de Pip, emendou: — O que foi?

— Se eu não me engano, os Ward moravam em Wendover antes de se mudarem para uma casa maior em Kilton. Antes de conhecermos eles.

— Ele virou — disse Ravi, e Pip se inclinou para a frente. — Em uma estrada chamada Mill End.

Pip encarou o ponto laranja imóvel na estrada de pixels brancos por um longo momento.

— Atualize — ordenou ela.

— Estou tentando — disse Ravi. — Travou.

Ele tentou atualizar o aplicativo de novo, mas o círculo de carregamento girou por um segundo e depois parou, deixando o ponto laranja no mesmo lugar. Tentou outra vez, mas o avatar não se mexeu.

— Ele parou — disse Pip, girando o pulso de Ravi para ver melhor o mapa. Ela se levantou, pegou o notebook da mesa e o colocou em seu colo. — Vamos ver onde ele está.

Pip abriu o navegador e entrou no Google Maps. Procurou por *estrada Mill End, Wendover* e clicou no modo satélite.

— Em que ponto da rua você diria que ele está? Aqui? — perguntou Pip, apontando para a tela.

— Eu diria que é um pouco mais à esquerda.

— Está bem.

Pip largou o homenzinho laranja na estrada, e o *street view* apareceu.

A estrada estreita era cercada por árvores e arbustos altos que brilhavam ao sol. Pip clicou e arrastou a tela para ter uma visão total. Havia casas apenas de um lado, um pouco afastadas da estrada.

— Você acha que ele está nesta casa?

Ela apontou para uma pequena construção de tijolos com uma porta de garagem branca, quase invisível atrás das árvores e de um poste de telefone.

— Hum… — Ravi olhou para o celular e depois para a tela do notebook. — Ou é esta ou é a da esquerda.

Pip procurou os números.

— Então ele está na quarenta e dois ou na quarenta e quatro.

— É onde eles moravam? — perguntou Ravi. Pip não sabia, então deu de ombros. — Você não pode perguntar para Cara?

— Posso. Tenho muita prática em enganar e mentir. — Pip sentiu seu estômago se agitar e sua garganta se fechar. — Ela é minha melhor amiga, e essa descoberta vai destruir a vida dela. Vai destruir todo mundo, tudo.

Ravi segurou a mão dela.

— Está quase acabando, Pip.

— Já acabou — corrigiu ela. — Precisamos ir lá hoje à noite e ver o que o Elliot está escondendo. Andie pode estar viva.

— É só um palpite.

— Essa investigação inteira foi feita à base de palpites. — Ela puxou a mão para segurar a cabeça dolorida. — Preciso que acabe logo.

— Certo — disse Ravi, em um tom gentil. — Vamos acabar com isso. Mas não hoje à noite. Amanhã. Você vai descobrir com a Cara qual é o endereço de onde ele está indo, da casa antiga. E depois que sair da escola amanhã, podemos ir lá à noite, quando Elliot não estiver, e ver o que ele anda fazendo. Ou podemos ligar para a polícia com uma denúncia anônima e passar o endereço para eles, tudo bem? Mas agora não, Pip. Não vou deixar você perder Cambridge. Agora você vai estudar para a prova e vai dormir bem. Beleza?

— Mas...

— Sem "mas", sargento. — Ravi a encarou com um olhar penetrante. — O sr. Ward já arruinou vidas demais. A sua não vai ser mais uma. Está bem?

— Está bem — concordou Pip, baixinho.

— Ótimo.

Ravi segurou a mão dela, puxou-a para fora da cama e a colocou na cadeira. Levou Pip até a mesa e colocou uma caneta em sua mão.

— Você vai se esquecer da Andie Bell e do Sal pelas próximas dezoito horas. E quero que você esteja na cama dormindo às 22h30.

Pip olhou para Ravi, com seus olhos carinhosos e seu rosto sério, e não soube o que dizer, não soube o que sentir. Ela estava na beira de um grande penhasco, sem saber se ria, chorava ou gritava.

quarenta e três

Todos os poemas e excertos de textos maiores a seguir apresentam representações de culpa. Estão organizados cronologicamente por data de publicação. Leia o material com atenção e realize a tarefa abaixo.

O tique-taque do relógio era um eco de tambor na cabeça de Pip. Ela abriu o caderno de respostas e ergueu o olhar uma última vez. O inspetor da prova estava sentado com os pés em cima de uma mesa e o rosto colado em um livro de bolso com a lombada gasta. Pip estava em uma mesa de madeira pequena e oscilante no meio de uma sala de aula vazia, onde caberiam trinta alunos. E três minutos já haviam se passado.

Ela olhou para baixo, seu cérebro avisando para ignorar o som do relógio, e pressionou a caneta na página.

Quando o inspetor a mandou parar, Pip já havia terminado há quarenta e nove segundos. Seu olhar acompanhara o ponteiro dos segundos realizar um círculo quase completo no relógio. Ela fechou o caderno de respostas e o entregou para o homem na saída.

Havia escrito uma redação sobre como certos textos manipulam a atribuição da culpa ao apresentar o ato culposo a partir da voz passiva. Pip havia dormido por quase sete horas na noite anterior e achou que tinha ido bem.

Era quase hora do almoço e, ao virar o corredor seguinte, ouviu Cara chamando:

— Pip!

Ela se lembrou no último segundo de voltar a mancar.

— Como foi? — perguntou Cara assim que a alcançou.

— Acho que bem.

— Eba, você está livre! — comemorou a amiga, acenando com o braço de Pip. — E como está o tornozelo?

— Bem melhor. Acho que até amanhã já sarou.

— Ah, aliás, você estava certa — comentou Cara, tirando o celular de Pip do bolso. — Você tinha *mesmo* deixado no carro do meu pai. Estava preso embaixo do banco de trás.

Pip o pegou.

— Nossa, não sei como isso aconteceu.

— A gente tem que comemorar sua liberdade. Posso chamar todo mundo para ir lá em casa amanhã e fazer uma noite de jogos ou algo assim?

— É, talvez.

Pip esperou e, quando finalmente encontrou uma brecha, disse:

— Ei, sabia que minha mãe está mostrando uma casa na estrada Mill End, em Wendover, hoje? Não era lá que você morava?

— Aham — disse Cara. — Que legal.

— Número quarenta e dois.

— Ah, a gente morava no quarenta e dois!

— Seu pai ainda vai lá? — perguntou Pip, mantendo o tom de voz monótono e desinteressado.

— Não, ele vendeu a casa faz tempo. Ficaram com ela depois que nos mudamos porque minha mãe tinha acabado de receber uma herança enorme da avó dela. Alugaram a casa para ter uma renda extra enquanto minha mãe pintava. Mas acho que meu pai vendeu uns dois anos depois da morte da minha mãe.

Pip assentiu. Era óbvio que Elliot estava mentindo havia um bom tempo. Mais de cinco anos, na verdade.

Ela caminhou igual a uma sonâmbula durante o almoço. E, depois, quando ela e Cara iam para direções diferentes, Pip mancou e a abraçou.

— Beleza, grudenta — disse Cara, tentando se esquivar. — Por que você está assim?

— Nada, não.

A tristeza que Pip sentia por Cara era tortuosa e faminta. Nenhum aspecto daquela história era justo. Pip não queria soltá-la, achava que não conseguiria. Mas precisava.

Connor a alcançou e ajudou Pip a subir as escadas para a aula de história, embora ela tenha dito que não precisava. O sr. Ward já estava na sala, empoleirado na mesa vestindo uma camisa verde pastel. Pip não olhou para ele enquanto passava por seu assento usual, na frente, indo se sentar nos fundos.

A aula era interminável. O relógio zombava de Pip enquanto ela olhava para qualquer lugar, menos para Elliot. Não aguentava olhar para ele. A respiração de Pip parecia pegajosa, como se estivesse sufocando.

— É curioso que — prosseguiu Elliot —, cerca de seis anos atrás, os diários de um dos médicos pessoais de Stalin, um homem chamado Alexander Myasnikov, foram publicados. Myasnikov escreveu que Stalin sofria de uma doença cerebral que pode ter prejudicado sua tomada de decisões e influenciado sua paranoia. Então...

O sinal tocou e o interrompeu.

Pip tomou um susto. Não por causa do sinal, mas porque seu cérebro teve um estalo quando Elliot disse "diários". A palavra ecoou por seus pensamentos e lentamente se encaixou no lugar certo.

A turma guardou as anotações e as apostilas e começou a se encaminhar para a porta. Pip, mancando, foi a última.

— Espere aí, Pippa.

A voz de Elliot a puxou de volta.

Ela se virou, tensa e a contragosto.

— Como foi a prova?

— Foi boa.

— Ah, que bom. — Ele sorriu. — Então agora você pode relaxar.

Pip abriu um sorriso falso e saiu mancando para o corredor. Quando estava fora do campo de visão de Elliot, parou de mancar e começou a correr. Não se importava com a aula de política no próximo período. Correu, com aquela palavra na voz de Elliot em seu encalço. *Diários.* Não parou até chegar na porta do carro, procurando a maçaneta.

quarenta e quatro

— Pip, o que você está fazendo aqui? — perguntou Naomi, parada na porta da frente. — Não deveria estar na escola?

— Tive um período livre — respondeu ela, tentando recuperar o fôlego. — Só preciso fazer uma pergunta para você.

— Pip, você está bem?

— Você começou a fazer terapia depois que sua mãe morreu, certo? Por causa da ansiedade e da depressão.

Não havia tempo para ser delicada.

Naomi a encarou de um jeito estranho, com os olhos brilhando.

— Isso.

— Sua terapeuta disse para você escrever um diário?

— Sim. É uma ferramenta para controlar o estresse. Ajuda. Tenho um desde os dezesseis anos.

— E você escreveu sobre o atropelamento?

Naomi a encarou, rugas surgindo ao redor de seus olhos.

— Escrevi. É óbvio. Tive que escrever. Estava arrasada e não podia falar sobre isso com ninguém. Ninguém encosta no meu diário, só eu.

Pip arfou, colocando as mãos em volta da boca para se conter.

— Você acha que foi assim que a pessoa descobriu? — questionou Naomi, balançando a cabeça. — Não, não é possível.

Eu sempre tranco meus diários e os deixo escondidos no meu quarto.

— Preciso ir — respondeu Pip. — Desculpe.

Ela se virou e correu de volta para o carro, ignorando os gritos de Naomi:

— Pip! Pippa!

O carro de sua mãe estava estacionado na frente de casa quando Pip chegou. Mas a residência estava silenciosa, e Leanne não gritou quando a porta da frente se abriu. Avançando pelo corredor, Pip ouviu outro som além de seu pulso latejante: o choro de sua mãe.

Na entrada da sala, Pip parou e observou a nuca de Leanne por cima do encosto do sofá. Ela segurava o celular com as mãos, e vozes infantis saíam do aparelho.

— Mãe?

— Ah, querida, você me assustou! — exclamou ela, pausando o vídeo e enxugando os olhos rapidamente. — Você chegou cedo. Então, foi bem na prova? — Ela deu um tapinha no lugar ao seu lado no sofá, de um jeito ansioso, tentando recompor o rosto manchado de lágrimas. — Sobre o que foi a redação? Senta e me conta.

— Mãe, por que você está triste?

— Ah, não é nada, nada mesmo. — Ela abriu um sorriso choroso para Pip. — Eu só estava olhando fotos antigas do Barney. E encontrei esse vídeo do Natal de dois anos atrás, quando ele deu a volta na mesa entregando um sapato para cada pessoa. Não consigo parar de ver.

Pip se aproximou e a abraçou por trás.

— Sinto muito por você estar triste — sussurrou junto aos cabelos da mãe.

— Não estou. — Leanne fungou. — Quer dizer, estou feliz e triste. Ele era um cachorro tão bom.

Pip se sentou com ela, passando por fotos e vídeos antigos de Barney, rindo quando ele pulava e tentava comer neve, quando latia para o aspirador e quando se esparramava no chão com as patas para cima. Um pequeno Josh esfregava sua barriga ao mesmo tempo que Pip acariciava suas orelhas. As duas ficaram assim até a mãe ter que ir buscar Josh.

— Tudo bem — disse Pip. — Acho que vou tirar uma soneca lá em cima.

Era outra mentira. Foi para o quarto esperar as horas passarem, andando entre a cama e a porta. O medo ardia e se tornava raiva, e se Pip não andasse de um lado para outro, começaria a gritar. Era quinta-feira, dia de aula particular, e ela queria que Elliot estivesse presente.

Quando começou a escurecer em Little Kilton, Pip puxou o celular do carregador e vestiu o casaco cáqui.

— Vou passar umas horas na casa da Lauren — avisou para a mãe, que estava na cozinha, ajudando Josh com a lição de casa de matemática. — Até mais tarde.

Lá fora, destrancou o carro, entrou e prendeu o cabelo escuro em um coque no topo da cabeça. Olhou para o celular e viu as linhas e mais linhas de mensagens de Ravi. Respondeu: *Fui bem, obrigada. Passo na sua casa depois do jantar e aí a gente liga para a polícia.* Mais uma mentira, mas Pip estava fluente agora. Se contasse a verdade para Ravi, ele a impediria.

Ela abriu o aplicativo de mapa, digitou na barra de pesquisa e pressionou *Iniciar*.

A voz áspera e mecânica anunciou: *Siga a rota para estrada Mill End, 42, Wendover.*

quarenta e cinco

A estrada Mill End era estreita e cheia de mato, cercada por um túnel de árvores escuras. Pip estacionou na beira da grama logo depois da casa de número quarenta e desligou os faróis.

Seu coração parecia estar em debandada, e cada fio de cabelo e camada de pele estavam vivos e elétricos.

Ela pegou o celular do porta-copos e discou o número da emergência.

Dois toques depois, alguém atendeu.

— Olá, telefonista de emergência, de qual serviço precisa?

— Polícia.

— Vou conectar você agora mesmo.

— Olá? — Uma voz diferente surgiu do outro lado da linha. — Emergência policial, como posso ajudar?

— Meu nome é Pippa Fitz-Amobi — disse ela, trêmula —, e sou de Little Kilton. Por favor, ouça com atenção. Você precisa enviar policiais para a estrada Mill End, número quarenta e dois, em Wendover. Dentro da casa, tem um homem chamado Elliot Ward. Há cinco anos, Elliot sequestrou uma garota chamada Andie Bell, de Kilton, e a mantém presa nesta casa. Ele matou um garoto chamado Sal Singh. Você precisa entrar em contato com o detetive Richard Hawkins, responsável pelo caso de Andie Bell, e informá-lo.

Acredito que Andie esteja viva e sendo mantida em cativeiro dentro da casa. Vou confrontar Elliot Ward agora e pode ser que eu esteja em perigo. Por favor, mande policiais rápido.

— Espere, Pippa — respondeu a voz. — De onde você está ligando agora?

— Estou do lado de fora da casa, prestes a entrar.

— Certo, fique aí fora. Estou enviando policiais para a sua localização. Pippa, você pode...?

— Vou entrar agora — interrompeu Pip. — Por favor, se apresse.

— Pippa, não entre na casa.

— Desculpe, eu preciso ir.

Pip afastou o celular da orelha enquanto a voz ainda chamava seu nome e desligou.

Saiu do carro e atravessou a grama até o número quarenta e dois. Era uma pequena casa de tijolos vermelhos, e o carro de Elliot estava estacionado na frente. As duas janelas do andar de baixo brilhavam, afastando a escuridão densa dos arredores.

Ao se aproximar da porta da frente, um sensor de movimentos detectou sua presença e inundou o caminho com uma luz branca ofuscante. Pip cobriu os olhos e seguiu em frente, com uma sombra gigante costurada a seus pés.

Bateu à porta. Três pancadas fortes.

Ouviu um barulho do lado de dentro. E mais nada.

Tentou de novo, batendo várias e várias vezes.

Uma luz amarela se acendeu atrás da porta, e, pelo vidro fosco, ela viu um vulto borrado se aproximar.

Uma corrente raspou, uma fechadura deslizou, e a porta se abriu com um estalo abafado.

Elliot a encarou. Vestia a mesma camisa verde pastel de antes e estava com um par de luvas de forno escuras penduradas no ombro.

— Pip? — perguntou, sua voz entrecortada por medo. — O que você... o que você está fazendo aqui?

Ela apenas encarou aqueles olhos aumentados pelo óculos.

— Eu só... — começou ele. — Eu só...

Pip balançou a cabeça.

— A polícia vai chegar em cerca de dez minutos. Você tem esse tempo para me explicar tudo. — Ela deu um passo além da soleira. — Explique para eu poder ajudar suas filhas a entender. Para os Singh finalmente saberem a verdade, depois de tanto tempo.

Todo o sangue se esvaiu do rosto de Elliot. Ele cambaleou alguns passos para trás, colidindo contra a parede. Então pressionou os dedos contra os olhos e suspirou.

— Acabou — sussurrou ele. — Finalmente acabou.

— O tempo está passando, Elliot.

A voz de Pip a fazia parecer muito mais corajosa do que ela de fato se sentia.

— Certo. Certo, você quer entrar?

Ela hesitou, e seu estômago recuou, quase encontrando sua coluna. Mas a polícia estava a caminho. Pip conseguiria fazer isso. Tinha que fazer.

— Vamos deixar a porta da frente aberta para a polícia — ordenou, então o seguiu pelo corredor, mantendo uma distância de três passos.

Ele a conduziu para a cozinha, à direita. Não havia nenhum móvel ali, mas os balcões estavam cheios de pacotes de comida e utensílios para cozinhar, até mesmo potes de temperos. Havia uma pequena chave cintilante ao lado de um pacote de macarrão. Elliot se abaixou para desligar o fogão, e Pip caminhou até o outro lado do cômodo, mantendo a maior distância possível entre os dois.

— Se afaste das facas — disse ela.

— Pip, eu não vou...

— Se afaste das facas.

Elliot se afastou, parando na parede oposta.

— Ela está aqui, certo? — perguntou Pip. — Andie está aqui e está viva?

— Sim.

Ela estremeceu, ainda que estivesse de casaco.

— Você e Andie Bell estavam se relacionando em março de 2012. Comece do começo, Elliot. Não temos muito tempo.

— Não é como se... se... — gaguejou. — É...

Ele gemeu e levou as mãos à cabeça.

— Elliot!

Ele fungou e se endireitou.

— Tudo bem. Foi no fim de fevereiro. Andie começou a... prestar atenção em mim na escola. Eu não era professor dela, ela não fazia história. Mas me seguia pelos corredores e me perguntava sobre o meu dia. E, sei lá, acho que a atenção foi... legal. Eu estava tão sozinho desde que Isobel morrera. Então Andie começou a pedir meu telefone. Nada tinha acontecido até então, a gente não havia se beijado nem nada, mas ela vivia perguntando meu número. Eu disse que seria inapropriado. Mas, pouco depois, eu me vi na loja de eletrônicos, comprando um chip para poder conversar com ela sem ninguém descobrir. Não sei por que fiz isso, acho que era uma forma de não pensar na perda de Isobel. Só queria alguém para conversar. Eu só colocava o chip no celular à noite, para Naomi não ver nada, e começamos a trocar mensagens. Ela era legal comigo e me deixava falar sobre Isobel e sobre minhas preocupações a respeito de Naomi e Cara.

— Está perdendo tempo — interrompeu Pip, fria.

— Certo. — Ele fungou. — Então Andie começou a sugerir que a gente se encontrasse em algum lugar fora da escola. Tipo um hotel. Eu disse que não. Mas, em um momento de loucura, em um momento de fraqueza, eu me peguei reservando um quarto. Ela sabia ser muito persuasiva. Combinamos uma data e um horário, mas tive que cancelar de última hora porque Cara pegou catapora. Tentei acabar com tudo entre nós na época, mas depois ela insistiu de novo. E eu reservei o hotel para a outra semana.

— O Hotel Ivy House, em Chalfont — disse Pip.

Ele assentiu.

— Foi quando aconteceu pela primeira vez — confessou, baixinho, com vergonha. — A gente não passou a noite lá, eu não podia deixar as meninas sozinhas por tanto tempo. Ficamos só algumas horas.

— E você transou com ela?

Elliot permaneceu em silêncio.

— Ela tinha dezessete anos! A mesma idade da sua filha. Você era professor. Andie era vulnerável, e você se aproveitou disso. Você era o adulto e deveria ter se controlado.

— Não há nada que você possa dizer que vá me deixar mais enojado do que já estou. Tentei convencê-la de que aquilo não podia acontecer de novo e tentei parar. Mas Andie não deixava. Começou a me ameaçar, dizendo que me entregaria. Interrompeu uma das minhas aulas, veio até mim e sussurrou que tinha deixado uma foto nua escondida na sala e que era melhor eu encontrar antes que outra pessoa visse. Tentando me assustar. Então, voltei para o Ivy House na semana seguinte, porque não sabia o que ela faria se eu não voltasse. Achei que ela se cansaria logo daquilo.

Ele esfregou a nuca.

— Foi a última vez. Só aconteceu duas vezes, depois veio o feriado de Páscoa. Eu e as meninas passamos a semana na casa dos pais da Isobel, e, depois de um tempo fora de Kilton, recuperei o bom senso. Mandei uma mensagem para Andie avisando que estava tudo acabado e que eu não me importava se ela me denunciasse. Ela respondeu que, quando as aulas voltassem, iria acabar com a minha vida se eu não fizesse o que ela queria. Não sabia o que ela queria. Então, por acaso, surgiu uma oportunidade de impedi-la. Descobri que ela estava fazendo cyberbullying com uma aluna e liguei para o pai dela, como eu disse para você, e falei que se aquele comportamento não melhorasse eu teria que denunciá-la e ela seria expulsa. É óbvio que Andie entendeu o que era aquilo: a promessa de uma destruição mútua. Ela poderia me colocar na cadeia pelo nosso relacionamento, mas eu poderia expulsá-la da escola e acabar com o seu futuro. Estávamos em um impasse, e eu achei que tinha acabado.

— Então por que você a sequestrou na sexta-feira, dia 20 de abril? — perguntou Pip.

— Não foi... As coisas não foram assim. Eu estava em casa sozinho, e Andie apareceu, acho que por volta das dez horas. Estava irada, muito brava. Gritou comigo, falou que eu era patético e nojento, que ela só ficou comigo porque precisava que eu conseguisse uma vaga para ela em Oxford, do mesmo jeito que eu ajudara Sal. Andie não queria que ele fosse sem ela. Gritou que tinha que sair de casa, de Kilton, porque esse lugar a estava destruindo. Tentei acalmá-la, mas ela estava furiosa. E sabia exatamente como me machucar.

Elliot piscou devagar.

— Andie correu para o meu escritório e começou a rasgar as pinturas que Isobel fez antes de morrer, as de arco-íris. Destruiu duas enquanto eu gritava para ela parar e estava preses a pegar a minha favorita. E eu... eu só a empurrei para fazê-la parar, não queria machucá-la. Mas ela caiu para trás e bateu a cabeça na mesa. Com força. E... — Elliot fungou. — Ela estava no chão, com a cabeça sangrando. Consciente, mas confusa. Corri para pegar o kit de primeiros socorros, e, quando voltei, Andie tinha sumido e a porta da frente estava aberta. Ela não tinha dirigido até a minha casa, não havia nenhum carro na entrada nem dava para ouvir nada. Ela saiu andando e desapareceu. O celular dela estava no chão do meu escritório, devia ter caído no meio da briga.

Ele prosseguiu:

— No dia seguinte, Naomi me contou que Andie estava desaparecida. Ela tinha saído da minha casa com a cabeça sangrando e depois desapareceu. Durante o final de semana, comecei a entrar em pânico: pensei que a tivesse matado. Imaginei que ela tinha saído da minha casa e, confusa e machucada, se perdido em algum lugar e morrido por causa dos ferimentos. Imaginei que estivesse caída em alguma vala e que seria apenas questão de tempo até que a encontrassem. E, quando a encontrassem, haveria fibras e impressões digitais no corpo dela que levariam até mim. Sabia que a única saída era dar à polícia outro suspeito para me proteger. Para proteger minhas filhas. Se eu fosse preso pelo assassinato da Andie, acho que Naomi não sobreviveria. Cara só tinha doze anos na época. E elas já tinham perdido a mãe.

— Não temos tempo para desculpas — rebateu Pip. — Então você incriminou Sal Singh. Você sabia sobre o atropelamento porque lia o diário de terapia da Naomi.

— Óbvio que eu lia. Precisava saber se a minha filha estava pensando em se machucar.

— Você forçou ela e os amigos a tirarem o álibi do Sal. E, depois, na terça-feira…?

— Liguei avisando que não iria trabalhar porque estava doente, deixei as meninas na escola e esperei do lado de fora. Quando vi Sal sozinho no estacionamento, fui falar com ele. Ele não estava lidando bem com o desaparecimento. Então sugeri que a gente voltasse para a casa dele e conversasse sobre o assunto. Meu plano original era usar uma faca, mas encontrei remédios para dormir no banheiro dos Singh e decidi levar Sal para a floresta. Achei que seria melhor assim. Não queria que a família o encontrasse. Tomamos chá e dei três comprimidos para ele, dizendo que eram para dor de cabeça. Depois o convenci de que deveríamos ir para a floresta procurar Andie nós mesmos, de que isso ajudaria com o sentimento de impotência. Ele confiou em mim. Não perguntou por que eu estava usando luvas de couro dentro de casa. Peguei um saco plástico na cozinha e saímos para a floresta. Eu estava com um canivete e, quando tínhamos nos afastado o bastante, segurei-o contra o pescoço dele e o obriguei a tomar mais comprimidos.

Nessa parte, a voz de Elliot falhou. Ele estava com os olhos marejados, e uma lágrima solitária escorreu por sua bochecha.

— Eu disse que o estava ajudando, que ele não seria um suspeito se parecesse que tinha sido atacado também. Ele engoliu mais comprimidos e então começou a resistir. Eu o imobilizei e o forcei a engolir mais. Quando Sal começou a ficar sonolento, eu o abracei e falei sobre Oxford, sobre as bibliotecas incríveis, sobre os jantares chiques de recepção, sobre como a cidade era linda na primavera. Queria que adormecesse pensando em algo bom. Quando ficou inconsciente, coloquei o saco na cabeça dele e segurei sua mão enquanto ele morria.

Pip não sentia nenhuma compaixão pelo homem à sua frente. Onze anos de memórias de Elliot se dissolveram, e sobrou apenas um estranho na cozinha com ela.

— Então você enviou a mensagem de confissão do celular do Sal para o pai dele.

Elliot assentiu, pressionando a base das mãos contra os olhos.

— E o sangue da Andie?

— Tinha secado na mesa do meu escritório. Por descuido, sobraram alguns respingos depois que limpei pela primeira vez, então coloquei debaixo das unhas de Sal com uma pinça. E, por último, deixei o celular da Andie no bolso dele. Eu não queria matá-lo. Só estava tentando proteger minhas filhas; elas já tinham sofrido tanto. Sal não merecia morrer, mas minhas filhas também não. Era uma escolha terrível.

Pip ergueu os olhos para tentar conter as lágrimas. Não tinha tempo de explicar o quanto ele estava errado.

— Depois, conforme os dias se passaram, percebi que tinha cometido um erro grave. — Elliot chorava. — Se Andie tivesse morrido por causa do ferimento na cabeça, já teria sido encontrada. Então o carro dela apareceu, e a polícia identificou sangue no porta-malas. Ela estava bem o suficiente para dirigir depois que saiu da minha casa. Eu tinha entrado em pânico e achado que o ferimento era fatal quando, na verdade, não era. Mas era tarde demais. Sal estava morto, e eu o havia transformado no assassino. A polícia encerrou o caso, e tudo se acalmou.

— Então, em que momento você aprisionou Andie nesta casa?

Ele se encolheu ao perceber a raiva na voz de Pip.

— Foi no final de julho. Eu estava voltando para casa de carro quando me deparei com Andie. Ela estava andando ao lado da estrada principal de Wycombe, indo em direção a Kilton. Eu encostei o carro, e era óbvio que ela tinha se envolvido com drogas... que andava dormindo na rua. Estava muito magra e desgrenhada. Foi assim que aconteceu. Eu não podia deixá-la voltar para casa porque, senão, todos saberiam que Sal tinha sido assassinado. Andie estava drogada e desorientada, mas eu a forcei a entrar no carro. Expliquei porque eu não podia deixá-la ir para casa, mas disse que cuidaria dela. Eu tinha acabado de colocar esta casa à venda, então a trouxe para cá e desisti de vender.

— Onde Andie passou todos os meses antes disso? O que aconteceu com ela na noite em que desapareceu? — pressionou Pip, sentindo os minutos se esvaírem.

— Ela não se lembra dos detalhes, acho que teve uma concussão. Disse que só queria deixar tudo para trás. Foi para a casa de um amigo que estava envolvido com drogas, e ele a levou para ficar com alguns conhecidos. Mas Andie não se sentiu segura ali, então tentou voltar para casa. Ela não gosta de falar sobre esse assunto.

— Howie Bowers — pensou Pip em voz alta. — Onde ela está, Elliot?

— No sótão — respondeu, olhando para a pequena chave no balcão. — A gente o reformou para ela. Coloquei isolamento térmico, paredes de madeira compensada e um piso melhor. Ela escolheu o papel de parede. Não tem nenhuma janela, mas colocamos várias lâmpadas. Sei que você deve achar que eu sou um monstro, Pip, mas nunca encostei nela, não desde a última vez no Ivy House. Não é o que você está pensando. E ela não é como era antes. É uma pessoa diferente, calma e grata. Ela tem comida lá no sótão, mas eu venho e cozinho três vezes durante a semana e uma no final de semana, e a deixo descer para tomar banho. Depois nos sentamos juntos no sótão e assistimos à televisão por um tempo. Ela nunca fica entediada.

— Ela está trancada lá em cima, e esta é a chave? — questionou Pip, apontando para o objeto.

Elliot assentiu.

Então eles ouviram o som de pneus cantando na estrada.

— Quando a polícia interrogar você — disse Pip, apressando-se —, não diga nada sobre o atropelamento nem sobre tirar o álibi do Sal. Ele não vai precisar de um álibi quando você confessar. E Cara não merece perder a família inteira, ficar sozinha. *Eu* vou proteger Naomi e Cara de agora em diante.

Eles ouviram o som de portas de carro batendo.

— Talvez eu até consiga entender por que você fez o que fez — falou Pip. — Mas você nunca será perdoado. Você tirou a vida do Sal para salvar a sua. Você destruiu a família dele.

Um grito de "É a polícia" veio da porta da frente, que havia ficado aberta.

— Os Bell passaram cinco anos de luto. Você ameaçou a mim e a minha família, e invadiu minha casa para me assustar.

— Desculpe.

Houve passos pesados no corredor.

— Você matou Barney.

O rosto de Elliot se contraiu.

— Pip, não sei do que você está falando. Eu não...

— É a polícia — repetiu o oficial, entrando na cozinha.

A luz que entrava pelas claraboias brilhava na aba de seu chapéu. Sua parceira entrou logo atrás, olhando de Elliot para Pip e de volta para ele, seu rabo de cavalo apertado balançando com o movimento.

— Certo, o que está acontecendo aqui? — perguntou ela.

Pip se virou para Elliot, e seus olhares se cruzaram.

Ele se endireitou e estendeu os pulsos.

— Vocês estão aqui para me prender pelo sequestro e cárcere privado de Andie Bell — disse, sem tirar os olhos dela.

— E pelo assassinato de Sal Singh — completou Pip.

Os policiais se entreolharam por um longo momento, até que um deles assentiu. A mulher avançou em direção a Elliot, e o homem apertou um botão no rádio preso em seu ombro. Saiu para o corredor para falar.

Com os dois de costas para ela, Pip pegou a chave do balcão, saiu em disparada pelo corredor e subiu as escadas o mais depressa que pôde.

— Ei! — gritou o policial.

No topo da escada, ela viu o pequeno alçapão branco do sótão no teto. Havia um grande cadeado no fecho e um anel de metal parafusado na moldura de madeira. Uma pequena escada de dois degraus estava posicionada abaixo.

Pip se aproximou e estendeu a mão, enfiando a chave no cadeado e deixando-o cair no chão com um baque alto. O policial estava subindo a escada. Ela girou a trava e se abaixou para deixar o alçapão reforçado se abrir.

Uma luz amarela emanava do buraco acima de Pip. E sons: música dramática, explosões e pessoas gritando em sotaque americano. Pip agarrou a escada e a puxou para baixo, bem no momento em que o policial, a passos rápidos e barulhentos, alcançou os últimos degraus.

— Espere! — gritou ele.

Pip subiu a escada do sótão, sentindo as mãos úmidas e pegajosas nos degraus de metal.

Enfiou a cabeça pelo alçapão e olhou em volta. O cômodo estava iluminado por várias lâmpadas de chão, e as paredes eram decoradas com uma estampa floral preta e branca. De um lado do espaço, havia um frigobar com uma chaleira e um micro-ondas em cima, além de prateleiras com comida e livros. No meio do cômodo, havia um tapete rosa felpudo e, atrás, uma grande televisão de tela plana cujo programa estava sendo pausado.

E lá estava ela.

Sentada de pernas cruzadas em uma cama de solteiro com uma pilha de almofadas coloridas. Vestia um pijama azul com estampa de pinguim, igual ao que Cara e Naomi tinham. Ela encarou Pip com olhos arregalados e selvagens. Parecia um pouco mais velha, um pouco mais encorpada. O cabelo estava mais apagado do que antes, e a pele, muito mais pálida. Olhava boquiaberta para Pip,

com o controle remoto na mão e biscoitos com cobertura de chocolate no colo.

— Oi — disse Pip. — Eu sou a Pip.

— Oi — respondeu ela. — Eu sou a Andie.

Mas não era.

quarenta e seis

Pip se aproximou do brilho amarelo das lâmpadas. Respirou fundo para se acalmar, tentando raciocinar em meio aos gritos que preenchiam sua mente. Semicerrou os olhos e estudou o rosto à sua frente.

Agora que estava mais perto, percebia as diferenças nítidas — a ligeira inclinação dos lábios carnudos, a queda dos olhos no ponto em que deveriam subir, a falta de volume nas maçãs do rosto. Mudanças que o tempo não seria capaz de fazer.

Pip tinha olhado para fotografias de Andie Bell tantas vezes nos últimos meses que conhecia cada linha e cada sulco de seu rosto.

Não era ela.

Pip se sentiu desconectada do mundo, flutuando, vazia de qualquer sentido.

— Você não é Andie — disse Pip baixinho, desnorteada, quando o policial subiu a escada também e colocou a mão em seu ombro.

O vento estava soprando nas árvores, e a casa número quarenta e dois da estrada Mill End era iluminada por flashes de luzes azuis, que se alternavam com a escuridão. Quatro carros de polícia formando um quadrado torto ocupavam a entrada da casa, e Pip tinha acabado de ver o detetive Richard Hawkins — vestindo o mesmo casaco preto que usara em todas as coletivas de imprensa de cinco anos atrás — entrar.

Pip parou de escutar a policial que anotava seu depoimento. Suas próprias palavras pareciam apenas uma avalanche de sílabas caindo. Ela se concentrou em respirar o ar fresco e sibilante, e foi naquele momento que trouxeram Elliot para fora da casa. Com dois policiais de cada lado, as mãos algemadas para trás. Ele estava chorando, as luzes azuis refletindo em seu rosto molhado. Os sons magoados que ele emitia despertaram um medo primal e instintivo dentro de Pip. Aquele era um homem que sabia que sua vida havia acabado. Ele realmente acreditava que a garota no sótão era Andie? Ele se agarrou a essa crença durante tanto tempo? Abaixaram a cabeça de Elliot, colocaram-no em uma viatura e o levaram embora. Pip observou o carro ser engolido pelo túnel de árvores.

Enquanto terminava de ditar seu número de celular para a policial, ela ouviu uma porta de carro bater às suas costas. O vento carregou a voz de Ravi.

— Pip!

Ela sentiu um aperto no peito e avançou até a voz. Da entrada da casa, correu em direção a ele. Ravi a segurou, apertando os braços ao redor de Pip enquanto eles se ancoravam contra o vento.

— Você está bem? — perguntou ele, afastando-se um pouco para observá-la.

— Sim. O que você está fazendo aqui?

— *Eu?* — Ele bateu no peito. — Quando você não apareceu na minha casa, olhei no Buscar Meus Amigos. Por que você veio para cá sozinha?

Ravi lançou um olhar para as viaturas e os policiais atrás dela.

— Precisei vir. Tinha que perguntar para ele o porquê. Não sabia quanto tempo a mais você teria que esperar para saber a verdade se eu não perguntasse.

Pip abriu a boca uma, duas, três vezes antes de as palavras conseguirem sair, mas então contou tudo a Ravi. Debaixo das árvores trêmulas, com as luzes azuis piscando ao redor, contou como o irmão dele tinha morrido. Disse que lamentava quando lágrimas escorreram pelo rosto de Ravi, porque era tudo o que podia dizer diante daquela situação, um único ponto incapaz de remendar uma cratera inteira.

— Não lamente — retrucou ele, sorrindo e chorando ao mesmo tempo. — Nada vai trazê-lo de volta, eu sei disso. Mas a gente o trouxe de volta, de certa forma. Sal foi assassinado, Sal era inocente, e agora todos vão saber disso.

Eles se viraram para observar o detetive Richard Hawkins trazendo a garota para fora da casa, com um cobertor lilás em seus ombros.

— Não é ela, é? — perguntou Ravi.

— Se parece bastante — disse Pip.

Os olhos da garota estavam arregalados, girando e livres enquanto ela observava tudo ao redor, reaprendendo como era o mundo ali fora.

Hawkins a conduziu até uma viatura e se sentou ao seu lado no banco de trás, enquanto dois policiais uniformizados entravam na frente.

Pip não sabia como Elliot conseguia acreditar que aquela garota que ele havia encontrado na beira da estrada fosse Andie. Tentou se enganar? Precisava acreditar que Andie não tinha morrido como forma de reparação pelo que fez com Sal por causa dela? Ou foi o medo que o cegou?

Ravi achava que Elliot estava aterrorizado com a possibilidade de Andie Bell estar viva e voltar para casa, porque então ele seria preso pelo assassinato de Sal. E, naquele estado de pânico, bastou ver uma garota loira parecida com Andie para convencer a si mesmo de que a havia encontrado. Ele a trancou naquela casa para trancar ali o medo terrível de ser pego.

Pip concordou, observando a viatura com a garota se afastar aos poucos.

— Eu acho... — disse ela, baixinho. — Acho que ela era só uma garota com o cabelo errado e o rosto errado quando o homem errado passou.

Havia outra pergunta inquietante que Pip ainda não conseguia verbalizar: o que aconteceu com a verdadeira Andie Bell depois que saiu da casa dos Ward naquela noite?

A policial que havia pegado a declaração de Pip se aproximou com um sorriso caloroso.

— Você precisa de uma carona para voltar para casa, querida? — ofereceu.

— Não, tudo bem. Estou de carro.

Ela obrigou Ravi a entrar no carro com ela, porque não ia deixá-lo dirigir para casa sozinho. Ele não conseguia parar de tremer. Secretamente, ela também não queria ficar sozinha.

Pip girou a chave na ignição, avistando seu reflexo no retrovisor antes de as luzes diminuírem. Sua aparência estava esquelética e pálida, seus olhos brilhando em meio a olheiras profundas. Ela estava cansada. Muito, muito cansada.

— Finalmente posso contar para os meus pais — disse Ravi quando voltaram para a estrada principal, saindo de Wendover. — Não sei nem por onde começar.

Os faróis iluminaram a placa que dizia *Bem-vindo a Little Kilton*, e as letras ficaram cada vez mais espessas com as sombras laterais conforme eles adentravam a cidade. Pip dirigiu pela High Street, em direção à casa de Ravi. Parou na rotatória principal. Havia um carro esperando do outro lado, os faróis emitindo uma luz branca penetrante. A preferência era dele.

— Por que não está se mexendo? — perguntou Pip, encarando o carro quadrado e escuro à frente, que refletia os feixes de luz amarelos do poste acima.

— Não sei — disse Ravi. — Só vai.

Ela avançou devagar pela rotatória. O outro carro ainda não tinha se movido. Quando se aproximaram e saíram da frente do brilho dos faróis, Pip soltou um pouco o pé no pedal para olhar, curiosa, pela janela.

— Ah, merda — xingou Ravi.

Era a família Bell. Os três. Jason estava no banco do motorista, o rosto vermelho com marcas de lágrimas. Estava gritando e batendo a mão contra o volante, sua boca se movendo com palavras raivosas. Dawn Bell se encolhia, ao seu lado. Estava chorando também, e seu corpo arfava enquanto ela tentava respirar entre as lágrimas, a boca aberta em uma agonia confusa.

Os carros ficaram nivelados, e Pip viu Becca no banco de trás. Seu rosto estava pálido, pressionando o vidro frio da janela. Seus lábios estavam separados, suas sobrancelhas, franzidas, e seu olhar, perdido em algum outro lugar. Ela olhava para a frente em silêncio.

Mas o olhar de Becca ganhou vida ao pousar em Pip. Houve um lampejo de reconhecimento, e então algo pesado e urgente, parecido com pavor.

Eles seguiram pela rua, e Ravi respirou aliviado.

—Você acha que contaram para eles? — perguntou.

— Parece que acabaram de receber a notícia — disse Pip. — A garota disse que o nome dela era Andie Bell. Talvez eles tenham que identificar formalmente que não é ela.

Pip olhou pelo retrovisor e viu o carro dos Bell finalmente passar pela rotatória, em direção à promessa roubada de que teriam a filha de volta.

quarenta e sete

Pip ficou sentada na beira da cama dos pais até tarde da noite. Ela, o fardo em seus ombros e sua história. Contá-la era quase tão difícil quanto vivê-la.

A pior parte foi Cara. Quando o relógio de seu celular passou das dez da noite, Pip soube que não podia mais esperar. Posicionou seu polegar sobre o botão de chamada, mas não conseguiu apertá-lo. Não conseguiria dizer as palavras em voz alta e ouvir o mundo de sua melhor amiga mudar para sempre, tornando-se sombrio e estranho. Pip desejava ser forte o suficiente para fazer aquilo, mas já havia aprendido que não era invencível e que também podia se despedaçar. Começou a digitar uma mensagem para Cara.

Eu deveria estar ligando para dizer isso, mas acho que não conseguiria dizer o que preciso dizer com a sua voz do outro lado da linha. Este é o jeito covarde, e eu sinto muito por isso. Foi seu pai, Cara. Seu pai matou Sal Singh. Ele estava mantendo uma garota em cativeiro na antiga casa em Wendover, porque achava que ela era Andie Bell. Ele foi preso. Naomi vai ficar fora disso, dou a minha palavra. Quando você estiver pronta para ouvi-los, sei os motivos do seu pai. Sinto muito. Queria poder poupar você disso. Eu te amo.

Pip releu a mensagem na cama dos pais e enviou, lágrimas caindo no celular que ela segurava com as duas mãos.

Quando Pip finalmente acordou às duas da tarde, sua mãe preparou o café da manhã e não perguntou se ela iria para a escola. Não tocaram no assunto outra vez; não havia mais nada a dizer, ao menos por enquanto. Mas a questão do que aconteceu com Andie Bell rondava a mente de Pip. Andie ainda tinha um último mistério.

Pip tentou ligar para Cara dezessete vezes, mas só chamou e ninguém atendeu. O mesmo com Naomi.

Mais tarde, depois de buscar Josh, Leanne dirigiu até a casa dos Ward, mas voltou dizendo que não havia ninguém e que o carro não estava lá.

— Elas devem ter ido para a casa da tia Lila — disse Pip, pressionando a rediscagem outra vez.

Victor chegou cedo do trabalho. Todos se sentaram na sala e assistiram a reprises de programas de perguntas, que normalmente seriam pontuadas por Pip e seu pai competindo para gritar as respostas mais rápido. Mas assistiram em silêncio, trocando olhares furtivos sobre a cabeça de Josh. O ar estava repleto de uma tensão triste, um clima de *e agora?*.

Quando alguém bateu à porta, Pip pulou para escapar da atmosfera estranha que sufocava a sala. Em seus pijamas tie-dye, abriu a porta, e o ar gelado bateu em seus dedos dos pés.

Era Ravi com os pais, parado entre eles em uma pose tão perfeita que parecia ensaiada.

— Olá, sargento — cumprimentou, sorrindo ao ver seu pijama colorido e extravagante. — Essa é a minha mãe, Nisha. — Ele gesticulou como um apresentador de reality show, e sua mãe sorriu para Pip, com os cabelos pretos presos em duas tranças frouxas. — E o meu pai, Mohan.

Mohan acenou com a cabeça, e seu queixo roçou o topo do buquê gigantesco que ele segurava. Havia uma caixa de chocolates debaixo do outro braço.

— Mãe, pai — prosseguiu Ravi —, esta é *a* Pip.

O "olá" educado de Pip se misturou aos deles.

— Então — disse Ravi —, nos chamaram para ir à delegacia hoje mais cedo. Os policiais nos contaram tudo o que a gente já sabia. Disseram que vão fazer uma coletiva de imprensa assim que formalizarem as acusações contra o sr. Ward e soltar uma nota confirmando a inocência do Sal.

Pip ouviu a mãe e o pai, com seus passos barulhentos, se aproximarem pelo corredor.

Ravi apresentou todo mundo de novo por causa de Victor, já que Leanne tinha conhecido os Singh há quinze anos, quando vendera a casa para eles.

— Bem — continuou Ravi —, viemos agradecer, Pip. Nada disso teria acontecido sem você.

— Não sei bem o que dizer — começou Nisha, com os olhos arredondados tão parecidos com os de Sal e Ravi brilhando. — Graças ao que vocês dois fizeram, nós temos o nosso menino de volta. Vocês trouxeram Sal de volta para nós, e não há palavras para expressar o quanto somos gratos.

— São para você — anunciou Mohan, entregando as flores e a caixa de chocolates para Pip. — Desculpe, não sabíamos direito o que dar para quem ajudou a inocentar nosso filho morto.

— O Google deu pouquíssimas sugestões — completou Ravi.

— Obrigada — disse Pip. — Querem entrar?

— Sim, por favor, entrem — convidou Leanne. — Vou preparar um bule de chá.

Assim que passou pela porta, Ravi pegou o braço de Pip e a puxou para um abraço, esmagando as flores e rindo no cabelo dela. Quando a soltou, Nisha a envolveu num abraço. O perfume dela lembrava Pip de lares, mães e noites de verão. Então, sem saberem direito por que nem como isso aconteceu, os seis estavam se abraçando, trocando de lugar e se abraçando de novo, rindo com lágrimas nos olhos.

E, assim, com flores amassadas e um carrossel de abraços, os Singh dissiparam a tristeza sufocante e confusa que havia tomado conta da casa. Abriram a porta e deixaram o fantasma sair, pelo menos por um tempo. Porque havia um final feliz em meio àquilo tudo: Sal era inocente. Uma família foi libertada do peso injusto que carregou por tantos anos. E, apesar de toda dor e dúvida que viria pela frente, tinha valido a pena.

— O que vocês estão *fazendo*? — perguntou Josh em uma voz aguda e perplexa.

Eles se sentaram na sala de estar, em torno de um chá da tarde completo que Leanne havia improvisado.

— Então, vocês vão ver os fogos de artifício amanhã à noite? — perguntou Victor.

— Na verdade — ponderou Nisha, olhando do marido para o filho —, acho que deveríamos ir este ano. Seria a primeira vez desde que... vocês sabem. Mas as coisas estão diferentes agora. Esse é o começo de tudo sendo diferente.

— É — concordou Ravi. — Eu gostaria de ir. Não dá para ver lá de casa.

— Maravilha! — disse Victor, batendo palmas. — A gente se encontra lá? Umas sete horas, perto da barraca de bebidas?

Na mesma hora, Josh se levantou, apressando-se para engolir o sanduíche e recitar:

— Eu lembro, eu lembro, 5 de novembro. Carga, farsa, conspiração. Não vejo o motivo ou objetivo de esquecer essa traição.

Little Kilton não tinha se esquecido, a cidade apenas decidira mudar a comemoração para o dia 4 porque os churrasqueiros acharam que teria mais público em um sábado. Pip não sabia se estava pronta para ficar rodeada por tanta gente com olhares inquisidores.

— Vou encher — disse, pegando o bule vazio da mesa e levando-o para a cozinha.

Ela ligou a chaleira e encarou seu reflexo na superfície cromada até ver a figura distorcida de Ravi aparecer às suas costas.

— Você está quieta. O que está dentro desse seu cérebro gigante? Na verdade, nem precisa responder, já sei o que é. Andie.

— Não posso fingir que acabou — disse Pip. — Ainda não acabou.

— Pip, me escuta. Você fez o que se propôs a fazer. Provou que Sal é inocente e descobriu o que aconteceu com ele.

— Mas ainda não sabemos o que aconteceu com Andie. Depois que saiu da casa do Elliot naquela noite, ela desapareceu e nunca mais foi encontrada.

— Isso não é sua responsabilidade, Pip. A polícia reabriu o caso da Andie. Deixe o resto com eles. Você já fez o bastante.

— Eu sei — respondeu, e não era mentira.

Ela estava cansada. Precisava se livrar de tudo isso. Precisava voltar a carregar só o próprio peso nos ombros. E aquele último mistério de Andie Bell não era mais problema seu.

Ravi estava certo: a parte deles havia acabado.

quarenta e oito

Ela pretendia jogar tudo fora.

Foi o que prometeu a si mesma. O quadro do assassinato precisava ir para o lixo porque já tinha cumprido seu papel. Era hora de desmontar o andaime de Andie Bell e ver o que havia restado de Pip por baixo. Ela começou bem, tirando os alfinetes de algumas páginas e empilhando-as ao lado de um saco de lixo que havia trazido.

Então, sem perceber o que estava fazendo, ela se pegou revirando tudo outra vez: relendo as entradas do diário de produção, traçando o dedo pelas linhas vermelhas, encarando as fotos dos suspeitos e procurando o rosto de um assassino.

Estava tão convicta de que tinha acabado que não se permitira pensar sobre o assunto durante o dia, enquanto jogava jogos de tabuleiro com Josh, maratonava episódios de sitcoms americanas e fazia brownies com a mãe, enfiando massa crua na boca quando ninguém estava olhando. Mas, em uma fração de segundo e com um desvio do olhar, Andie havia conseguido fisgá-la outra vez.

Pip deveria estar se arrumando para ir ver os fogos de artifício, mas estava curvada sobre o quadro do assassinato. Algumas coisas realmente foram para o saco de lixo. Todas as pistas que apontavam para Elliot Ward. Tudo sobre o Hotel Ivy House, o número de celular na agenda, o atropelamento, o álibi tirado de Sal, a foto nua de Andie que Max encontrou no fundo da sala de aula e os bilhetes e mensagens enviados pelo Desconhecido.

Mas havia novas informações que precisavam ser adicionadas ao quadro sobre o paradeiro de Andie na noite em que desapareceu. Ela agarrou um mapa de Kilton e começou a rabiscá-lo com uma canetinha azul.

Andie foi para a casa dos Ward e saiu de lá pouco tempo depois, com um ferimento na cabeça potencialmente grave. Pip circulou a casa dos Ward, em Hogg Hill. Elliot tinha dito que era por volta das dez da noite, mas provavelmente se enganou. As declarações de horário dele e de Becca Bell não batiam, mas a de Becca era reforçada pelas câmeras da rua: Andie dirigiu pela High Street às 22h40. Deve ter ido para a casa dos Ward nesse horário. Pip desenhou uma linha pontilhada e rabiscou a hora. Sim, Elliot tinha que estar enganado, caso contrário, Andie teria voltado para casa com um ferimento na cabeça e depois saído de novo. E, se isso tivesse acontecido, Becca teria contado para a polícia. Então Becca não foi a última pessoa a ver Andie com vida, e sim Elliot.

Mas então... Pip mordeu a tampa da canetinha, pensando. Elliot disse que Andie não tinha dirigido até sua casa; ele achou que ela tinha caminhado. E, olhando o mapa, fazia sentido. A casa dos Bell e a dos Ward eram bem próximas; a pé, só era preciso cortar caminho pela igreja e pegar a ponte de pedestres. Devia ser mais rápido ir a pé do que de carro. Pip coçou a cabeça. Mas as pistas não se encaixavam: o carro de Andie foi filmado pelas câmeras de segurança, então ela devia ter dirigido até lá. Talvez tenha estacionado perto da casa de Elliot, mas não perto o bastante para ele ver.

Então como Andie foi daquele local à inexistência? De Hogg Hill ao sangue no porta-malas do carro abandonado próximo à casa de Howie?

Pip bateu com a ponta da caneta no mapa, olhando de Howie para Max, de Max para Nat, de Nat para Daniel, e de Daniel para Jason. Havia dois assassinos em Little Kilton: um que pensava ter matado Andie e havia assassinado Sal para encobrir o suposto crime, e outro que realmente matou Andie Bell. E qual daqueles rostos poderia ser?

Dois assassinos, e no entanto apenas um tentou fazer Pip desistir da investigação, o que significava que...

Espere.

Pip levou as mãos ao rosto e fechou os olhos para raciocinar. Seus pensamentos saíam em disparada e voltavam alterados, novos e fumegantes. E uma imagem: o rosto de Elliot assim que a polícia entrou. Sua expressão quando Pip disse que nunca o perdoaria por ter matado Barney. O rosto dele se enrugou, suas sobrancelhas ficaram tensas. Mas, pensando bem, não tinha sido uma expressão de remorso.

Não, era de confusão.

Pip completou as palavras que ele começara a dizer: "Pip, não sei do que você está falando. Eu não... *matei Barney.*"

A garota xingou baixinho, arrastando-se até o saco de lixo. Pegou as páginas descartadas e as espalhou, procurando por algo. Então ela os tinha em mãos: os bilhetes deixados no acampamento e no armário em uma mão, as mensagens de texto do Desconhecido na outra.

Eram de duas pessoas diferentes. Ficou tão óbvio naquele momento, observando com atenção.

Havia diferenças não apenas na forma, mas no tom. Nos bilhetes impressos, Elliot havia se referido a ela como Pippa, e as ameaças eram sutis, implícitas. Até a que havia sido digitada em seu diário de produção. Mas o Desconhecido a tinha chamado de "vadia estúpida", e as ameaças não eram apenas implícitas: ele a obrigou a quebrar seu notebook e depois matou seu cachorro.

Pip se recostou e soltou o ar com força.

Duas pessoas diferentes.

Elliot não era o Desconhecido e não tinha matado Barney. Não, ele tinha sido morto pelo verdadeiro assassino de Andie.

— Pip, vamos! Já devem ter acendido a fogueira — chamou Victor do andar de baixo.

Ela foi até a porta do quarto e abriu uma fresta.

— Hum, podem ir na frente. Encontro vocês lá.

— O quê? Não. Desça aqui, Pipinha.

— Eu... vou tentar ligar para Cara mais algumas vezes, pai. Preciso muito falar com ela. Não vou demorar. Por favor. Encontro vocês lá.

— Tudo bem, picles! — gritou ele.

— Saio em vinte minutos, prometo.

— Combinado. Ligue se não conseguir nos encontrar.

Quando a porta da frente bateu, Pip se sentou ao lado do quadro do assassinato, segurando as mensagens do Desconhecido em suas mãos trêmulas. Examinou as entradas de seu diário, tentando identificar em que momentos da investigação as recebeu. A primeira veio assim que ela localizou Howie Bowers, depois que ela e Ravi falaram com ele e descobriram que Andie traficava drogas e Max comprava flunitrazepam. E Barney foi sequestrado no meio do período escolar. Muita coisa aconteceu antes disso: Pip esbarrou com Stanley Forbes duas vezes, foi visitar Becca no trabalho e falou com Daniel na reunião policial.

Pip amassou os papéis e os jogou para longe, soltando um rosnado sem precedentes. Ainda havia suspeitos demais. E agora que os segredos de Elliot haviam sido revelados e Sal estava prestes a ser inocentado, será que o assassino de Andie buscaria vingança? Cumpriria as ameaças? Pip deveria estar em casa sozinha?

Ela fez uma careta para as fotos dos suspeitos, então usou a canetinha azul para desenhar uma grande cruz no rosto de Jason Bell. Não poderia ter sido ele. Pip havia visto sua expressão no carro após receber a ligação do detetive. Tanto ele quanto Dawn estavam chorando, confusos e com raiva. Mas havia outra coisa em seus olhos, uma centelha de esperança em meio às lágrimas. Talvez, embora tivessem sido informados de que não era Andie, uma pequena parte deles ainda acreditasse que podia ser a filha. Jason não seria capaz de fingir aquela reação. A verdade estava em sua cara.

A verdade estava na cara...

Pip analisou a foto de Andie com os pais e a irmã. Olhou bem nos olhos deles.

Não veio tudo de uma vez.

Veio aos poucos, pequenos picos iluminando sua memória.

As peças se encaixaram.

Pip pegou todas as páginas relevantes do quadro do assassinato. Terceira entrada do diário: a entrevista com Stanley Forbes. Décima entrada: a entrevista com Emma Hutton. Vigésima entrada: a entrevista com Jess Walker sobre os Bell. Vigésima primeira: Max comprando drogas de Andie. Vigésima terceira: Howie e a lista do que ele fornecia para ela. Vigésima oitava e vigésima nona: as bebidas batizadas nas festas do apocalipse. O papel em que Ravi tinha escrito: *quem poderia ter pegado o celular descartável???* em letras garrafais. E o horário em que Elliot disse que Andie saiu de sua casa.

Pip analisou tudo de novo e descobriu quem foi.

O assassino tinha um rosto e um nome.

A última pessoa a ver Andie com vida.

Só faltava confirmar uma coisa. Pip pegou o celular, rolou pela lista de contatos e discou um número.

— Olá?

— Max? — disse ela. — Vou fazer uma pergunta.

— Não estou interessado. Olha, você estava errada sobre mim. Eu fiquei sabendo do que aconteceu, foi o sr. Ward.

— Que bom, então você sabe que agora eu tenho muita credibilidade com a polícia. Falei para o sr. Ward encobrir o atropelamento, mas, se você não responder a minha pergunta, vou ligar para a polícia e contar tudo agora mesmo.

— Você não faria isso.

— Faria, sim. A vida da Naomi já está destruída. Não pense que isso vai me impedir — blefou.

— O que você quer? — perguntou ele, ríspido.

Pip fez uma pausa. Colocou o celular no viva-voz e clicou no aplicativo do gravador. Apertou o botão vermelho e fungou alto para esconder o bip.

— Max, na festa do apocalipse de março de 2012, você drogou e estuprou Becca Bell?

— O quê? Claro que não, porra.

— Max! — rugiu Pip no celular. — Não minta para mim ou eu juro por Deus que vou acabar com você! Você colocou flunitrazepam na bebida da Becca e transou com ela?

Ele tossiu.

— Foi, mas, tipo… não foi estupro. Ela não disse que não.

— Porque você a drogou, sua gárgula desprezível! — gritou Pip. — Você não tem ideia do que fez.

Ela desligou, parou a gravação e apertou o botão de bloqueio. Encarou seus olhos afiados refletidos na tela escura.

A última pessoa a ver Andie com vida?

Becca.

Sempre foi Becca.

Pip tomou uma decisão.

quarenta e nove

O carro deu um solavanco quando Pip parou bruscamente no meio-fio. Ela saiu para a rua escura e foi até a casa.

Bateu na porta da frente.

O sino dos ventos balançava e cantava com a brisa da noite, um som agudo e insistente.

A porta se entreabriu, e o rosto de Becca apareceu na fresta. Ela viu Pip e a abriu por inteiro.

— Ah, oi, Pippa — cumprimentou.

— Oi, Becca. Eu... vim ver se você está bem, depois de quinta à noite. Vi você no carro e...

— É. — Ela assentiu. — O detetive nos contou que foi você quem descobriu tudo sobre o sr. Ward, o que ele fez.

— Sim, sinto muito.

— Quer entrar? — convidou Becca, dando um passo para trás.

— Obrigada.

Pip entrou no corredor que ela e Ravi invadiram semanas antes. Becca sorriu e gesticulou para que Pip entrasse na cozinha azul-clara.

— Quer um chá?

— Ah, não, obrigada.

— Tem certeza? Estava fazendo um para mim.

— Tudo bem, então. Preto, por favor. Obrigada.

Pip se sentou à mesa, com as costas eretas e os joelhos rígidos, e observou Becca pegar duas canecas floridas de um armário, colocar os saquinhos de chá dentro e servir água recém-fervida da chaleira.

— Com licença — pediu Becca —, só preciso pegar um lenço de papel.

Enquanto ela saía do cômodo, o apito de trem soou no bolso de Pip.

Era uma mensagem de Ravi: *E aí, sargento, cadê você?* Ela colocou o celular no modo silencioso e o guardou no casaco.

Becca voltou para a cozinha com um lenço de papel na manga. Pegou os chás e posicionou o de Pip à sua frente.

— Obrigada — disse Pip, tomando um gole.

Não estava quente demais, e ela ficou feliz por ter algo para ocupar suas mãos trêmulas.

Então o gato preto entrou na cozinha, desfilando com o rabo para cima, esfregando a cabeça nos tornozelos de Pip até Becca o enxotar.

— Como seus pais estão? — indagou Pip.

— Não muito bem. Depois que confirmamos que não era Andie, minha mãe se internou em uma clínica de reabilitação especializada em trauma. E meu pai quer processar todo mundo.

— Já sabem quem é a garota? — perguntou Pip, com a boca na borda da caneca.

— Já. Ligaram para o meu pai hoje de manhã. Ela estava no registro de pessoas desaparecidas: Isla Jordan, vinte e três anos, de Milton Keynes. Disseram que ela tem um distúrbio de aprendizagem e idade mental de doze anos. Veio de um lar abusivo e tem um histórico de fuga e posse de drogas. — Becca passou os dedos pelo cabelo curto. — Disseram que ela está muito confusa.

Viveu daquele jeito por tanto tempo, porque era o que agradava o sr. Ward, que realmente acredita que é uma garota chamada Andie Bell, de Little Kilton.

Pip deu um grande gole no chá, preenchendo o silêncio enquanto as palavras em sua cabeça estremeciam e se reajustavam. Sua boca estava seca, e havia um tremor terrível em sua garganta, ecoando nos batimentos cardíacos acelerados. Ela levantou a caneca e terminou de tomar o chá.

— Ela se parecia muito com Andie — disse Pip, finalmente. — Pensei que fosse Andie por alguns segundos. E eu vi nos olhos de seus pais a esperança de que fosse mesmo ela, apesar de tudo. De que talvez a polícia e eu estivéssemos errados. Mas você já sabia, né?

Becca apoiou a própria caneca na mesa e encarou Pip.

— Sua expressão era diferente da deles, Becca. Você parecia confusa. Confusa e com medo. Tinha certeza de que não podia ser sua irmã. Porque você a matou, não foi?

Becca não se mexeu. O gato pulou na mesa bem ao seu lado, e ela não se mexeu.

— Em março de 2012 — começou Pip —, você foi a uma festa do apocalipse com sua amiga, Jess Walker. E, durante a festa, alguma coisa aconteceu com você. Você não se lembra, mas, assim que acordou, soube que tinha algo errado. Pediu para Jess ir comprar uma pílula do dia seguinte com você, e quando ela perguntou com quem você tinha transado, você não contou. Não foi, como Jess achou, porque estava envergonhada. Foi porque não sabia. Não sabia o que tinha acontecido nem com quem. Você teve amnésia anterógrada porque alguém colocou flunitrazepam na sua bebida e depois te estuprou.

Becca permaneceu imóvel, inumanamente quieta, como um pequeno manequim com medo de se mexer e, sem querer, trazer à tona o lado ruim da sombra de sua irmã. Então começou a chorar. Lágrimas nadaram por suas bochechas como peixinhos silenciosos, seu queixo tremendo. Pip sentiu uma dor em seu âmago, e algo coagulado e frio envolveu seu coração quando olhou nos olhos de Becca e viu a verdade ali. Porque aquela verdade não era uma vitória, apenas uma tristeza profunda e decadente.

— Não consigo imaginar o quão horrível e solitário foi para você — continuou Pip, sentindo-se insegura. — Não conseguir se lembrar, mas saber que algo ruim aconteceu. Você deve ter sentido como se ninguém pudesse ajudar. Não tinha feito nada de errado e não tinha nada do que se envergonhar. Mas acho que você não acreditava nisso na época e acabou no hospital. E o que aconteceu depois? Você decidiu descobrir o que tinha acontecido com você? Quem tinha sido o responsável?

Becca assentiu, o movimento quase imperceptível.

— Acho que percebeu que tinha sido drogada, então começou a procurar informações a partir daí, certo? Começou a perguntar quem tinha comprado drogas na festa do apocalipse e de quem. E as respostas levaram à sua própria irmã. Becca, o que aconteceu na sexta-feira, 20 de abril? O que aconteceu quando Andie voltou da casa do sr. Ward?

— Só descobri que alguém comprou maconha e ecstasy dela uma vez — explicou Becca, olhando para baixo e segurando as lágrimas. — Quando ela saiu e me deixou sozinha, fiz uma busca em seu quarto. Encontrei o esconderijo com o celular e as drogas. Procurei no celular. Todos os contatos estavam salvos apenas com uma letra nos nomes, mas li algumas mensagens e descobri quem comprou flunitrazepam. Andie usou o nome dele em uma das mensagens.

— Max Hastings — afirmou Pip.

— E achei... — Becca chorou. — Achei que, agora que eu sabia o que tinha acontecido, a gente conseguiria consertar tudo. Achei que, quando Andie chegasse em casa, eu contaria a história e ela me deixaria chorar em seu ombro e me diria que sentia muito e que nós duas iríamos resolver tudo e punir Max. Eu só queria minha irmã mais velha. E a liberdade de finalmente contar para alguém.

Pip enxugou os olhos, trêmula, sentindo-se esgotada.

— Então Andie chegou em casa... — continuou Becca.

— Com a cabeça machucada?

— Não, eu não sabia disso na hora. Não vi nada. Ela estava aqui na cozinha, e eu não podia esperar. Precisava contar para ela. E... — A voz de Becca falhou. — Quando eu contei, ela só olhou para mim e disse que não se importava. Tentei explicar, e ela não quis ouvir. Só avisou que eu não podia contar para ninguém, senão ela teria problemas. Tentou sair da cozinha, e eu entrei na sua frente. Então ela disse que eu devia agradecer por alguém me achar atraente, porque eu era só a versão feia e gorda dela. Depois tentou me empurrar para ir embora. Não consegui acreditar que ela estava sendo tão cruel. Eu a empurrei e tentei explicar de novo, aí a gente começou a gritar e se empurrar, e então... foi tudo tão rápido.

Becca continuou:

— Andie caiu no chão. Não achei que tinha empurrado com tanta força. Ela estava com os olhos fechados, e então começou a vomitar. No rosto inteiro e no cabelo. E... — Becca soluçou. — E a boca ficou cheia, ela estava tossindo e sufocando. E eu... eu congelei. Não sei por quê, mas eu estava com tanta raiva dela. Quando olho para trás, não sei se eu cheguei a tomar essa decisão. Não me lembro de pensar em nada, apenas não me mexi. E eu devia saber que ela estava morrendo, mas fiquei parada e não fiz nada.

Becca olhou para um ponto no chão de azulejo da cozinha, perto da porta. Devia ter acontecido ali.

— Aí ela parou de se mexer, e eu percebi o que tinha feito. Entrei em pânico e tentei limpar a boca dela, mas Andie já estava morta. Queria tanto poder voltar atrás. Desejei isso todos os dias desde então. Mas era tarde demais. Só então vi o sangue em seus cabelos e pensei que eu a tivesse machucado. Acreditei nisso por cinco anos. Até dois dias atrás, não sabia que Andie tinha machucado a cabeça antes, com o sr. Ward. Deve ter sido por isso que desmaiou, por isso que vomitou. Mas não importa. Fui eu quem a deixou sufocar até a morte. Vi minha irmã morrendo e não fiz nada. Como eu achava que tinha machucado a cabeça dela, e como eu havia deixado arranhões em seus braços, sinais de luta, sabia que todo mundo, até meus pais, pensaria que eu tive intenção de matá-la. Porque Andie sempre foi muito melhor do que eu. Meus pais a amavam mais.

— Você colocou o corpo dela no porta-malas do carro? — perguntou Pip, apoiando a cabeça nas mãos porque estava muito pesada.

— O carro estava na garagem, e eu a arrastei para dentro. Não sei como tive forças para isso. Hoje é tudo um borrão. Limpei tudo. Assisti a muitos documentários, sabia que tipo de alvejante usar.

— Então você saiu de casa um pouco antes das 22h40 — disse Pip. — Foi você que as câmeras gravaram, dirigindo o carro da Andie na High Street. E você a levou… Acho que você a levou para aquela casa de fazenda na estrada Sycamore, sobre a qual escreveu um artigo, porque não queria que os vizinhos comprassem e restaurassem. Você a enterrou lá?

— Ela não foi enterrada. — Beca fungou. — Ela está na fossa séptica.

Pip assentiu, enquanto sua mente confusa tentava processar o destino final de Andie.

— Então você abandonou o carro dela e voltou para casa a pé. Por que o deixou na Romer Close?

— Quando peguei o celular descartável, descobri que era lá que o traficante dela morava. Pensei que, se eu deixasse o carro lá, a polícia faria a conexão e ele acabaria como o principal suspeito.

— O que você pensou quando, do nada, Sal foi declarado culpado e tudo acabou?

Becca deu de ombros.

— Não sei. Achei que talvez fosse algum sinal, um sinal de que eu tinha sido perdoada. Mesmo assim, eu nunca me perdoei.

— E então, cinco anos depois, eu comecei a fuçar. Você pegou meu número no celular do Stanley, de quando eu o entrevistei — afirmou Pip.

— Ele me disse que uma garota estava fazendo um projeto e achava que Sal era inocente. Entrei em pânico. Pensei que, se você provasse a inocência dele, eu precisaria encontrar outro suspeito. O celular descartável da Andie estava comigo, e eu sabia que ela estava tendo um relacionamento secreto. Tinha algumas mensagens para um contato chamado *E* sobre encontros naquele hotel, o Ivy House. Então fui até lá para tentar descobrir quem era esse homem. Não cheguei a lugar algum, a senhora que era dona do hotel estava muito confusa. Semanas depois, vi você rondando o estacionamento da estação de trem, e eu sabia que era lá que o traficante da Andie trabalhava. Enquanto você o seguia, eu seguia você. Vi você entrar na casa dele com o irmão do Sal. Só queria fazer você parar.

— Foi aí que você me mandou a primeira mensagem — continuou Pip. — Mas eu não parei. E quando fui ao seu trabalho, você deve ter pensado que eu estava prestes a descobrir que era você, como sabia sobre o celular descartável e Max Hastings. Então matou meu cachorro e me fez destruir toda a minha pesquisa.

— Desculpe. — Becca olhou para baixo. — Não tive a intenção de matar seu cachorro. Eu o soltei, juro. Mas estava escuro. Ele deve ter se confundido e caído no rio.

A respiração de Pip oscilou. Mas acidente ou não, isso não traria Barney de volta.

— Eu o amava tanto — disse Pip, sentindo-se tonta e desconectada de si mesma. — Mas escolhi perdoar você. Foi por isso que vim, Becca. Se eu resolvi o mistério, a polícia não vai demorar muito para resolver também, agora que reabriram o caso. E o depoimento do sr. Ward coloca o seu em xeque. — Pip falava rápido, balbuciando, a língua tropeçando nas palavras. — O que você fez não foi certo, Becca, deixar Andie morrer. Sei que você sabe disso. Mas o que aconteceu com você também não foi justo. Você não queria que nada disso tivesse acontecido. E falta compaixão na lei. Vim aqui avisar que você precisa fugir, sair do país e recomeçar a vida em outro lugar. Porque os policiais vão vir atrás de você em breve.

Pip a encarou. Becca devia estar falando alguma coisa, mas de repente o mundo ficou em silêncio. Restou apenas um zumbido, o bater de asas de um besouro preso em sua cabeça. A mesa estava borbulhando entre elas, e um peso invisível começou a puxar as pálpebras de Pip para baixo.

— E-eu... — gaguejou.

O mundo escureceu, e o único brilho vinha da caneca vazia à sua frente, as cores pingando no ar.

— Você colocou alguma coi... Meu chá?

— Ainda tinham alguns comprimidos do Max no esconderijo da Andie. Eu guardei.

A voz de Becca chegou até Pip alta e espalhafatosa como uma risada de palhaço, flutuando de uma orelha para a outra.

Pip pegou impulso para se levantar da cadeira, mas sua perna esquerda estava fraca demais e cedeu. Ela bateu na ilha da cozinha. Algo se quebrou, e os fragmentos voaram como nuvens serrilhadas, cada vez mais alto, enquanto o mundo girava.

O cômodo deu uma guinada, e Pip tropeçou até a pia, inclinando-se sobre ela e enfiando os dedos na garganta. Vomitou, e era marrom-escuro e ardia, então vomitou de novo. Uma voz chegou até ela, vinda de um lugar próximo e distante.

— Vou dar um jeito, preciso de um plano. Não há provas. Há apenas você e o que você sabe. Sinto muito. Não queria ter que fazer isso. Por que você não desistiu?

Pip cambaleou para trás e enxugou a boca. O cômodo deu outra guinada. Becca estava à sua frente, e as mãos trêmulas de Pip, estendidas.

— Não.

Pip tentou gritar, mas sua voz se perdeu dentro do corpo e não conseguiu sair.

Ela recuou e contornou a ilha. Seus dedos agarraram um dos banquinhos. Ela o lançou para trás, e houve um eco quando o objeto atingiu as pernas de Becca.

Pip foi de encontro à parede do corredor. Com as orelhas zumbindo e o ombro latejando, inclinou-se na direção da parede para não perdê-la e percorreu o caminho até a porta da frente. Não queria abrir, mas Pip piscou e a porta desapareceu. Ela chegou ao lado de fora.

Tudo estava escuro e girando, e havia algo no céu. Cogumelos brilhantes e coloridos e explosões e granulados. Os fogos de artifício rugiam sobre o parque. Pip correu pela floresta em direção às cores vivas.

As árvores estavam dançando, e os pés de Pip ficaram dormentes e sumiram. Outro rugido cintilante no céu a deixou cega.

Ela estendeu as mãos para fazerem o papel de olhos. Outro barulho, e então Becca estava bem na sua frente.

Ela a empurrou, e Pip caiu de costas nas folhas e na lama. Becca estava acima dela, suas mãos espalmadas se aproximando e... uma onda de energia a atravessou. Pip a direcionou para a perna e chutou com força. Becca caiu também, perdida nas folhas escuras.

— Eu t-tentei te a-ajudar — gaguejou Pip.

Ela rastejou, e seus braços queriam ser pernas e suas pernas queriam ser braços. Pip se levantou sem sentir os pés e saiu correndo para longe de Becca. Em direção ao pátio da igreja.

Mais bombas explodiram, e o mundo acabou às suas costas. Ela agarrou as árvores para se empurrar enquanto elas dançavam e giravam sob o céu desmoronando. Segurou uma árvore que parecia ter pele.

A árvore saltou e a agarrou com duas mãos. Elas caíram e rolaram. A cabeça de Pip bateu em outra árvore. Uma trilha úmida serpenteou por seu rosto e o gosto de sangue inundou sua boca. O mundo escureceu de novo e a vermelhidão se acumulou em seus olhos. Então Becca estava em cima dela e Pip sentiu algo frio ao redor do seu pescoço. Ela estendeu a mão para tocar e eram dedos, mas os de Pip não funcionavam. Não conseguia afastá-los.

— Por favor.

As palavras saíram com dificuldade, e o ar não retornava.

Seus braços estavam presos nas folhas e não queriam obedecê-la. Não se moviam.

Pip olhou nos olhos de Becca. *Ela sabe onde colocar seu corpo para nunca mais ser encontrado. Em um lugar muito escuro junto aos ossos de Andie Bell.*

Seus braços e pernas tinham morrido, e ela seria a próxima.

— Queria que alguém como você tivesse estado ao meu lado.
— Becca chorou. — Mas eu só tinha Andie. Ela era minha única forma de escapar do meu pai. Era minha única esperança depois do que Max fez. E ela não se importou comigo. Talvez nunca tenha se importado. Agora eu estou presa nisso, e não existe outra saída. Não queria fazer isso. Desculpe.

Pip não conseguia mais se lembrar da sensação de ter ar em seus pulmões.

Seus olhos estavam se partindo e fogo entrava nas rachaduras.

Little Kilton estava sendo engolida por uma escuridão ainda maior. Mas as faíscas de arco-íris na noite eram bonitas. Uma última imagem bonita antes de tudo ficar preto.

E quando tudo escureceu, ela sentiu os dedos frios se afrouxarem e soltarem seu pescoço.

Pip arfou, e seu primeiro fôlego arranhou a garganta. A escuridão recuou e sons surgiram na terra.

— Não posso fazer isso — gemeu Becca, abraçando a si mesma.
— Não posso.

Em seguida, houve um estrondo de passos farfalhantes. Uma sombra saltou sobre elas, e Becca foi arrastada para longe. Mais sons. Gritos e berros e "Você está bem, picles?".

Pip virou a cabeça e seu pai estava ao seu lado, imobilizando Becca no chão enquanto ela se debatia e gritava.

E havia outra pessoa atrás de Pip, ajudando-a a se sentar, mas ela era um rio e não podia ser contida.

— Respire, sargento — disse Ravi, acariciando seus cabelos. — Estamos aqui. Estamos aqui.

— Ravi, o que aconteceu com ela?

— Fluni... — sussurrou Pip, olhando para ele. — Flunitrazepam... no chá.

— Ravi, chame uma ambulância agora. Chame a polícia.

Os sons sumiram outra vez. Sobraram apenas as cores e a voz de Ravi vibrando em seu peito e pelas costas de Pip até o limite de todos os sentidos.

— Ela deixou Andie morrer — disse Pip, ou pelo menos achou que disse. — Mas a gente tem que deixá-la fugir. Não é justo. Não é justo.

Kilton oscilou.

— Talvez eu me esqueça. Talvez eu fique com mm... nésia. Ela está na fossa séptica. Fazenda... Sycamore. É lá que...

— Tudo bem, Pip — concordou Ravi, segurando-a para que ela não despencasse do mundo. — Acabou. Acabou tudo agora. Já entendi.

— Como... como você me achou?

— Seu dispositivo de rastreamento ainda está ligado — explicou Ravi, mostrando uma tela nebulosa e saltitante com uma mancha laranja no mapa do aplicativo Buscar Meus Amigos. — Assim que eu vi você aqui, eu soube.

Kilton oscilou.

— Está tudo bem, eu estou aqui, Pip. Você vai ficar bem.

Preto.

Estavam falando de novo, Ravi e o pai dela. Mas Pip não conseguia entender as palavras, não passavam de um farfalhar de formigas. Não conseguia mais vê-los. Os olhos de Pip eram o céu, e fogos de artifício explodiam dentro deles. Flores do Armagedom. Tudo vermelho. Vermelho cintilante e brilhante.

Então ela voltou a ser uma pessoa, no chão úmido e frio, sentindo a respiração de Ravi em sua orelha. E, em meio às árvores, luzes azuis começaram a cuspir uniformes pretos.

Pip observou eles dois, as luzes e os fogos de artifício.

Nenhum som. Apenas sua respiração em ritmo de cascavel e os lampejos das luzes.

Vermelho e azul. Vermelho
e azul. Azulho e
vermul.
Ame
z z e e
e
e

três meses depois

— Tem *muita* gente lá fora, sargento.

— Sério?

— É, tipo, umas duzentas pessoas.

Pip conseguia ouvir todas elas: as conversas paralelas e o barulho das cadeiras arrastando enquanto tomavam seus assentos no anfiteatro da escola.

Estava esperando na coxia, segurando as anotações da apresentação. O suor da ponta dos dedos borrava a tinta da impressão.

Todos os outros alunos de seu ano tinham apresentado suas QPES no início da semana diante dos moduladores e de plateias que ocupavam pequenas salas de aula. Mas a escola e a banca examinadora acharam que seria uma boa ideia transformar a apresentação de Pip em um "pequeno evento", nas palavras do diretor. Ela não teve escolha. A escola havia feito anúncios na internet e no *Kilton Mail*. Convidaram membros da imprensa para comparecer. Pip tinha visto uma van da BBC estacionar e desembarcar equipamentos e câmeras mais cedo.

— Está nervosa? — perguntou Ravi.

— Você está fazendo perguntas óbvias?

Quando a história de Andie Bell veio a público, apareceu nos jornais de circulação nacional e na televisão durante semanas. No auge da loucura, Pip fez a entrevista para Cambridge. Os dois avaliadores a reconheceram das notícias, olharam boquiabertos para ela e dispararam perguntas sobre o caso. Sua carta de aceitação foi uma das primeiras a chegar.

Ao longo daquelas semanas, os segredos e mistérios de Kilton seguiram Pip tão de perto que ela teve que usá-los como uma nova pele. Exceto o que estava enterrado bem no fundo do seu ser, o que ela guardaria para sempre para preservar Cara. Sua melhor amiga, que não saiu do lado de Pip no hospital.

— Posso passar na sua casa mais tarde? — perguntou Ravi.

— Pode. Cara e Naomi vão jantar lá também.

Eles ouviram o barulho de saltos cortantes, e a sra. Morgan apareceu, atravessando a cortina.

— Acho que estamos prontos. Quando você quiser, Pippa.

— Tudo bem, saio em um minuto.

— Bom — disse Ravi, quando ficaram sozinhos outra vez —, melhor eu ir me sentar.

Ele sorriu, colocou as mãos na nuca de Pip e enroscou os dedos em seu cabelo. Então se inclinou para pressionar a testa contra a dela. Tinha explicado que isso era para tirar metade de sua tristeza, metade de sua dor de cabeça e metade de seu nervosismo quando ela pegou o trem para Cambridge para fazer a entrevista. Porque metade a menos de algo ruim abria espaço para metade de algo bom.

Ele a beijou, e ela brilhou com a sensação. Foi como se tivesse asas.

— Bota para quebrar, Pip.

— Pode deixar.

— Ah — disse ele, virando-se uma última vez antes de passar pela porta —, não conte para eles que o motivo de ter começado esse projeto foi porque estava a fim de mim. Você sabe, pense em uma razão mais nobre.

— Sai logo daqui.

— Não se sinta mal. Você não conseguiu se controlar, porque eu sou maravilhoso. — Ele deu um sorrisinho. — Entendeu? Ma--*ravi*-lhoso. Ravi.

— Sinal de que a piada é ótima, se você teve que explicar. Agora sai daqui.

Ela esperou mais um minuto, murmurando as primeiras frases do discurso.

Então subiu ao palco.

A plateia não sabia direito o que fazer. Mais ou menos metade das pessoas começou a aplaudir educadamente, as câmeras de notícias se voltando para elas, enquanto a outra metade ficou imóvel, observando os movimentos de Pip.

Na primeira fila, seu pai se levantou e assoviou com os dedos, gritando: "Arrasa, picles!" Sua mãe o puxou com gentileza para que voltasse a se sentar e trocou olhares com Nisha Singh, sentada ao lado.

Pip avançou e colocou seu discurso em cima do púlpito do diretor.

— Olá — começou ela, e o guincho do microfone percorreu a sala silenciosa. Cliques de câmeras soaram. — Meu nome é Pip, e eu sei muitas coisas. Sei que *typewriter* é a palavra em língua inglesa mais longa que dá para escrever usando apenas uma fileira do teclado. Sei que a guerra Anglo-Zanzibari foi a mais curta da história, durando apenas trinta e oito minutos. Também sei que esse projeto colocou a mim, meus amigos e minha família em risco e mudou o rumo de muitas vidas, nem sempre para melhor. Mas o que eu não sei... — ela fez uma pausa — ...é por que esta cidade e a mídia nacional ainda não entendem o que aconteceu aqui. Não sou uma "estudante prodígio" que descobriu a verdade sobre Andie Bell, como dizem os longos artigos em que Sal Singh e seu irmão Ravi são relegados a breves menções. Esse projeto começou com Sal. Para encontrar a verdade.

Então o olhar de Pip o alcançou. Stanley Forbes estava na terceira fileira, rabiscando em um bloco de notas. Ela ainda se perguntava sobre ele e os outros nomes da lista de suspeitos, sobre as outras vidas e segredos que cruzaram o caso. Little Kilton ainda tinha seus mistérios e perguntas sem respostas. Mas a cidade tinha muitos cantos escuros — Pip tinha aceitado que não poderia lançar uma luz sobre cada um deles.

Stanley estava sentado bem atrás dos amigos de Pip, o rosto de Cara ausente entre eles. Por mais corajosa que estivesse sendo diante das circunstâncias, havia decidido que estar ali seria difícil demais.

— Eu jamais poderia ter imaginado — continuou Pip — que esse projeto acabaria com quatro pessoas algemadas e uma sendo libertada depois de cinco anos em cárcere privado. Elliot Ward se declarou culpado pelo assassinato de Sal Singh, pelo sequestro de Isla Jordan e por obstrução de justiça. Sua audiência de condenação será na próxima semana. Becca Bell será julgada ainda este ano pelas seguintes acusações: homicídio culposo por negligência grave, impedimento de um enterro legal e obstrução de justiça. Max Hastings recebeu quatro acusações de importunação sexual e duas de estupro, e também será julgado este ano. E Howard Bowers se declarou culpado por fornecimento de drogas controladas e posse com intenção de venda.

Ela virou a página das anotações e pigarreou.

— Então por que os eventos da sexta-feira, 20 de abril de 2012, ocorreram? A meu ver, há uma série de pessoas que carregam parte da culpa pelos acontecimentos daquela noite e dos dias que se seguiram, moral e é possível que criminalmente. Essas pessoas são: Elliot Ward, Howard Bowers, Max Hastings, Becca Bell, Jason

Bell e, não podemos esquecer, a própria Andie. Vocês a pintaram como uma bela vítima e ignoraram de propósito as facetas mais sombrias de seu caráter, porque não se encaixavam na narrativa que criaram. Mas esta é a verdade: Andie Bell fazia bullying e usava chantagem emocional para conseguir o que queria. Vendia drogas sem se importar para que seriam usadas. Nós nunca saberemos se ela estava ciente que facilitava abuso sexual assistido por drogas, mas, quando confrontada com essa dura verdade pela própria irmã, não conseguiu demonstrar compaixão.

"E, ainda assim, quando olhamos mais de perto, o que encontramos por trás da verdadeira Andie? Encontramos uma garota vulnerável e insegura. Porque Andie cresceu ouvindo de seu pai que seu único valor era sua aparência e o quanto era desejada. A casa de Andie era um lugar onde ela era intimidada e menosprezada. Andie nunca teve a chance de se tornar a jovem que poderia ter sido longe daquela casa, de decidir por si mesma o que a tornava valiosa e que futuro queria.

"E embora essa história tenha seus monstros, descobri que não pode ser facilmente dividida entre o bem e o mal. No fim das contas, é uma história sobre pessoas com diferentes níveis de desespero colidindo umas contra as outras. Mas, no meio de tudo isso, houve alguém que foi bom até o fim. E seu nome era Sal Singh."

Pip ergueu o olhar e o fixou em Ravi, sentado entre os pais.

— Mas o fato é que — prosseguiu ela — eu não fiz esse projeto sozinha, embora as diretrizes exijam isso. Não conseguiria fazer isso sozinha. Então, acho que vocês vão ter que me desqualificar.

Algumas pessoas se engasgaram na plateia, inclusive a sra. Morgan, bem alto. Outras deram risadinhas.

— Eu não teria resolvido o caso sem Ravi Singh. Na verdade, não teria sobrevivido sem ele. Então, se alguém deve falar o quão incrível Sal Singh era, agora que vocês finalmente estão prestando atenção, essa pessoa é o irmão dele.

Ravi a encarou de seu lugar, com os olhos arregalados do jeito contrariado que ela tanto amava. Mas Pip sabia que ele precisava desse momento. E ele também.

Ela o chamou com a cabeça, e Ravi se levantou. Victor também se levantou, assoviando com os dedos de novo e batendo palmas com as mãos gigantescas. Alguns estudantes se juntaram a ele, aplaudindo enquanto Ravi subia correndo os degraus do palco e se dirigia ao púlpito.

Pip se afastou do microfone quando Ravi se juntou a ela. Ele deu uma piscadinha, e Pip sentiu um lampejo de orgulho ao observá-lo subir no púlpito, coçando a nuca. No dia anterior, Ravi havia dito para ela que pretendia refazer o vestibular para estudar Direito.

— Ééé… oi — começou Ravi, e o microfone chiou para ele também. — Eu não estava esperando por isso, mas não é todo dia que uma garota joga fora uma nota máxima por sua causa. — Houve uma onda de risadas baixas e calorosas. — Mas acho que não preciso me preparar para falar sobre Sal. Já faz quase seis anos que venho me preparando para isso. Meu irmão não era só uma boa pessoa, ele era uma das melhores. E era gentil, excepcionalmente gentil, sempre ajudando os outros e nada era uma inconveniência para ele. Era extremamente altruísta. Eu me lembro de uma vez, quando éramos crianças, em que eu derrubei groselha preta no tapete, e Sal assumiu a culpa para que eu não levasse bronca. Desculpe, mãe, mas acho que você acabaria descobrindo uma hora.

Mais risos da plateia.

— Sal era meio irreverente. E tinha uma risada ridícula, era impossível não rir junto. Ah, e ele costumava passar horas desenhando histórias em quadrinhos para eu ler porque eu não dormia fácil. Ainda tenho todas. E, caramba, Sal era inteligente. Sei que teria feito coisas incríveis, se sua vida não tivesse sido tirada. O mundo nunca mais vai ser tão brilhante quanto era com ele. — A voz de Ravi falhou. — Eu queria ter dito tudo isso para o meu irmão quando ele ainda estava vivo. Que ele era o melhor irmão mais velho que alguém poderia ter. Mas, pelo menos, estou dizendo isso neste palco, e sei que desta vez todos acreditam em mim.

Ele se voltou para Pip com os olhos brilhando, chamando por ela. Pip veio ficar ao seu lado, inclinando-se para o microfone para dizer as palavras finais de seu discurso.

— Mas há um último personagem desta história, Little Kilton, e somos nós. Juntos, transformamos uma bela vida no mito de um monstro. Transformamos o lar de uma família em uma casa mal-assombrada. E, daqui para a frente, devemos ser melhores.

Pip segurou a mão de Ravi atrás do púlpito, entrelaçando os dedos com os dele. Suas mãos dadas se tornaram algo novo e vivo. As pontas dos dedos de Pip se encaixavam perfeitamente nos nós dos dedos de Ravi, como se tivessem sido feitos para isso.

— Alguma pergunta?

agradecimentos

Este livro seria apenas um documento do Word abandonado ou uma ideia inexplorada na minha mente se não fosse uma lista enorme de seres humanos incríveis. Primeiro, ao meu superagente, Sam Copeland. É incrivelmente irritante como você está sempre certo. Obrigada por ser tão legal, calmo e a melhor pessoa que alguém poderia ter na própria equipe. Serei sempre grata por você ter me dado uma chance.

Manual de assassinato para boas garotas encontrou o lar perfeito na Egmont, e fico muito feliz com isso. A Ali Dougal, Lindsey Heaven e Soraya Bouazzaoui: obrigada pelo entusiasmo constante, por enxergarem o coração desta história e me ajudarem a encontrá-lo. Agradecimentos especiais à minha maravilhosa editora, Lindsey, por me orientar. À Amy St. Johnston, por ser a primeira a ler e defender este livro; sou muito grata. À Sarah Levison, pelo trabalho árduo de dar forma a esta história, e à Lizzie Gardiner, pelo lindo design de capa da edição britânica; eu não poderia ter sonhado com um mais perfeito. A Melissa Hyder, Jennie Roman e a todos da equipe de marketing e publicidade: Heather Ryerson pela prova maravilhosa, Siobhan McDermott por todo o trabalho duro na YALC e além, Emily Finn e Dannie Price pela campanha genial da YALC e Jas Bansal por ser a rainha das redes sociais. E a

Tracy Phillips e à equipe de direitos autorais pelo trabalho incrível levando esta história para outras partes do mundo.

Ao meu grupo de autores estreantes de 2019 por todo o apoio, com menções especiais a Savannah, Yasmin, Katya, Lucy, Sarah, Joseph e à minha gêmea de agente e editora, Aisha. Todo esse universo de publicação é muito menos assustador quando se vive isso com amigos.

Às Flower Huns (que nome inútil para um grupo de WhatsApp, mas agora que consta aqui, publicado em um livro, não podemos mais mudar), obrigada por serem meus amigos há mais de uma década e entenderem quando eu desapareço na minha toca de escritora. Obrigada a Elspeth, Lucy e Alice por terem realizado a leitura beta.

A Peter e Gaye, obrigada pelo apoio inabalável, por lerem a primeira versão deste livro e por me deixarem viver em um lugar tão bom enquanto escrevo o próximo. E à Katie, por defender esta história desde o começo e por me dar a primeira centelha de Pip.

À minha irmã mais velha, Amy, obrigada por me deixar entrar furtivamente no seu quarto para ver *Lost* quando eu ainda era nova demais — meu amor por mistérios começou aí. À minha irmã mais nova, Olivia, obrigada por ler cada coisinha que eu já escrevi, daquele caderno vermelho com histórias rabiscadas até Elizabeth Crowe, você foi minha primeira leitora, e eu sou muito grata. A Danielle e George — ah, olha só, vocês estão nos agradecimentos só por serem fofos. É melhor não lerem este livro até terem uma idade apropriada.

A mamãe e papai, obrigada por terem me dado uma infância cheia de histórias e por terem me criado com livros, filmes e jogos. Eu não estaria aqui sem tantos anos de *Tomb Raider* e *Harry Potter*. Mas obrigada, principalmente, por sempre dizerem que eu conseguiria mesmo quando todo mundo dizia o contrário. A gente conseguiu.

E a Ben. Você é minha constante em cada lágrima, birra, fracasso, preocupação e vitória. Sem você, eu não conseguiria ter feito isso de jeito nenhum.

Por fim, obrigada a *você* por ter escolhido este livro e lido até o fim. Você nunca saberá o quanto isso significa para mim.

intrinseca.com.br

@intrinseca

editoraintrinseca

@intrinseca

@editoraintrinseca

editoraintrinseca

1ª edição	MARÇO DE 2022
reimpressão	OUTUBRO DE 2024
impressão	LIS
papel de miolo	POLÉN NATURAL 70 G/M²
papel de capa	CARTÃO SUPREMO ALTA ALVURA 250 G/M²
tipografia	UTOPIA